Le cygne d'émeraude

JANE FEATHER

La favorite du sérail	*J'ai lu* 3448/**K**
La nuit de Saint-Pétersbourg	*J'ai lu* 3560/**K**
La favorite afghane	*J'ai lu* 3667/**L**
Un cœur à vendre	*J'ai lu* 4172/**K**
Prise au piège	*J'ai lu* 4586/**J**
La courtisane effrontée	*J'ai lu* 5104/**J**
Pour une rose d'argent	*J'ai lu* 5264/**J**
Le cygne d'émeraude	*J'ai lu* 5358/**H**

Titre original :

THE EMERALD SWAN
Published by arrangement with Bantam Books,
a division of Bantam Doubleday Dell Publishing Group, Inc.

PROLOGUE

Paris, le 24 août 1572

À minuit, le tocsin se mit à sonner. Peu à peu, les rues vides et silencieuses se remplirent d'hommes aux chapeaux ornés de croix blanches, calmes, comme impressionnés par la tâche qui les attendait, armés d'arquebuses, de dagues et d'épées.

Ils foulaient les ruelles pavées qui cernaient la sombre citadelle. Une semaine plus tôt, la musique avait résonné par les fenêtres grillagées du Louvre inondé de lumière ; des fêtards ivres s'étaient bousculés dans les rues afin de célébrer le mariage de la belle Marguerite, sœur du roi Charles de France, avec le roi huguenot Henri de Navarre. Des noces royales destinées à apaiser les rivalités des partis protestant et catholique du pays.

Mais à présent, en cette nuit de la Saint-Barthélemy, ce mariage s'était transformé en un sinistre piège qui allait se refermer sur les milliers de huguenots venus à Paris fêter leur jeune roi.

Tandis que le tocsin continuait à sonner, les hommes avançaient dans les rues, frappaient aux portes pour alerter leurs camarades. L'immense armée d'assassins grandissait, déferlant tel un raz-de-marée vers les demeures marquées d'une croix des gentilshommes protestants.

Premiers coups de feu, premières flammes, premiers hurlements : le massacre avait commencé.

Hydre à multiples têtes, la horde dévastait la ville, enfonçait les portes des maisons, précipitait les habitants par les fenêtres afin qu'ils fussent déchiquetés par la meute qui se répandait par les rues et les cours.

On respirait des relents de sang et de poudre ; les maisons en flammes et les lueurs des torches embrasaient le ciel ; la frénésie des gueux qui pourchassaient les fuyards ressemblait à celle de diables en furie.

À bout de souffle, une femme tremblait au coin d'une ruelle qui descendait vers le fleuve. Son cœur battait à tout rompre. Chaque respiration lui meurtrissait les poumons. Ses pieds nus saignaient, blessés par les pierres ; une cape légère collait à son dos en sueur. Un bébé dans chaque bras, elle serrait ses enfants contre elle, pressant leurs petits visages contre ses épaules pour étouffer leurs pleurs.

Elle vit luire les torches au bout de la ruelle et aussitôt entendit les meurtriers pousser un cri de joie en obliquant vers le fleuve. Étouffant un sanglot, elle recommença à courir le long de la berge. Les bébés lui semblaient de plus en plus lourds. Derrière elle, le piétinement de bottes se rapprochait. Elle n'arriverait pas à leur échapper ! Elle était incapable d'accélérer, même pour sauver ses précieux bébés. Alors, sa terreur fit place à une résignation désespérée.

Dans un dernier halètement, elle s'arrêta et se tourna vers ses bourreaux. L'une des enfants s'agita, essayant de dégager son visage. L'autre était aussi placide que d'habitude. Bien qu'âgées seulement de dix mois, les jumelles avaient déjà des caractères différents.

La jeune femme, épouvantée, essayait de retrouver son souffle. Des visages reflétant une haine sauvage l'encerclèrent. Le sang maculant les mains et les vêtements de ces gens ruisselait sur les lames des épées et des dagues. Ils étaient si proches qu'elle sentait déjà leur sueur et leurs haleines avinées.

– Abjure... Abjure... répétaient-ils sans cesse.

Les tueurs la narguaient. Elle savait que sa conversion ne les intéressait pas : c'était son sang qu'ils voulaient.

– Abjure... Abjure...

– Je vais abjurer, sanglota-t-elle en tombant à

genoux. Épargnez mes bébés... Je vous en supplie... Je vais abjurer, pour eux. Je vais dire le *Credo*.

Elle récita en bafouillant les mots latins du « Je crois en Dieu » des catholiques, les yeux rivés sur le ciel afin de ne pas voir le rictus des bourreaux qui allaient l'assassiner.

Déjà maculée du sang d'autres huguenots, une dague lui trancha la gorge alors qu'elle avait à peine terminé la prière. Ses paroles se perdirent dans un flot de sang. Elle s'écroula sur les pavés. Un bébé cria.

– Allons au Louvre... au Louvre !

Soudain agitée par cette pensée, la horde se détourna, reprenant en chœur le cri lancinant : « Au Louvre, au Louvre ! »

Tout près de là, la rivière aux eaux grises s'écoulait lentement, charriant des cadavres. Quelque chose remua sous le corps de la malheureuse. L'une des enfants se débattit en gémissant jusqu'à ce qu'elle fût libérée du poids de sa mère. Mue par un étrange élan, la petite créature s'éloigna à quatre pattes, cherchant à fuir l'odeur du sang.

Dix minutes plus tard, Francis arriva en courant dans la ruelle. Le visage hagard, il découvrit son épouse.

– Elena ! murmura-t-il, tombant à genoux devant le cadavre.

Il la serra contre lui avec un hurlement de désespoir. Puis, il aperçut un des bébés qui gisait à terre, sa petite bouche ouverte comme pour pousser un dernier cri, les joues éclaboussées du sang de sa mère.

– Que Dieu ait pitié...

Il ramassa son enfant, tout en continuant à serrer le corps de sa femme contre lui. Au comble de la détresse, il regarda autour de lui. Où était passée son autre petite fille ? Les assassins l'avaient-ils embrochée comme tant d'autres enfants en cette nuit de malheur ? Mais où était son corps ? L'avaient-ils emporté à la pointe de leur hallebarde ?

Il se retourna en entendant des pas précipités. Ses gens couraient vers lui, fuyant aussi le massacre.

L'un d'eux se pencha vers le duc et lui prit l'enfant.

Sans un mot, Francis continua de bercer sa femme, égaré par le chagrin.

– Monsieur le duc, nous devons emmener la duchesse et le bébé, murmura l'homme qui tenait l'enfant. *Ils* risquent de revenir. Si nous nous hâtons, nous pourrons nous réfugier au Châtelet.

Avec précaution, Francis reposa sa femme. Il lui ferma les yeux et lui prit la main. Un curieux bracelet en or, incrusté de perles, où pendait une breloque représentant un cygne d'émeraude, lui encerclait le poignet. Il retira le bijou qu'il avait offert à Elena pour leurs fiançailles et l'enfouit dans une poche de son pourpoint, contre son cœur. Puis, sa femme dans les bras, il se releva avec peine.

Le bébé poussa un hurlement. L'homme le plaça contre son épaule, emboîtant le pas du duc qui portait le corps de sa femme morte. Tournant le dos au fleuve, ils disparurent parmi les ombres de la ruelle.

1

Douvres, Angleterre, 1591

La ressemblance était frappante.

Gareth Darcourt se fraya un passage parmi les badauds qui admiraient la troupe d'acteurs ambulants qui avait dressé une estrade sur l'embarcadère du port de Douvres.

La jeune acrobate qu'il regardait avait le même regard bleu azur, la même peau diaphane et les mêmes cheveux brun foncé aux chauds reflets roux que Maude. Mais la ressemblance s'arrêtait là. Tandis que la chevelure de Maude auréolait son visage de boucles soyeuses patiemment mises en plis chaque matin, les cheveux de l'acrobate étaient coupés au bol.

Gareth regarda la silhouette menue faire son numéro sur une poutre large de dix centimètres, juchée à une hauteur non négligeable du sol. Elle s'y promenait avec la même aisance que si elle avait été sur la terre ferme. Sa dextérité était à couper le souffle : elle marchait sur les mains, exécutait des cabrioles et des pirouettes qui suscitaient l'admiration des spectateurs.

Gareth songea que Maude était aussi mince, mais alors qu'elle était pâle et chétive, l'acrobate, en équilibre sur les mains, une vieille robe orange lui tombant sur le visage, révélait de fins mollets musclés à travers un pantalon en cuir souple. On devinait sans peine la force de ses bras. Elle souleva une main et salua le public, avant d'enchaîner une série de pirouettes, faisant virevolter sa robe comme un soleil devenu fou.

Puis elle fit une dernière cabriole, retomba sur ses deux pieds, le corps parfaitement droit, et elle s'inclina devant le public avec un air de triomphe.

La foule et Gareth lui firent une ovation. Elle arborait un sourire radieux tandis que des gouttes de sueur perlaient sur son front. Ensuite elle porta deux doigts à sa bouche et poussa un sifflement strident. Aussitôt, un petit singe vêtu d'une veste rouge et d'un chapeau orné d'une plume orange apparut comme par enchantement.

L'animal retira son couvre-chef et se promena parmi les badauds. Il articulait des sons incompréhensibles qui semblèrent un peu obscènes à Gareth. Quand il jeta une pièce d'argent dans le chapeau, le singe l'honora d'une révérence comique.

Un petit garçon de six ou sept ans, assis près de l'estrade, agita le bras en direction de la jeune fille. Il se leva avec difficulté et vint vers elle en traînant un pied tristement déformé. L'acrobate le prit dans ses bras et se mit à tournoyer avec lui. L'enfant rayonnait de bonheur.

C'était extraordinaire, songea Gareth, comme elle transmettait au pauvre enfant un peu de sa grâce et de sa légèreté, parvenant presque à lui faire oublier son handicap. Lorsqu'elle le reposa sur un tabouret, le petit corps se recroquevilla à nouveau, bien que le garçon continuât à sourire en regardant les pitreries du singe.

La fille récupéra le chapeau et vida la recette du spectacle dans une bourse en cuir accrochée à sa ceinture ; elle envoya un baiser à la foule, reposa le chapeau sur la tête de l'animal et quitta l'estrade avec une dernière pirouette.

Quelle ressemblance troublante ! pensa une nouvelle fois Gareth. Personnalités mises à part... Sa cousine Maude était totalement dépourvue de vitalité ! Elle passait ses journées allongée sur une chaise longue, lisant des traités religieux ou respirant des sels, du bout de son joli nez perpétuellement rougi. Lorsqu'on la persuadait de se lever, elle traînait dans la demeure, entortillée dans des châles imprégnés d'une odeur de médicaments. Sa vieille nourrice lui concoctait des remèdes contre les maladies les plus diverses. Et Maude parlait toujours d'une voix presque inaudible !

Mais Gareth savait que, sous ses airs fragiles, sa cousine possédait une volonté de fer. La jeune Maude savait parfaitement jouer de ses migraines et était experte en chantage émotionnel. C'était une adversaire digne d'Imogène, et elle ne craignait pas non plus de s'opposer à Gareth, son cousin et tuteur.

Alors qu'à présent un trio de musiciens montaient sur l'estrade, pourvus d'une flûte, d'un hautbois et d'un luth, Gareth vit revenir l'acrobate. Perché sur son épaule, le singe semblait lui confier des secrets d'une grande importance. L'air espiègle de la jeune fille était irrésistible.

Après avoir joué quelques notes pour trouver le ton, les musiciens attaquèrent un rythme endiablé. Le singe quitta l'épaule de sa maîtresse et se mit à danser. Ravis, les spectateurs frappèrent des mains en riant.

La jeune fille se plaça au premier rang parmi les badauds, face à l'estrade. Elle fixait les bateleurs et porta quelque chose à sa bouche. Lorsque Gareth comprit son manège, il ne put retenir un sourire. La coquine ! Elle suçait un citron, le regard fixé sur le flûtiste. Le petit garçon, assis sur son tabouret, ne la quittait pas des yeux et Gareth comprit qu'elle agissait ainsi pour le divertir.

Il patienta en sachant ce qui allait inévitablement arriver : les notes du flûtiste se mirent à trembloter. Voyant la fille sucer le citron, l'homme n'arrivait plus à saliver.

Soudain furieux, le flûtiste se pencha et donna une gifle à l'acrobate. Sous la force du coup, elle perdit l'équilibre mais transforma sa chute en une roue habile, toute professionnelle. La foule s'en amusa, pensant que le spectacle continuait. Mais lorsque la jeune fille se redressa, Gareth remarqua qu'elle avait les larmes aux yeux. Elle frotta son oreille d'une main et s'essuya les yeux de l'autre.

– Pas tout à fait assez rapide, constata-t-il à mi-voix.

Elle secoua la tête, lui offrant un sourire penaud.

– D'habitude, Bert n'arrive jamais à m'attraper ! Je voulais faire rire Robbie, mais j'ai été distraite par Chip.

– Chip ?

– Mon singe.

Elle glissa deux doigts dans sa bouche et siffla. L'animal cessa de danser et rejoignit l'épaule de sa maîtresse.

Gareth l'observait ostensiblement alors qu'elle regardait les jongleurs qui s'étaient joints aux musiciens. Elle avait une voix grave pour une femme aussi jeune, mais avec un timbre mélodieux qui le ravissait. Elle parlait l'anglais avec un léger accent, indéfinissable.

Soudain, le singe s'agita sur son épaule, pointant un doigt vers la scène.

– Dieu du ciel, je savais que j'aurais dû filer, marmonna-t-elle tandis qu'apparaissait une femme énorme.

La créature portait une ample robe violette tissée de fils d'argent. Sa tête semblait posée à même la fraise en dentelle blanche qui lui enserrait le cou. L'ensemble était couronné par un large chapeau violet noué sous son double menton par des rubans de soie, et agrémenté de plumes dorées qui s'agitaient dans la brise.

– Miranda ! cria-t-elle d'une voix de stentor. Miranda !

– Bonté divine, grommela l'acrobate.

Le singe s'enfuit tandis que la jeune fille se réfugiait derrière Gareth.

– Pourriez-vous me rendre un grand service et ne pas bouger le temps qu'elle s'en aille ? murmura-t-elle à Gareth d'un air inquiet.

Il eut envie de rire mais il ne broncha pas. En sentant le corps chaud se faufiler sous sa cape et se coller à lui il retint son souffle. Elle était trop fluette pour créer des plis disgracieux dans sa cape en soie écarlate, mais suffisamment vivante pour éveiller ses sens.

Le singe se planta devant la grosse dame et se trémoussa en criaillant de manière insolente. Agacée, elle leva un poing aussi gros qu'un jambon. Le regard malin, Chip lui ricana au nez, dévoilant des dents jaunâtres, puis il disparut dans la foule. La femme essaya de le suivre en vociférant et en brandissant un bâton.

Gareth comprit qu'elle n'avait aucune chance d'attraper l'animal, mais Chip avait réussi à la détourner de sa maîtresse.

– Merci beaucoup, monsieur, fit la jeune fille en sortant de sa cachette. Je n'ai pas envie d'être attrapée par Mama Gertrude en ce moment. C'est une personne adorable, mais elle veut absolument que je devienne la partenaire de son fils, Luke, qui d'ailleurs est charmant, mais un peu simplet.., Il est hors de question que je l'épouse ou que je partage son numéro !

– Je suis ravi d'avoir pu vous être utile, murmura Gareth, décontenancé par ces explications confuses.

Il ne comprenait pas non plus pourquoi il avait réagi de la sorte à la proximité de cette jeune créature : il sentait encore sa présence tiède contre son dos.

La foule commençait à s'impatienter. Les musiciens et les jongleurs furent remplacés par un jeune homme à l'air distrait, vêtu d'un pourpoint bariolé, et accompagné d'un petit chien noir et blanc.

– Voilà Luke et son chien Fred, expliqua Miranda. Luke a mis au point un excellent numéro ; il peut faire faire n'importe quoi à Fred. Regardez-le sauter à travers le cerceau enflammé ! Mais à part ça, le pauvre Luke n'a guère de cervelle...

En comparant le regard quelque peu égaré du jeune homme et les yeux pétillants de l'acrobate, Gareth comprit sa remarque.

– Je dois retrouver Chip. Mama Gertrude n'arrivera pas à l'attraper mais il pourrait faire des bêtises.

Avec un joyeux signe de la main, la jeune fille se glissa parmi les spectateurs. Sa robe colorée brilla quelques instants avant de disparaître.

Déconcerté et curieusement heureux, Gareth continuait à sourire. Resté sur son tabouret, le petit garçon triste cherchait des yeux sa compagne. Il semblait désolé.

L'air mécontent, Mama Gertrude réapparut parmi les badauds en marmonnant.

– Cette fille... On dirait un feu follet. Elle ne reste jamais en place. Je me demande bien ce qu'elle lui reproche, à mon pauvre Luke ! (Elle regarda Gareth droit dans les yeux.) Il est travailleur, honnête, beau garçon avec ça. Une autre serait bien contente de trouver un compagnon comme lui...

Elle fusilla Gareth du regard comme s'il était responsable de l'ingratitude de Miranda, puis, haussant les épaules, elle s'éloigna dans un tourbillon de jupons, précédée de son impressionnante poitrine.

Le numéro terminé, Luke s'inclinait encore devant le public et le chien faisait le beau sur ses pattes arrière alors que les spectateurs commençaient à se disperser.

Quand Gertrude s'en aperçut, elle sauta sur l'estrade avec une agilité surprenante.

– T'as pas fait circuler le bonnet ! s'écria-t-elle. Espèce d'idiot que tu es, Luke ! Va chercher l'argent au lieu de rester planté là. Tu verras jamais Miranda se comporter comme ça, espèce de nigaud !

D'un bond, le garçon quitta la scène. Il circula parmi les gens, un bonnet à la main, son petit chien sur les talons, mais il était trop tard et la plupart des gens l'ignorèrent. Lorsque Gareth fit tomber un shilling dans le bonnet, le garçon le regarda d'un air éberlué.

– Merci, monseigneur... Merci de tout cœur, bégaya-t-il.

– D'où venez-vous ? demanda Gareth.

– Nous arrivons de France, monseigneur, expliqua Luke qui hésitait entre solliciter d'autres spectacteurs ou répondre au généreux gentilhomme. Nous repartons avec la marée pour Calais, ajouta-t-il.

Le comte Darcourt le laissa s'éclipser. Puis, pendant quelques instants, il regarda les hommes démonter l'estrade et il se dirigea vers la ville nichée au pied des hautes falaises blanches.

Débarqué de France à l'aube après avoir essuyé une tempête en mer, Gareth avait décidé de passer la journée et la nuit à Douvres avant de rejoindre sa demeure à Londres le lendemain. Il avait choisi de s'offrir encore un peu de répit avant d'affronter les remous qui allaient dresser l'une contre l'autre sa sœur Imogène et la jeune Maude récalcitrante.

À bord, il avait aidé les marins, reconnaissants, à lutter contre la tempête. Ils avaient semblé plus effrayés que lui, car ces hommes superstitieux redoutaient infiniment l'idée d'être engloutis par la mer...

Glissant la main dans son pourpoint de soie brodé d'argent, il effleura la petite bourse en velours qui contenait le bracelet, le cadeau d'Henri pour sa fiancée. Protégé par une enveloppe de cire, un parchemin reposait sur son torse, portant le sceau du roi Henri IV... Pour le moment, Henri de Navarre n'était roi de France que de nom. Les catholiques ne voulaient pas d'un monarque huguenot ; mais dès qu'il aurait vaincu ses sujets indociles, il régnerait sur un territoire infiniment plus grand et plus puissant que son pays natal. Être roi de Navarre n'était qu'une bagatelle quand on pouvait être roi de France.

Grâce à ce sceau royal apposé sur un parchemin, la famille Darcourt allait retrouver le pouvoir dont elle avait joui autrefois. L'avenir qui s'offrait à elle était si glorieux que même Imogène, qui était dévorée d'ambition, n'aurait osé y rêver.

Gareth afficha un sourire narquois en imaginant la réaction de sa sœur lorsqu'il lui révélerait la proposition que contenait le parchemin. Depuis le décès de Charlotte, peu d'événements avaient suscité l'intérêt de Gareth, mais cette occasion inopinée lui avait fouetté le sang, réveillant l'ambition dont il faisait preuve autrefois.

Mais avant toute chose, il devait obtenir l'assentiment de sa pupille, et rien n'était encore joué.

Lorsqu'il avait cédé aux exigences de sa sœur et qu'il s'était embarqué pour la France, il avait été le messager d'une proposition beaucoup plus modeste. Il était venu offrir au confident et conseiller du roi, le duc de Roissy, la main de sa cousine issue de germains, Maude, fille du duc d'Albard. Mais il y avait eu un rebondissement inattendu.

Songeur, Gareth contempla la digue qui protégeait

le bassin des eaux agitées de la Manche. C'était un endroit paisible qui méritait bien son nom, le port du Paradis. Rien à voir ici avec le tumulte du camp militaire du roi Henri qui assiégeait Paris, où Gareth s'était présenté sous une pluie battante d'avril. Une grande partie du pays était outrée que ce roi impopulaire osât assiéger la capitale. Les Parisiens luttaient contre la famine tout en refusant de reconnaître un souverain qu'ils considéraient comme un usurpateur hérétique.

Pour éviter d'attirer l'attention, Gareth avait voyagé seul. L'absence de domestiques et de signes distinctifs de son rang lui avait posé quelques problèmes. Puis, il avait finalement été admis dans ce campement improvisé. Pendant deux heures, il avait patienté dans l'antichambre de la tente royale. Des officiers, des courtisans, des serviteurs n'en finissaient pas d'entrer et de sortir, sans daigner s'occuper de l'homme vêtu d'une cape trempée et de bottes crottées qui arpentait l'herbe boueuse en remuant les bras pour se réchauffer.

La situation ne s'était pas améliorée lorsqu'il avait été enfin admis en présence du roi.

Soldat depuis sa quinzième année, Henri IV, à trente-huit ans, était un guerrier endurci, passionné, qui dédaignait le confort. Ses quartiers étaient à peine réchauffés par un brasero, son lit n'était qu'une paillasse à même le sol. Il avait accueilli le comte Darcourt avec un sourire, mais son regard était resté suspicieux. Depuis l'époque de la Saint-Barthélemy, lorsque son mariage avec Marguerite de Valois avait déclenché l'odieux massacre où avaient péri des milliers de gens, dans cette même ville dont il attendait la reddition, Henri craignait toujours la trahison, sous n'importe quelle forme.

Mais les références de Gareth étaient des plus fiables. Son propre père avait été aux côtés d'Henri lors du tragique mariage. Le père de Maude, le duc d'Albard, l'un des meilleurs amis d'Henri, avait perdu sa femme, née Darcourt, de même que l'un de ses bébés, la nuit du drame. Ainsi, après un interrogatoire serré, Gareth avait bien été reconnu comme véritable ami.

On lui avait alors proposé de partager le repas frugal

du roi avant que Sa Majesté ne discute avec Roissy de cette demande en mariage.

Le vin était âpre, le pain rassis, la viande fortement pimentée pour en cacher le mauvais goût ; mais pour les Parisiens affamés, c'eût été un festin. Henri avait bu et mangé avec appétit, son nez d'aigle rosissant au fur et à mesure que les outres de vin se vidaient. Enfin, il avait essuyé ses lèvres minces d'un revers de la main, épousseté les miettes accrochées à sa barbe et exigé qu'on lui montrât le portrait de lady Maude. Le roi tenait à la voir avant de la déclarer digne d'épouser son cher Roissy... En dépit du ton badin, chacun avait compris que le monarque était sérieux.

Gareth lui avait montré la miniature. Dans le cadre serti de perles, Maude avait cet air de fragilité éthérée qui passait pour de la beauté chez beaucoup de femmes. Sa peau était très blanche, d'une pâleur maladive au goût de Gareth. Pourtant, si l'on examinait de près le regard bleu azur, on devinait le tempérament intense de la jeune fille. Son cou de cygne était son plus bel atout, et le portraitiste l'avait souligné par un collier de turquoises.

Alors qu'il étudiait la miniature, Henri avait semblé songeur.

– Sire, quelque chose ne va pas ? s'était inquiété Roissy en essayant d'apercevoir le portrait entre les mains de son souverain.

– Non, non... Cette demoiselle est ravissante, avait marmonné le roi en tapotant le cadre d'un doigt rugueux. C'est tragique qu'elle n'ait jamais connu sa mère. Je me souviens si bien d'Elena... Je crois que vous étiez très proche de votre cousine, n'est-ce pas ? avait-il ajouté en s'adressant à Gareth.

Gareth s'était contenté de hocher la tête. Elena était son aînée de quelques années, mais ils avaient été très amis, et son assassinat l'avait bouleversé.

Henri se mordillait la lèvre en examinant le visage de Maude.

– Ce serait une alliance irréprochable.

– En effet, Sire, s'était impatienté Roissy. Les d'Albard et les Roissy sont amis depuis fort longtemps.

– Certes, c'est une belle alliance pour un Roissy, avait repris Henri d'un ton distant. Mais pour un roi aussi, n'est-ce pas ? (Il avait regardé ses conseillers avec un sourire qui le rajeunissait.) Votre cousine me plaît, comte. Et il me faut une épouse protestante.

Il y avait eu un silence étonné.

– Mais Votre Majesté est déjà mariée, avait bégayé Roissy.

– Avec une catholique ! s'était écrié Henri dans un grand éclat de rire. Marguerite et moi vivons séparés depuis des années, mais nous sommes restés bons amis. Elle a ses amants, et moi mes maîtresses. Elle acceptera volontiers le divorce. (Le roi s'était tourné vers Gareth :) Je veux rencontrer votre pupille, Darcourt. Si je la trouve toujours aussi séduisante, Roissy devra se chercher une autre épouse.

Il y eut des objections, bien sûr. Le roi ne pouvait pas envisager de quitter le siège de Paris pour se rendre à Londres. Mais Henri était déterminé. Ses généraux pouvaient se débrouiller pendant quelques mois, en son absence. Réduire une ville à la famine afin de la conquérir n'exigeait ni manœuvres tactiques ni batailles sanglantes. Il voyagerait incognito, prétendant être un gentilhomme français en visite à la cour d'Elizabeth d'Angleterre. Il profiterait de l'hospitalité du comte Darcourt pour faire la connaissance de la belle lady Maude et, si elle lui plaisait, il lui ferait la cour.

Le bracelet médiéval, en forme de serpent, avec sa breloque représentant un cygne d'émeraude, avait appartenu à la mère de Maude. C'était un bijou unique et très précieux. Gareth ignorait comment il était arrivé entre les mains du roi ; il présumait que Francis d'Albard lui-même le lui avait remis. Henri avait déclaré que c'était le cadeau idéal pour marquer son intention de courtiser la fille du duc d'Albard.

Et c'est ainsi que Gareth s'était retrouvé avec la proposition qui allait provoquer chez Imogène l'allégresse et la panique. Dieu seul savait quelle serait la réaction de Maude !

Plongé dans ses pensées, il franchit les vieux murs de Douvres. La cité était protégée par le château qui dominait les falaises et par trois forts construits le long de la mer, à la demande du père d'Elizabeth, Henri VIII. Les citadins avaient cessé d'entretenir les murailles. De toute façon, une bonne canonnade aurait suffi à les réduire en poussière.

Gareth emprunta la rue Chapel où se trouvait l'auberge. Il espérait profiter d'un lit privé pour la nuit. Mais les aubergistes étaient connus pour infliger à leur client des compagnons non désirés à une heure trop tardive pour qu'ils puissent s'y opposer.

Il venait de baisser la tête pour entrer dans l'auberge lorsqu'il entendit un vacarme en provenance de la ruelle voisine. Un éclair orange passa derrière lui. La foule des poursuivants hurlait : « Au voleur ! » On l'aurait piétiné s'il n'avait pas fait un bond de côté.

D'ordinaire, Gareth ne se mêlait pas de ce genre d'incident. Lorsque la populace s'en prenait à l'un des siens, cela se terminait souvent par des bagarres et des lapidations. Il était probable que l'acrobate fût une voleuse. Quand on menait une vie de vagabond, la notion de propriété devenait plutôt abstraite...

Tout en pensant à une chope de bière bien fraîche et à une prise de tabac, sur le seuil de l'auberge il hésita. Et si elle était innocente ? Si la foule la rattrapait, rien ne la protégerait d'une justice expéditive. On ne lui laisserait aucune chance de se défendre. Et même si elle était coupable, il se sentit révolté à l'idée du châtiment cruel que subirait la jeune fille.

Il suivit la foule en colère. À en juger par leurs cris, ils ne l'avaient pas encore trouvée.

2

Miranda s'engouffra dans un étroit passage entre deux maisons. L'espace était si réduit que la jeune fille dut se tenir de biais. D'après la puanteur, on utilisait cet endroit pour y déposer des ordures et des excréments. Elle respira par la bouche.

Agrippé au cou de sa maîtresse, Chip marmonnait, son petit corps maigrichon tremblant de peur. Elle lui caressa la tête, tout en maudissant la passion de son singe pour les objets brillants.

Fasciné par l'éclat d'un peigne en argent qui miroitait au soleil, Chip s'était assis sur l'épaule d'une dame. Comme elle avait pris peur, il avait tenté de la rassurer en babillant comme à son habitude, tout en tirant sur le peigne qui lui maintenait les cheveux. Mais comment faire comprendre à une femme affolée que le singe qui farfouillait dans ses cheveux était inoffensif ?

Miranda s'était précipitée pour attraper Chip et l'assistance avait aussitôt décidé qu'ils étaient complices. Habituée depuis l'enfance à évaluer rapidement les changements d'humeur de la foule, elle avait compris qu'il valait mieux s'enfuir, ce qui avait déclenché la poursuite.

La meute hurlante dépassa la cachette. Frissonnant, Chip continuait à murmurer à son oreille.

– Chut ! dit-elle en le serrant contre elle.

Lorsque le piétinement se fut éloigné, elle émergea de son abri.

– Je doute qu'ils abandonnent aussi facilement !

Elle sursauta. Le gentilhomme marchait vers elle, sa cape gonflée par la brise. Sur le quai, elle ne l'avait pas détaillé, se contentant de noter la qualité de ses vêtements. Elle le dévisagea avec intérêt. Le pourpoint argenté, les hauts-de-chausses en velours noir et or, les bas dorés, la cape en soie étaient les signes distinctifs d'un gentilhomme, tout comme les bagues à ses doigts et les boucles en argent qui ornaient ses souliers. Ses cheveux noirs étaient coupés court. Il était rasé de près, ce qui n'était pas à la mode. Ses yeux bruns l'observaient non sans amusement. Ses lèvres généreuses souriaient, dévoilant des dents très blanches.

Elle ne put s'empêcher de répondre à ce sourire.

– Nous n'avons rien volé, monseigneur. Malheureusement, Chip est attiré par tout ce qui brille et il ne comprend pas pourquoi il n'a pas le droit d'y toucher.

– Je suppose que la malheureuse victime a protesté quand un singe est venu l'examiner ?

– Cette idiote a hurlé comme si on l'avait jetée dans un chaudron d'huile bouillante ! Et en plus, son maudit peigne n'était que de la pacotille !

Gareth éprouva un élan de compassion pour l'inconnue.

– Elle ne devait pas être habituée à voir un singe de si près !

– C'est sûr, mais Chip est très propre et très gentil. Il ne lui aurait fait aucun mal...

– Mais comment pouvait-elle le deviner ? s'amusa Gareth.

Miranda éclata de rire. En présence de ce gentilhomme aimable, sa situation lui sembla soudain moins désespérée.

– J'allais essayer de le leur expliquer, mais ils se sont retournés contre moi et j'ai dû m'enfuir, ce qui m'a évidemment confirmée comme coupable.

Le sourire de la jeune acrobate s'effaça lorsqu'elle entendit à nouveau des vociférations.

– Dépêchons-nous de quitter cette rue, dit Gareth d'un ton pressé. La couleur de votre robe ne passe vraiment pas inaperçue.

Miranda hésita. Son instinct lui ordonnait de fuir, mais l'homme lui saisit la main et l'entraîna, Chip toujours accroché à son cou, vers l'auberge de la *Pomme d'or*.

– Pourquoi vous inquiéter pour moi ? demanda-t-elle.

Gareth ne répondit pas. Il n'avait rien à répondre. Quelque chose chez cette jeune fille l'émouvait. Elle était à la fois vulnérable et indomptable. Il ne pouvait pas la laisser aux mains de la foule surexcitée, bien qu'il fût certain qu'elle était habituée à se sortir des situations périlleuses.

– Entrez ici !

Une main sur son dos, Gareth la poussa dans la taverne. Sa peau était chaude à travers l'étoffe légère de sa robe. En baissant les yeux, il remarqua ses cheveux auburn. Sans réfléchir, il les effleura d'un doigt. Elle sursauta et leva les yeux vers lui.

– Ne laissez pas le singe s'échapper, ordonna-t-il d'une voix rauque. Je suis certain qu'il y a des objets qui brillent dans la pièce.

La caresse avait été si furtive que Miranda se demanda si elle avait rêvé.

– Je ne crois pas. Il y a trop de poussière ici. Même la vaisselle en étain est terne.

– Tenez-le bien tout de même.

– Comte Darcourt, le salua l'aubergiste en s'inclinant. L'écurie de louage a trouvé une bonne monture comme vous l'avez demandé. Hé ! mais qu'est-ce que c'est ? Emporte cette sale bestiole hors d'ici, malheureuse !

Furieux, l'homme désignait Chip du doigt. L'animal qui avait retrouvé ses esprits s'était redressé sur l'épaule de Miranda d'où il contemplait la pièce avec intérêt.

– La fille est avec moi, Molton, et le singe se tiendra tranquille, affirma Gareth en se dirigeant vers la salle commune. Qu'on m'apporte une pipe et une chope de bière. De la bière pour mon invitée aussi.

– J'aimerais savoir pourquoi un si petit singe effraie les gens, soupira Miranda en s'approchant de la minuscule fenêtre qui donnait sur la ruelle.

Elle frotta la vitre poussiéreuse avec sa manche jusqu'à ce qu'elle pût voir l'extérieur.

Gareth prit la longue pipe en terre que lui tendait l'aubergiste, ainsi que le pot à tabac et la mèche allumée. Une fumée bleue parfumée s'éleva vers le plafond lorsque le comte Darcourt tira sur la pipe. Le nez retroussé, Miranda l'observait.

– Je n'avais jamais vu quelqu'un fumer la pipe, dit-elle. Ce n'est pas à la mode en France.

– Ils ne savent pas ce qu'ils manquent, fit-il avant d'avaler une longue gorgée de bière fraîche.

– Je ne crois pas que j'apprécie l'odeur. Ça gêne pour respirer. Chip ne semble pas aimer non plus.

Le singe s'était blotti dans un coin de la pièce, une main sur le nez.

– Vous m'excuserez si je ne me préoccupe pas des goûts d'un singe.

– Pardonnez-moi, je ne voulais pas être impolie, s'excusa-t-elle, nerveuse.

Mais il semblait toujours d'aussi bonne humeur. Rassérénée, Miranda s'aperçut que sa course à travers la ville lui avait donné soif. Elle but longuement. Elle appréciait le flegme de son compagnon ; elle avait le sentiment d'être en sécurité.

Comment l'avait appelé l'aubergiste, déjà ? Comte Darcourt, c'était ça.

– Je tiens à vous remercier pour votre gentillesse, monsieur le comte. Nous ne nous connaissons pas.

– Étrangement, que je le veuille ou non, je commence à avoir l'impression de bien vous connaître.

Miranda appuya son nez contre la vitre ; dehors, la ruelle était tranquille.

– Je crois que je peux partir, maintenant, monsieur le comte. Je ne veux pas vous déranger.

– Si vous êtes certaine que vous ne risquez rien... Sinon, vous pouvez rester ici aussi longtemps que vous le désirez.

– Merci, mais il est temps que je parte, ajouta-t-elle en se tournant vers la porte. Encore merci pour votre gentillesse.

Elle fit une légère courbette. Le singe bondit sur son épaule et adressa un geste obscène à Gareth, tout en lâchant un chapelet de grognements.

Quelle bête ingrate ! songea Gareth lorsqu'ils eurent disparu. Il était encore préoccupé par la ressemblance de l'acrobate avec Maude. On disait que chaque être avait son double sur terre, mais c'était la première fois qu'il en était conscient.

– Vous souhaitez dîner, monsieur le comte ? demanda Molton.

– Tout à l'heure. Je vais jeter un coup d'œil au cheval. Il me faudra un lit pour cette nuit. Je veux bien payer ce qu'il faudra pour ne pas avoir à le partager, et je préférerais une chambre seule.

– J'ai une jolie pièce au-dessus de la buanderie, déclara Molton en s'inclinant jusqu'à terre. Mais il vous en coûtera une couronne, monseigneur. Trois personnes tiendraient dans le lit sans y être à l'étroit.

– Fais monter mes bagages, dit Gareth en prenant ses gants ornés d'éclats de pierres précieuses.

Le cheval qu'on lui proposait à l'écurie de louage était plutôt pitoyable, mais il tiendrait jusqu'à Londres si son cavalier le ménageait. Heureusement, Gareth n'était pas pressé. Il savait qu'Imogène l'attendait avec impatience, et imaginait son beau-frère Miles courant çà et là pour éviter le feu de ses questions. Gareth, évoquant l'excitation de sa sœur et le contrepoint silencieux de son beau-frère, se réjouissait de retarder un peu le moment de leur rencontre.

Comment avait-il pu confier la responsabilité de sa maison à sa sœur ? Après la mort de Charlotte, alors qu'il sombrait encore dans la culpabilité, il avait baissé la garde.

Sans qu'il en fût vraiment conscient, Imogène, toujours à l'affût d'une bonne occasion, s'était installée dans sa demeure située sur le Strand, avec toute sa maisonnée, y compris l'agaçante Maude, sous prétexte de le réconforter... Et cinq ans plus tard, ils étaient encore tous là.

Imogène était une femme difficile et colérique, dont

le seul but dans la vie était d'assurer le bien-être de son jeune frère. À la mort de leur mère, elle avait choisi de se consacrer à lui, alors qu'il n'avait que dix ans. Son aînée de douze ans, elle l'avait étouffé sous une tendresse exclusive et suffocante. Miles, son infortuné mari, devait se contenter des miettes... Et Gareth, tout en résistant à cette affection excessive, n'avait pas le cœur de blesser sa sœur. Il connaissait les défauts d'Imogène : sa volonté farouche de favoriser la carrière de son frère venait de son ambition dévorante pour la famille Darcourt, et se manifestait par des colères homériques, une certaine extravagance, et un manque de considération envers les serviteurs et son entourage. Mais il n'arrivait pas à l'exclure de sa vie comme il en aurait rêvé.

Emportée par son zèle pour faire le bonheur de son frère, Imogène lui avait même trouvé une fiancée parfaite pour remplacer Charlotte : lady Mary d'Abernathy, une veuve sans enfants de presque trente ans qui, selon ses critères, ferait une parfaite comtesse Darcourt et ne manquerait jamais à son devoir.

Gareth esquissa un sourire ironique. Charlotte n'avait aucune notion du devoir, mais c'était une femme pleine de vitalité, alors que Mary était totalement insipide. La première, avec l'amour, lui avait fait découvrir la détresse, l'humiliation et la culpabilité. Ce que ne ferait jamais Mary puisqu'elle ignorait les sommets de la passion... Dans une vie, l'homme n'avait qu'une chance pour être heureux, et Gareth avait gâché la sienne. Il devrait donc se contenter d'une vie morne.

Mais il ne pouvait s'y résoudre ! Lorsqu'il essayait de se raisonner, il n'arrivait jamais à se convaincre. Par ailleurs, dans un proche avenir, toute sérénité allait disparaître dès qu'Imogène saurait qu'Henri IV projetait d'épouser Maude...

Il était le tuteur et le protecteur officiel de Maude depuis la mort du père de la jeune fille. Devenue orpheline, elle avait été envoyée chez ses plus proches parents. Imogène s'était toujours occupée d'elle. Jusqu'à récemment, Gareth avait à peine remarqué la présence de la jeune fille maladive qui habitait un coin de sa demeure. Mais lorsque Imogène avait décidé de l'avenir de Maude, il avait été forcé de s'intéresser au caractère de sa pupille qui alliait un état souffreteux chronique à une obstination bornée. Elle n'acceptait pas l'avenir qu'on lui préparait.

Après avoir quitté l'écurie, il retourna vers le port, profitant de l'après-midi agréable de ce mois d'août. Des mouettes poussaient des cris stridents en planant au-dessus des eaux calmes de la baie et le soleil couchant teintait de rose les falaises de craie. La scène était idyllique, jusqu'à ce qu'il aperçût une tache orange près des murs gris. Il fut aussitôt saisi par un drôle de pressentiment.

Le singe était assis près d'elle sur le muret, examinant ses mains. La fille contemplait le port, balançant les jambes, les talons de ses sabots de bois claquant contre la pierre. Les rares bateaux du port étaient amarrés et la mer descendait rapidement. On ne voyait aucune trace des autres saltimbanques.

– J'ai le sentiment que tout va mal pour vous, aujourd'hui, fit-il en s'approchant.

– Je savais bien que je n'aurais pas dû me lever ce matin. À cause du scarabée.

– Le scarabée ?

– Un gros scarabée noir dans le pichet de lait. Ils portent malheur, vous savez.

– Je l'ignorais. Vos amis vous ont-ils oubliée ?

– On devait prendre le dernier bateau. J'ai perdu trop de temps à courir derrière Chip.

Elle jeta un regard attristé vers la haute mer. Gareth s'appuya contre le mur, savourant le plaisir d'être à nouveau auprès d'elle.

– Qu'allez-vous faire ?

– Je vais attendre le prochain bateau pour Calais. Mais j'ai donné l'argent de ce matin à Bert et je n'ai plus un sou. Il faudrait que je recommence mon numéro, mais après ce qui s'est passé tout à l'heure...

Gareth regarda le soleil se coucher lentement à l'horizon. Ce n'était pas un mauvais pressentiment qu'il avait ressenti en la voyant, mais de l'excitation. Une fébrilité qu'on éprouve lorsqu'une solution inattendue se présente à vous.

– Est-ce que je peux vous faire une proposition ?

Elle l'observa d'un air méfiant. Il se contenta de lui sourire.

– Quel genre de proposition ? demanda-t-elle.

– Avez-vous dîné ?

– Non, rétorqua-t-elle. Je vous ai dit que je n'avais pas un sou.

Son petit déjeuner était déjà loin et, parce qu'ils avaient voulu donner un dernier spectacle avant de prendre le bateau, la troupe s'était passée de déjeuner. Miranda était affamée. *Qui dort dîne*, songea-t-elle d'un air fataliste.

– Aimeriez-vous partager mon repas ?

– Que me demanderez-vous en échange ?

Gareth devinait que la jeune fille se savait dans une position difficile. Elle était tentée par son offre, mais la vie lui avait appris à ne pas faire confiance à un inconnu. Visiblement, elle n'avait pas l'habitude de monnayer son corps, si c'était ce qu'il espérait obtenir en échange d'un repas.

– J'aimerais vous soumettre ma proposition pendant que nous dînons, lui expliqua-t-il avec un sourire rassurant.

Afin de lui laisser le temps de prendre sa décision, il s'écarta un peu, en direction de la ville.

Miranda se laissa glisser jusqu'au sol. Le bon sens lui dictait d'accepter la nourriture et son instinct lui enjoignait de faire confiance à ce gentilhomme. Chip lui sauta sur l'épaule. Ils suivirent le comte Darcourt jusqu'à l'auberge.

3

– Mais où est passé Gareth ? Il est parti depuis plus de quatre mois !

Lady Imogène Dufort arpentait la longue galerie sous les portraits des ancêtres Darcourt. C'était une grande femme anguleuse, avec des lèvres étroites et un long nez disgracieux.

– Ce n'est pas facile d'organiser un voyage vers la France, observa son mari d'un air placide.

Après vingt-cinq ans de mariage, Miles Dufort savait que sa femme ne se calmerait pas de sitôt. D'une main anxieuse, il tapota les rares mèches de cheveux roux qui lui restaient.

– Je sais bien ! rétorqua-t-elle. Mais nous sommes au mois d'août, pas en janvier ; la mer est plutôt clémente en cette saison. Et le roi Henri se trouve aux portes de Paris, et non au fin fond des contrées sauvages de la Navarre. Quelqu'un d'un peu déterminé ne devrait pas avoir trop de mal à le trouver.

Lorsqu'elle arriva au bout de la galerie, elle pivota si brusquement qu'elle renversa un tabouret de sa jupe ample.

– Gareth est paresseux comme une couleuvre, poursuivit-elle en sentant la moutarde lui monter au nez. Si je n'étais pas là, cette famille sombrerait dans l'anonymat ! La plus merveilleuse des occasions risque d'être gâchée parce que mon frère n'a pas l'énergie de s'activer !

Elle agitait son éventail avec vigueur pour rafraîchir ses pommettes rouges qui soulignaient sa peau abîmée.

– Si seulement j'étais un homme, j'y aurais veillé moi-même ! conclut-elle.

Miles caressa sa barbe pour se donner une contenance. Il savait que cette diatribe contre Gareth, au fond, masquait la peur d'Imogène qu'il lui fût arrivé un malheur. Incapable d'exprimer son amour pour son frère, sa sévérité et son intransigeance augmentaient avec son inquiétude.

– Pourtant, ma chère épouse, votre frère a accepté de se rendre auprès du roi Henri.

– Et grâce à qui, je vous le demande ? Se serait-il déplacé si je ne l'avais pas imploré à genoux pendant des mois ?

Gareth, en effet, avait été difficile à convaincre. Miles était impressionné par la passivité de son beau-frère face à sa sœur aînée. Les crises de larmes, les colères terrifiantes, le harcèlement continuel : rien ne le troublait. Pourtant, il devinait que la sérénité de Gareth n'était qu'apparente. De plus, elle induisait Imogène en erreur, lui laissant croire qu'elle guidait son frère pour son bien et celui de leur famille. La pauvre ne semblait pas remarquer qu'en dépit de ses efforts Gareth n'en faisait toujours qu'à sa tête.

Après des mois d'argumentation, le projet d'Imogène avait tout de même éveillé l'intérêt de Gareth. Lorsqu'elle avait eu l'idée de proposer au duc de Roissy d'épouser Maude, Miles s'était attendu au schéma habituel : Gareth laisserait sa sœur le harceler quelque temps avant de la remettre gentiment à sa place avec un refus catégorique.

Mais l'intérêt de ce mariage était évident pour les Darcourt. En raison de sa fidélité à la cause huguenote, la famille avait beaucoup perdu depuis le massacre de la Saint-Barthélemy ; il n'était pas déraisonnable d'espérer une récompense maintenant qu'Henri avait triomphé en France.

– En avez-vous reparlé avec Maude, très chère ? s'enquit Miles, triturant ses bagues et songeant qu'il aurait bien aimé aller faire une partie de cartes dans l'une des auberges de la colline de Ludgate.

– Je refuse de parler à cette ingrate jusqu'à ce qu'elle se soumette, lança lady Imogène d'un air furieux. Je m'en lave les mains !

Mais son mari n'était pas dupe. Imogène ne renoncerait jamais à son idée.

Soudain, elle quitta la galerie sans un mot, laissant la porte ouverte.

Miles la suivit à une distance raisonnable. Quand elle tourna vers l'aile est de la maison, il hocha la tête. La pauvre Maude allait subir un nouveau torrent d'invectives. Mais ainsi, il était libre de vaquer à ses occupations...

Imogène pénétra dans le petit salon où sa cousine passait la plupart de ses journées.

– Sors d'ici ! ordonna-t-elle à la vieille femme qui brodait près de la cheminée.

En dépit de la douceur de cette fin d'après-midi, il faisait une chaleur suffocante dans la petite pièce à boiseries. L'air sentait la graisse de porc dont on avait enduit la poitrine de lady Maude pour lui éviter de prendre froid.

Ramassant sa broderie, la vieille femme jeta un coup d'œil inquiet à sa jeune maîtresse, allongée sur une chaise longue, tout à côté du feu.

L'air contrarié, lady Imogène tapa du pied.

– Dehors ! Tu es sourde ou quoi ?

Avec une révérence hâtive, la nourrice et dame de compagnie de lady Maude s'éclipsa.

– Je vous souhaite le bonjour, cousine Imogène, murmura Maude d'une voix faiblarde, sous le monceau de châles et de couvertures.

– Je vous interdis de me souhaiter une bonne journée, déclara Imogène.

Elle s'approcha de la jeune fille qui la regardait d'un air sérieux mais dénué de peur. Ses cheveux étaient ternes, elle avait le teint blafard des gens qui manquent d'air pur et d'exercice. Mais ses yeux étaient d'un bleu magnifique.

– Je ne tolérerai pas une minute de plus vos bêtises. Vous m'entendez, ma fille ?

Imogène postillonna dans le visage de Maude qui détourna la tête avec dégoût.

– Je dois obéir à ma conscience, cousine.

– Votre conscience ? Qu'a-t-elle à voir avec notre affaire ?

– Je n'ose croire que vous ignorez l'importance de la conscience dans une existence, reprit Maude. Je sais que vous écoutez toujours la vôtre.

Imogène rougit. Comment pouvait-elle le nier sans se mettre dans l'embarras ?

– Il faut m'obéir, déclara-t-elle. C'est ce que je suis venue vous dire. J'utiliserai tous les moyens nécessaires pour vous convaincre.

– Vous pouvez me condamner au supplice de la roue, madame, mais je n'agirai pas contre ma conscience.

Indignée, Imogène serra les dents et quitta la pièce. Gareth se chargerait de cette petite peste obstinée ! C'était lui son tuteur après tout, bien qu'il eût laissé cette tâche difficile à sa sœur si dévouée...

Qui avait veillé la jeune fille lors de ses maladies incessantes ? Qui avait veillé à son éducation ? Qui lui avait enseigné les devoirs dus à son rang ? Qui avait eu la charge du bien-être de cette ingrate ?

Aveuglée par la colère, Imogène se posait toutes ces questions en oubliant la vérité. En réalité, les heures qu'elle avait réellement passées à se préoccuper du bien-être de Maude se comptaient sur les doigts de la main...

À nouveau seule, Maude tripota les franges du châle posé sur ses genoux. Son expression manquait de caractère, mais il y avait quelque chose de particulier dans son regard bleu.

– Berthe, tu iras chercher le prêtre ce soir, ordonna-t-elle quand sa nourrice revint. Lorsque je me serai convertie, ils ne pourront plus rien contre moi. Le conseiller du roi Henri est protestant ; il est impensable qu'il épouse une catholique.

– Es-tu certaine de vouloir franchir ce pas, ma mignonne ? demanda Berthe en lui posant la main sur le front.

– J'ai étudié le catéchisme et je suis prête pour me convertir, répliqua Maude d'un air buté. Je refuse de jouer le rôle qu'ils veulent m'imposer dans leur seul intérêt. Il faut que tout soit terminé avant le retour du comte.

– Je vais envoyer chercher le père Damian, sourit Berthe en lui caressant les cheveux.

Son rêve le plus cher était sur le point de se réaliser. Depuis vingt ans, Berthe luttait pour sauver l'âme de la jeune fille qu'elle avait élevée comme sa propre enfant, même en vivant dans un pays où l'on persécutait les catholiques.

Apaisée par les caresses de sa nourrice, Maude ferma les yeux. Imogène serait hors d'elle, mais elle allait apprendre à ses dépens que rien ne pouvait ébranler la foi de sa jeune cousine. Maude allait leur prouver sa fermeté d'âme.

L'aubergiste prit une mine renfrognée en voyant revenir le singe.

– J'espère que cette bête ne va pas se promener librement dans mon établissement, monsieur le comte.

– Tu peux être rassuré, Molton, répliqua Gareth. Montre-moi la chambre dont tu m'as parlé et apporte-nous un repas.

Les lèvres pincées, Molton les précéda dans l'escalier en colimaçon.

– Il a une bouche en cul de poule, murmura Miranda qui fermait la marche en tenant fermement Chip.

– C'est exact, mais regrettable, lui répondit Gareth.

– Voici, monsieur le comte, une belle chambre propre comme un sou neuf ! s'exclama Molton en poussant une petite porte sous les combles. Et puis bien calme. On lave le linge le mercredi, alors vous ne serez pas dérangé par les filles qui travaillent dans la buanderie.

Le plafond était si bas que Gareth dut baisser la tête, mais le lit était d'une taille raisonnable. Une petite table ronde et deux tabourets étaient placés près de la fenêtre.

Cependant on manquait d'air dans cette pièce qui, de plus, sentait la lessive.

– Ça ira, fit Gareth en retirant ses gants. Fais monter le repas et deux bouteilles de vin du Rhin.

– Bien, monsieur le comte, dit Molton en examinant Miranda qui s'était faufilée dans la pièce avec Chip sur une épaule. La jeune personne restera avec vous ? ajouta-t-il d'un ton déplaisant.

Lentement, Gareth pivota sur ses talons. La douceur et l'humour avaient disparu de ses yeux bruns. L'aubergiste recula d'un pas et disparut sans demander son reste.

Miranda s'humecta les lèvres. La question du patron et le silence du comte lui avaient fait oublier la faim. Sa méfiance la reprit. Comment pouvait-elle se fier à un inconnu ? Certes, il semblait peu menaçant, mais Gertrude lui avait souvent répété qu'une surface lisse était une surface glissante, surtout lorsqu'il s'agissait de gentilshommes.

Miranda souleva le loquet.

– Je... Je crois que j'ai changé d'avis, monsieur le comte. Je ne suis pas intéressée par votre proposition et ce serait injuste d'accepter un repas sur un malentendu.

– Un instant, Miranda ! dit-il en lui saisissant le poignet.

Elle s'affola, voulut s'échapper, mais il la retint. Avec un cri, Chip montra les dents. Il se serait jeté sur l'agresseur de sa maîtresse si celle-ci ne l'avait pas retenu.

– Crénom de Dieu ! s'exclama Gareth, à la fois amusé et exaspéré. Votre singe est un excellent garde du corps, mais je ne m'intéresse pas à votre vertu. Je vous demande seulement de m'écouter en partageant un bon repas.

Il s'assit sur un des tabourets et s'accouda à la table. Un silence se fit dans la chambre. Miranda referma la porte en gardant toutefois une main derrière son dos posée sur le verrou.

– La troupe, c'est ma famille, dit-elle avec une dignité

touchante. Dans ma famille, les hommes ne sont pas des proxénètes et les femmes ne sont pas des catins.

– Bien sûr que non.

– Les gens pensent toujours que les saltimbanques sont des...

– Ma chère Miranda, je ne sais pas ce que pensent les *gens*, mais je méprise leurs préjugés.

On frappa un coup à la porte, ce qui la fit sursauter. Deux servantes entrèrent avec des plateaux chargés de victuailles. L'arôme la fit saliver.

Les filles lui jetèrent un regard entendu en partant. Mais comme Miranda devina qu'elles vendaient leur corps aussi librement qu'elles remplissaient les chopes de la taverne, elle ne s'en offusqua pas.

Elle lâcha Chip qui s'empressa de se réfugier sur le modeste baldaquin qui surplombait le lit.

– Du pain de mie ! s'exclama-t-elle, impressionnée.

Le pain blanc était une rareté chez les gens pauvres. Elle s'assit en face de son compagnon et patienta poliment jusqu'à ce qu'il se servît le premier.

– Je crois qu'il s'agit d'un râble de lièvre, dit Gareth en reniflant le fumet du ragoût.

Il piqua son couteau dans un morceau de viande, le goûta et hocha la tête d'un air satisfait.

– C'est excellent.

Il lui fit signe de se servir avant de couper une tranche du pain frais.

Miranda ne se fit pas prier. Elle plongea sa cuillère dans le ragoût et allait utiliser ses doigts pour attraper un morceau de viande quand elle se rappela que son compagnon s'était servi de son couteau. Les gens du voyage n'étaient pas habitués aux bonnes manières, mais elle mit à profit son don de l'imitation. Néanmoins, elle fut soulagée quand elle vit le comte Darcourt tremper son pain dans le ragoût.

Gareth remplit les deux gobelets en étain de vin rhénan. Subrepticement, il examinait les manières de la jeune fille, satisfait de voir qu'elle mangeait proprement, essuyant ses doigts sur son pain au lieu de les lécher, mâchant la bouche fermée.

Chip quitta son abri en haut du lit. Il se planta sur le bord de la table, inclinant la tête d'un air dépité.

– Il ne mange pas de viande, expliqua Miranda en lui tendant un bout de pain. Il aime les fruits et les noix, mais il devra se contenter de pain aujourd'hui.

– Je suppose que le patron pourra nous procurer du raisin et des pommes, dit Gareth. Mais pourriez-vous inciter votre ami à quitter la table ? Je n'aime pas manger en présence d'animaux, même s'ils sont bien élevés.

Miranda souleva Chip mais il lui grimpa sur l'épaule, en serrant bien son bout de pain.

– Je crains de ne pas pouvoir le convaincre de s'éloigner davantage, s'excusa-t-elle.

– Tant qu'il n'est pas assis sur la table... concéda Gareth en prenant son gobelet. Votre famille est française, Miranda ?

Elle réfléchit quelques instants, bien que la question fût anodine.

– La troupe est française, anglaise, italienne et espagnole. Nous venons d'un peu partout.

– Mais qu'en est-il de votre propre famille ?

– Je l'ignore. Je suis une enfant trouvée.

Elle sirota son vin. Elle était toujours gênée d'avouer qu'elle était une enfant trouvée, quoiqu'elle n'eût jamais manqué d'affection.

Le comte Darcourt ne sembla pas choqué par cette révélation.

– Trouvée ? Où cela ? demanda-t-il.

– Quelque part dans Paris, quand je n'étais qu'un bébé.

– Quel âge avez-vous aujourd'hui ?

– Je ne sais pas précisément. Mama Gertrude pense que j'ai environ vingt ans. Elle m'a trouvée dans une boulangerie et, comme je n'appartenais à personne, elle m'a emportée avec elle. Maintenant, elle veut que j'épouse Luke, ce qui est absurde. Luke a été mon frère toute ma vie. Comment peut-on épouser son frère ?

– En se passant de l'assentiment du clergé !

Cet humour pince-sans-rire enchanta Miranda.

– Ainsi, la troupe est la seule famille que vous ayez

connue, reprit-il en lui remplissant son gobelet. Vous parlez l'anglais comme si c'était votre langue maternelle.

– Nous parlons tous plusieurs langues. Nous voyageons beaucoup... Oh, Chip !

Avec un cri mortifié, elle s'empara du singe qui avait profité de son inattention pour plonger une main dans le ragoût. Il brandit une carotte d'un air ravi et l'enfourna dans sa bouche.

– Toutes mes excuses, monsieur le comte ! Il a vu qu'il y avait des légumes avec la viande. Mais ses doigts sont propres, je vous l'assure.

Elle semblait paniquée.

– Vous me voyez rassuré, plaisanta Gareth. Heureusement, je n'ai plus faim. Vous pouvez le laisser manger à satiété.

– C'est très gentil à vous de nourrir Chip, dit-elle alors qu'ils regardaient le singe chercher son bonheur. La plupart des gens ont peur de lui, ce que je ne comprends toujours pas.

– Vos amis sont obligés de l'accepter, je présume.

– Certains ne l'aiment pas, mais il gagne sa vie, le pauvre. Les spectateurs en raffolent et il est très doué pour ramasser l'argent après notre numéro... Et puis Robbie l'adore. Il le fait beaucoup rire.

Son sourire se fit triste et son regard s'assombrit.

– Le petit garçon estropié ?

– Oui, à cause de son pied bot, il a une jambe plus courte que l'autre et il ne peut pas faire grand-chose pour gagner sa vie ; mais je partage tout avec lui et il m'aide comme il peut.

– Qui sont ses parents ?

– On l'ignore. C'est un enfant trouvé, lui aussi. Je l'ai découvert sous un porche.

Gareth fut ému par ces paroles sans prétention, par leur générosité et leur compassion. Cette jeune vagabonde qui n'avait presque rien partageait le peu qu'elle possédait avec ceux qui étaient encore moins chanceux qu'elle. Chacun savait que la vie de bateleurs ambulants était rude.

Gareth croyait que ses bons sentiments étaient morts avec la trahison de Charlotte. La vie était plus simple quand on avait cessé d'en espérer quelque chose ; mais cette généreuse jeune fille commençait à conjurer son amertume cynique.

– Quelle est votre proposition, monsieur le comte ? demanda-t-elle enfin en retenant Chip par sa veste.

– J'aimerais que vous remplaciez quelqu'un. Chez moi, dans ma demeure près de Londres, j'ai une cousine souffrante qui vous ressemble étrangement. Je voudrais que vous preniez sa place en certaines occasions.

– Vous voulez que je fasse semblant d'être quelqu'un d'autre ? s'étonna Miranda.

– Exactement.

– Mais votre cousine... Elle risque de s'y opposer. Moi, je n'aimerais pas que quelqu'un se fasse passer pour moi.

Le sourire railleur de Gareth surprit Miranda qui ne lui connaissait pas ce côté sarcastique.

– Au vu des circonstances, Maude n'y verra certainement pas d'objections.

– Elle est très malade ?

– Non. Disons que c'est un peu une malade imaginaire.

– De quelles occasions voulez-vous parler ?

La visite du roi de France venu courtiser lady Maude d'Albard ! Gareth se frottait le menton en silence. Miranda se sentit mal à l'aise. Cet homme qu'elle trouvait si sympathique semblait avoir changé.

– Monsieur ? l'encouragea-t-elle.

– Je ne peux pas vous le dire. Je ne suis pas encore certain que cette mystification soit nécessaire. Mais j'aimerais que vous restiez quelque temps afin d'apprendre à imiter lady Maude d'Albard.

Miranda baissa les yeux sur son assiette. Cette idée lui semblait étrange et quelque peu malhonnête.

– Vous voulez que je commette une supercherie, monsieur le comte ?

– Je vous promets que ça ne fera de mal à personne.

Au contraire. Vous rendrez un grand service à beaucoup de gens.

Elle se mordilla la lèvre et émietta son pain. C'était tout de même une curieuse proposition.

– Combien de temps est-ce que ça va durer ?

– Je ne sais pas exactement.

– Mais je dois aller en France pour rejoindre ma famille ! Ils m'attendront une semaine ou deux à Calais, mais ensuite ils seront obligés de partir et je risque de en plus jamais les retrouver.

Gareth resta silencieux, devinant qu'il ne servirait à rien de la forcer.

– Si je venais juste pour quinze jours ? suggéra-t-elle.

– Non. Vous devez accepter de rester jusqu'à ce que la tâche soit accomplie. Dans ce cas, je vous donnerai la somme de cinquante couronnes.

– Cinquante couronnes ! s'écria Miranda, les yeux ronds, elle qui n'avait jamais vu une seule couronne en or de toute sa vie. Une pareille somme pour faire semblant d'être quelqu'un d'autre...

– Il suffit d'accepter de feindre d'être Maude le cas échéant, précisa-t-il. Et d'ailleurs, l'occasion ne se présentera peut-être même pas. Malheureusement, le singe n'est pas inclus dans l'affaire.

– Dans ce cas, je dois refuser, déclara-t-elle sans hésiter.

– Vous refuseriez une somme aussi considérable à cause d'un singe ?

Gareth était si étonné qu'il en perdait contenance.

– Chip m'appartient. Il m'accompagne partout, lança-t-elle fermement.

Ce fut le pli déterminé de sa bouche qui le convainquit. Combien de fois avait-il vu la même expression chez Maude, le même regard bleu obstiné, le même menton résolu ? Le roi Henri ne verrait jamais la différence entre les deux filles.

Il se plia à l'ultimatum.

– Très bien. Mais que Dieu nous protège lorsque Imogène le verra.

– Qui est Imogène ?

– Ma sœur. Et j'ai bien peur que vous ne l'aimiez pas. Sommes-nous tombés d'accord, Miranda ?

Elle hésitait encore. Avec cinquante couronnes, tout devenait possible. Elle pourrait même acheter à Robbie la chaussure spéciale pour sa jambe trop courte. Le cordonnier de Boulogne lui avait dit qu'il confectionnait parfois ce genre de chaussure pour boiteux, mais il en demandait cinq guinées. Comment une acrobate pouvait-elle espérer économiser cinq guinées ? La proposition du comte était une aubaine.

Elle croisa le regard sombre et attentif de son interlocuteur. Une nouvelle fois, elle fut frappée par la sérénité rassurante qui émanait de cet homme.

Lorsqu'il lui tendit la main, elle la prit dans la sienne et se leva.

– Nous sommes d'accord, monsieur le comte.

– Parfait, nous nous entendrons très bien, vous et moi. Il se fait tard et nous devons partir à l'aube. Puisque vous êtes désormais mon employée, vous pouvez dormir ici. Je vous suggère d'aller vous coucher. La route sera longue et fatigante demain. (Avec un léger sourire, il porta la petite main sale à ses lèvres.) Je vous souhaite le bonsoir, Miranda.

Elle effleura le dos de sa main où il avait posé ses lèvres, troublée par un sentiment d'émerveillement et d'embarras. C'était la première fois qu'on lui baisait la main.

La porte se referma derrière lui avant qu'elle eût repris suffisamment ses esprits pour pouvoir lui souhaiter une bonne nuit.

4

Deux heures plus tard, le comte Darcourt quitta la salle commune où il avait bu du punch et regagna la chambre à coucher. La chandelle qu'il tenait pour s'éclairer découpait sa haute silhouette sur les murs. Il enjamba les assiettes sales empilées près de la porte. Miranda avait joué les maîtresses de maison.

Il pénétra dans la pièce. À travers la petite fenêtre, la lune éclairait à peine. La tête alourdie par le rhum, il regarda autour de lui ; il avait le sentiment que la chambre était vide. Puis, il découvrit l'esquisse d'un corps sous la courtepointe.

La chandelle à la main, il s'approcha du lit. Le halo de lumière éclaira un bras mince posé sur les oreillers, une épaule nacrée, et deux yeux perçants. Le singe, serré contre Miranda, lui jeta un regard plein de méfiance.

Gareth hésita. Elle était nue, ce qui était normal puisqu'on ne dort pas avec ses vêtements. Il n'avait pas pensé à lui indiquer où s'allonger. Lui qui avait payé une somme appréciable pour dormir seul dans un lit !

Miranda rêvait agréablement. Dans sa vie, les lits de plume avaient été un luxe rare. À peine s'était-elle allongée qu'elle dormait déjà. Mais elle avait le sommeil léger et elle se réveilla en sentant une présence. Désorientée, elle ne reconnut pas aussitôt le visage de Gareth. Puis, tout lui revint d'un seul coup.

– Quelque chose ne va pas, monsieur le comte ?

– Je ne pensais pas vous trouver dans mon lit, bougonna-t-il.

Miranda s'assit, révélant des petits seins parfaitement formés et un torse menu.

– Je n'avais guère le choix, et d'ailleurs je tiens très peu de place. Toutes les personnes avec qui j'ai partagé un lit m'ont dit que j'avais un sommeil très calme. Je ne vous dérangerai pas.

Gareth n'en était pas aussi certain. Une femme nue dans son lit avait toujours tendance à le perturber.

– Je suis sûr que c'est vrai, dit-il, mais comme je dors moins paisiblement que vous, je préfère mettre une séparation entre nous.

– Laissez-moi vous aider, fit-elle en se levant d'un bond afin de déplacer le traversin et de tirer les draps.

Le cœur battant, Gareth recula d'un pas. Elle était exquise ! Une parfaite miniature de femme, avec une jolie poitrine, une taille fine et des hanches légèrement arrondies. Elle n'avait pas une once de graisse superflue, et ses muscles jouaient joliment sous sa peau.

Si on lui avait demandé quel était son idéal féminin, Gareth aurait décrit Charlotte : élancée, une poitrine généreuse, des hanches fortes. C'était une créature sensuelle avec une chevelure blonde, des lèvres pulpeuses et un regard qui attirait les hommes. Une femme consciente de son pouvoir de séduction et qui savait l'utiliser.

Mais le naturel de Miranda vis-à-vis de la nudité, son ignorance de l'effet qu'elle produisait sur lui étaient à présent plus attirants que toutes les ruses de Charlotte.

J'ai abusé du rhum, songea-t-il, gêné, en se détournant.

– C'est parfait, grommela-t-il. Couvrez-vous avant de prendre froid.

Elle obéit sans hésiter. L'air frais de la nuit pénétrait par la fenêtre mal isolée. Elle remonta la courtepointe sous son menton.

– Avez-vous passé une soirée agréable, monsieur le comte ?

Le grognement de Gareth ne l'incita pas à poursuivre la conversation.

Au moment où un nuage cachait la lune, il moucha

la chandelle et profita de l'obscurité pour se dévêtir en hâte, laissant ses habits tomber par terre. Le matelas plia sous son poids, ce qui fit glisser Miranda vers le centre du lit. Gareth perçut la chaleur de son corps et respira le parfum innocent de sa peau et de ses cheveux.

Il lui souhaita une bonne nuit et ferma les yeux, mais il mit longtemps à trouver le sommeil.

Lorsque Gareth se réveilla, la lumière du jour éclairait toute la pièce. Miranda et le singe avaient disparu. Il s'étira, surpris de se sentir reposé après une aussi courte nuit, emplie de rêves troublants. La robe orange de Miranda était posée sur le rebord de la fenêtre. Bon sang, où était-elle passée ?

Des applaudissements et des sifflets montèrent de la cour. Il se pencha par la fenêtre, tourna la tête et retint son souffle : Miranda se tenait sur le toit pentu en tuiles rouges. Pieds nus, vêtue d'une chemise et de son pantalon en cuir, elle exécutait des figures acrobatiques pour la plus grande joie des serviteurs de l'auberge.

Puis elle se tint en équilibre sur une main et salua le public de l'autre. Chip sauta sur la plante des pieds de sa maîtresse, soulevant son chapeau pour saluer la foule.

Gareth faillit pousser un cri, mais il eut trop peur de la déconcentrer. Il retint son souffle en la voyant effectuer une pirouette arrière qui fit voltiger Chip dans les airs. Par miracle, ils retombèrent tous deux sur leurs pieds, mais Gareth imagina le corps de Miranda glissant le long du toit, ses mains essayant en vain de se raccrocher à quelque chose... Elle s'écrasait sur le pavé, gisait tel un pantin désarticulé au milieu d'une flaque de sang, la nuque brisée...

Non ! C'était Charlotte. Cette terrible image, c'était Charlotte... Il entendait encore son cri alors que, tournant le dos à la fenêtre, elle était tombée à la renverse, s'écrasant aux pieds de son mari. Il se souvenait encore de la chaleur de sa peau tandis qu'il avait palpé son corps inerte à la recherche de son pouls...

Gareth secoua vivement la tête pour chasser ces images terribles. Il regarda ses mains blanches qui avaient fermé les yeux de Charlotte en ce terrible après-midi. Il devait oublier cet odieux passé...

– Miranda, dit-il calmement.

– Bonjour, monsieur le comte ! le salua-t-elle d'un air joyeux, tandis que, une main sur une cheville, elle déployait une jambe au-dessus de sa tête.

La gorge nouée, il lui demanda de rentrer. Lorsque Miranda se contenta de rire, il fut saisi de colère.

– Rentrez tout de suite ! fit-il.

Miranda ne songea pas un instant qu'il pouvait avoir peur pour elle, habituée depuis toujours à se contorsionner de la sorte... Aucun membre de la troupe n'aurait trouvé ses pirouettes dangereuses. Parfois, elle se froissait juste un muscle ou se foulait une cheville, mais elle n'avait jamais pensé qu'elle pouvait risquer sa vie. C'est pourquoi elle ignora l'ordre et continua à amuser le public.

Comprenant qu'elle n'allait pas lui obéir et ne pouvant plus supporter de la regarder, Gareth quitta la fenêtre et alla prendre des vêtements propres. Les cris d'enthousiasme de la foule le rassuraient : Miranda n'était pas encore morte ! Mais à chaque exclamation, sa colère grandissait.

Il enfilait sa chemise lorsque les applaudissements cessèrent. Miranda, d'un saut, atterrit dans la pièce avec un habile jeu de jambes.

– Par tous les saints, qu'étiez-vous en train de faire ? demanda Gareth d'une voix faussement calme.

– Je m'entraînais. Je dois m'entraîner tous les jours, et le toit est un endroit idéal.

Elle posa les mains sur le sol pour étirer les muscles de ses mollets.

– Et puis Chip avait besoin de sortir... Comme j'ignorais l'accueil qu'on allait nous réserver en bas, le toit m'a semblé être la meilleure solution.

Gareth ferma brièvement les yeux. Le babil de Miranda était parfois aussi déconcertant que celui de son singe. En se redressant, elle remarqua le pli sévère de sa bouche.

– Vous semblez furieux, s'étonna-t-elle.

– Évidemment ! Dès mon réveil, je vous découvre en train de risquer de vous rompre le cou. Tout ça pour satisfaire votre goût de l'exhibition ! À moins que vous n'alliez demander au singe de passer le chapeau ?

– Mais non... fit-elle, troublée. Je vous l'ai dit. Ce n'était qu'un entraînement. Et comme je dois m'exercer tous les jours, ça m'est égal si les gens me regardent.

Gareth se massa la nuque.

– Cela ne vous a pas effleuré l'esprit que vous pouviez vous tuer ?

– Vous avez eu peur que je ne glisse et que je ne tombe ? s'étonna-t-elle, les yeux écarquillés.

– Mais bien sûr !

– C'est impossible.

Gareth n'en revenait pas : Miranda était parfaitement sincère. Elle s'était crue en sécurité sur le toit. Il comprit alors que le moindre doute sur ses capacités, la moindre hésitation pouvaient lui être fatals. Pour réussir, elle devait être convaincue qu'elle était invulnérable.

Il prit une profonde inspiration.

– Pouvez-vous me passer mes bottes, je vous prie, et finir de vous habiller ?

Miranda lui obéit. Le cuir des bottes de cavalier était doux comme du velours. Elle n'avait jamais rien touché de semblable. Elle esquissa un léger sourire ; cet homme avait eu peur pour elle ! C'était sûrement la première fois que quelqu'un craignait pour sa vie. Cette idée lui fit chaud au cœur et elle se sentit toute bizarre.

Gareth trouva irrésistible le sourire hésitant de la jeune fille. Sa chemise n'étant que partiellement lacée, il vit les rondeurs nacrées de sa poitrine et le rose foncé des mamelons.

Sans réfléchir, il saisit la chemise de Miranda, en lissa les pans de chaque côté et laça ses rubans.

– Vous êtes toute débraillée, marmonna-t-il. Non seulement vous risquez votre peau pour divertir une poignée de garçons d'écurie, mais vous le faites à moitié nue.

– Veuillez m'excuser, murmura Miranda.

Elle enfila sa robe orange qui ressemblait davantage à une tunique qu'à une vraie robe ; les manches courtes s'arrêtaient au-dessus de ses coudes, dévoilant sa chemise. Elle remarqua que ses manches étaient sales. Le linge du comte, en revanche, était immaculé.

– Si je dois faire semblant d'être cette lady Maude, il me faudra une autre tenue.

– Nous aurons le temps de nous occuper de vos toilettes. Il faudra aussi vous laisser pousser les cheveux, dit-il en enfilant les bottes dont il replia les bords en dessous de ses genoux.

Elle passa les doigts dans ses courtes mèches.

– Les cheveux longs me gênent pour mes pirouettes.

– Mais vous ne ferez pas d'acrobaties pendant que vous remplacerez ma cousine !

– C'est vrai, soupira-t-elle. Je suppose que votre cousine n'a pas de penchant pour la gymnastique... Voulez-vous que je fasse monter de l'eau chaude ?

Gareth acquiesça tout en essayant d'imaginer Maude exécuter un saut périlleux : c'était absurde !

– Veuillez aussi demander que le cheval soit prêt dans une heure.

– Nous irons à cheval jusqu'à Londres ? s'enquit-elle.

– Oui. Savez-vous monter ?

– J'ai l'habitude des chevaux de bât et des mulets. Mais Londres est très loin, n'est-ce pas ?

– Vous monterez en croupe avec moi. Faites prévoir une selle adéquate.

Joyeuse, Miranda emboîta le pas à Chip et descendit l'escalier en sautillant. Arrivée dans la cour, elle le siffla et l'animal lui sauta dans les bras. Elle fut accueillie à la cuisine avec gentillesse et bonne humeur et on la complimenta sur son spectacle. Elle transmit les ordres de son maître et se dirigea vers les cabinets extérieurs.

Elle eut le plaisir de s'y trouver seule, ce qui était un luxe rare lorsqu'on connaissait la promiscuité des baladins.

Si le vent avait été clément, sa famille devait désormais apercevoir les côtes françaises. Comme ils devaient se tourmenter pour elle ! Surtout Mama Gertrude, et Bert et Luke aussi. Quant à Robbie, il était sans doute désolé. Miranda devint soucieuse. Luke nourrirait l'enfant, mais il ne penserait pas à s'occuper de lui pendant leurs longues marches. Robbie n'avouait jamais sa fatigue, même lorsqu'il était proche de l'épuisement. Par fierté, il ne demandait jamais à s'asseoir dans la charrette où s'empilaient leurs maigres possessions. C'était toujours Miranda qui l'y asseyait de force.

Chip avait patienté sur le toit de la cabane. Lorsqu'elle apparut, il se posta sur son épaule pour partager sa gaieté habituelle. Mais la jeune fille se sentait triste, et elle se dirigea vers la cuisine. Saurait-elle faire ce que le comte Darcourt lui demandait ? Quel genre de vie menait-il à Londres ? Qui allait-elle rencontrer ? Brusquement, les visages de ses proches, leur existence ardue mais familière lui semblèrent très précieux. Elle ne les avait encore jamais appréciés à leur juste valeur.

Elle s'aspergea le visage d'eau de pluie recueillie dans un tonneau et essaya en vain de nettoyer les taches sur ses manches. Le comte Darcourt serait rasé de près et revêtu d'habits propres, alors qu'elle ressemblait à une enfant des rues, songea-t-elle tristement.

Gareth sortit dans la cour. Il l'observa quelques instants qui se peignait avec ses doigts, essuyait son visage avec un pan de sa jupe et contemplait sa robe chiffonnée d'un air désolé.

Elle releva brusquement la tête.

– Pardon, monsieur le comte, vous ai-je fait attendre ? J'essayais de me rendre présentable, mais ce n'est pas très réussi.

– Non, concéda-t-il avec ce sourire chaleureux qui la rassérénait chaque fois. Mais pour l'instant vous n'avez guère le choix. Allons prendre notre petit déjeuner.

Une main posée sur son épaule, il la guida vers la salle commune où une servante disposait des plats sur une table.

Miranda saliva en découvrant les œufs brouillés, le pain sorti du four et les tranches de rôti. Oubliant d'un coup son désarroi, elle s'assit sur un banc.

– Je meurs de faim !

– Ça ne m'étonne pas, après l'exercice de tout à l'heure ! Vous préférez du fromage de tête ou de l'aloyau ?

– Les deux, si possible, dit-elle en poussant son plateau vers lui.

Il y déposa la viande et elle y ajouta des œufs. La servante leur apporta de la bière.

Miranda dégusta son repas en silence puis releva la tête.

– Mais où est passé Chip ?

– Dieu existe tout de même, murmura Gareth. Je me demandais pourquoi mon repas était si paisible.

Miranda se leva et regarda par la fenêtre. Dans la rue, un garçon vantait les délices de ses tourtes encore chaudes ; un homme tirait une charrette chargée d'oignons et de choux. Sur le pas de sa porte, une vieille femme balayait. Posté à un étage supérieur, quelqu'un poussa un cri : « Gardezlou ! » Elle recula vivement et évita de justesse le contenu d'un pot de chambre.

Aucune trace de Chip. Miranda se dirigea vers la porte, déclarant qu'elle allait voir s'il se trouvait dans la cour.

Lorsqu'un cri perçant retentit au-dehors, Gareth sursauta et se leva d'un bond. À mi-chemin de la porte, il réalisa que le cri n'avait rien d'humain. Puis, il entendit Miranda hurler à son tour avec tant de rage qu'il en fut déchiré. Il traversa la cuisine en deux enjambées et s'arrêta net dans la cour. Chip hurlait de terreur, un brandon allumé accroché à sa queue. Il courait en rond tandis que Miranda essayait de l'atteindre. De jeunes rustres hilares les bombardaient de pierres et de crottin de cheval.

– Miranda, vous n'arriverez pas à l'attraper si vous n'arrêtez pas de crier ! Parlez-lui doucement, conseilla Gareth en la saisissant par les épaules.

– Mais il va brûler ! protesta-t-elle en larmes, le visage décomposé.

Gareth prit un seau accroché à la pompe et déversa l'eau sur le malheureux animal. Dans un même mouvement, il se retourna vers les garçons. Il dégaina son épée, retira son ceinturon et d'un bond se retrouva au milieu des voyous. Il se mit à distribuer des coups. Les garçons hurlèrent à leur tour et décampèrent au plus vite.

Miranda avait détaché le brandon de la queue du pauvre Chip qu'elle berçait dans ses bras en examinant sa fourrure brûlée.

Elle leva son visage baigné de larmes vers Gareth. Ses yeux brillaient de colère.

– Vous les avez bien punis ! C'est dommage qu'ils se soient enfuis aussi vite.

Gareth n'avait pas ressenti une pareille colère depuis des années. Si les garçons ne s'étaient pas échappés, il aurait peut-être perdu le contrôle.

– Comment va Chip ? demanda-t-il.

– Ses poils sont un peu brûlés et il est surtout terrifié. Comment peut-on faire des choses pareilles ? Je suis désolée d'avoir été aussi bête. J'aurais dû penser au seau d'eau, mais je n'arrivais plus à réfléchir...

– C'est normal, dit-il en repoussant une mèche trempée de larmes qui lui collait à la joue.

Puis le singe regarda son sauveur. Gareth aurait juré que l'animal aussi avait les larmes aux yeux. En babillant, il leva une petite main brune vers le comte.

– Il vous remercie, expliqua Miranda. Désormais, il sera votre ami pour toujours.

– Comme j'ai de la chance ! ironisa gentiment Gareth.

En souriant, elle inclina à nouveau la tête vers Chip. Gareth contempla sa nuque blanche, fragile et effleura du doigt une marque en forme de demi-lune à la racine de ses cheveux.

– Comment avez-vous eu cela ? demanda-t-il brusquement.

– Quoi donc ?

– Cette trace sur votre nuque. On dirait une cicatrice.

Il lui fit pencher la tête pour l'observer de plus près. On voyait battre ses veines sous sa peau fine.

Miranda toucha sa nuque, essayant de sentir la marque dont il parlait.

– Je ne sais pas. Je ne l'ai jamais vue – je n'ai pas d'yeux derrière la tête ! ajouta-t-elle en riant.

Mais elle se sentit mal à l'aise.

Elle devinait la nervosité de Gareth. Portait-elle une marque infamante à son insu ?

– Vous ne vous souvenez pas de vous être coupée ? Peut-être en tombant ?

– Non. C'est probablement une marque de naissance. C'est très laid ?

Elle essaya de paraître indifférente mais sa voix tremblait légèrement.

– Pas du tout. C'est minuscule et c'est caché par vos cheveux la plupart du temps. Venez, il faut finir notre repas, conclut-il en laissant la jeune fille.

Gareth était abasourdi. Quelle coïncidence extraordinaire ! La jeune saltimbanque était bien davantage que le sosie de Maude.

5

La prison de la ville de Douvres était un endroit sinistre, même par une matinée d'août ensoleillée. Seul un mince rayon de lumière pénétrait dans la sombre cellule, par une fente placée haut dans le mur. Mama Gertrude s'écarta du mur humide contre lequel elle était restée appuyée toute la nuit. Elle frissonna et recompta les silhouettes allongées sur de la paille crasseuse. Cela la rassura bien qu'aucun de ses compagnons n'eût pu traverser les épaisses murailles de pierre pendant la nuit...

Un conduit ouvrait sa gueule puante au milieu de la cellule et un seau en bois y servait de tinette. Il n'y avait rien d'autre dans la cellule.

Tous étaient là, excepté Miranda. Ce n'était pas la première fois que la troupe passait une nuit en prison, accusée de vagabondage ou de vol. Mais cette fois-ci, c'était la faute de Miranda. Et de son singe. Les deux complices avaient provoqué un tollé en ville, mais ils avaient réussi à s'échapper. En représailles, leurs camarades avaient été empêchés d'embarquer et ils avaient été jetés dans ce trou infâme afin d'apaiser le courroux des bons citoyens de la ville.

Bert toussa, cracha dans le conduit et se redressa.

– Dieu du ciel, comment en est-on arrivés là ?

– On sera bientôt libérés, affirma Gertrude. Ils n'ont rien à nous reprocher. Quoi qu'ait fait Miranda, on n'était pas avec elle.

– C'est pas une voleuse, maugréa Bert en se relevant avec peine, endolori par une nuit passée à même un sol dur et humide.

– Sûr que non, mais ça ne les empêchera pas d'le penser, ajouta Raoul, l'homme fort de la troupe, qui fit rouler ses biceps en dominant ses amis d'une bonne tête. Y vont l'accuser, et la déclarer coupable sans même qu'elle puisse ouvrir la bouche. Y diront qu'elle est la complice du singe.

Robbie demanda, effrayé :

– On va pendre Miranda ?

– D'abord, y devront l'attraper, mon garçon, le consola Raoul.

– Miranda est rapide comme l'éclair, renchérit fièrement Luke en dépliant son corps dégingandé. S'ils ne l'ont pas encore attrapée, ils n'y parviendront plus. Et s'ils l'avaient trouvée, on l'aurait su.

– C'est vrai, acquiesça Raoul en se soulageant dans le seau en bois. Mais c'est tout de même embêtant. Y veulent nous emmener devant le juge pour nous accuser de vagabondage. On sera pourchassés et fouettés à travers la ville. Y faudra espérer qu'on nous coupera pas le nez.

Robbie pleurnichait en massant son pied endolori.

– C'est la faute de ce foutu singe ! rouspéta une voix dans un coin de la cellule. On aurait dû lui tordre le cou quand la fille l'a trouvé.

Gertrude éclata d'un rire sonore. Son opulente poitrine remua comme un pudding.

– J'aurais aimé t'y voir, Jebediah ! Tu n'as pas vu ce qu'elle a fait au joueur d'orgue de Barbarie qui maltraitait l'animal ? Elle l'a insulté comme une poissonnière, puis elle a renversé son instrument et lui a lancé un seau d'immondices à la tête quand il a essayé de la poursuivre.

– C'était drôle à voir, se souvint Bert. Il faut pas énerver notre Miranda quand elle défend une bonne cause...

– Bah, j'serais bien content de revoir la lumière du jour ! grommela Jebediah. Et si pour ça il faut remettre le singe à la justice, je dis : « Bon débarras. »

Le pas sonore du gardien interrompit leur conversation. Aussitôt, ils tournèrent tous le visage vers la porte en bois et sa petite ouverture grillagée.

Le cheval avait encore plus piètre allure à la lumière du jour. Gareth se demanda comment il supporterait le poids de deux cavaliers et de ses affaires jusqu'à Londres.

Miranda avait refusé le coussin en crin, se plaignant que ça la piquait affreusement à travers la mauvaise toile. Elle s'était installée de son mieux derrière Gareth, sur la croupe de l'animal, mais elle était soucieuse.

– Je déteste qu'on me roule, dit-elle alors que le cheval s'engageait sur le sentier escarpé qui menait vers le haut des falaises et le château fort.

Le comte poussa un soupir. Le propriétaire de l'écurie de louage, un ancien marin borgne au crâne chauve, lui avait extorqué une somme importante pour ce malheureux canasson. Gareth avait perçu la réprobation silencieuse de Miranda, mais il n'avait pas voulu marchander avec cet homme désagréable. Les gentilshommes payaient sans discuter, ça faisait partie des règles de leur monde.

– Ce n'était pas une très grosse somme, fit-il.

– Cela dépend pour qui, murmura Miranda.

Gareth se sentit gêné. Évidemment, leur point de vue n'était pas le même.

Lorsque le canasson trébucha sur les cailloux, Gareth chercha à retenir Miranda d'une main.

– Je ne vais pas tomber, monsieur le comte, mais je devrais peut-être mettre pied à terre.

Comme le cheval s'essoufflait de plus en plus, elle joignit le geste à la parole. Elle sauta à terre et les devança, relevant sa robe sur ses pantalons en cuir. Elle ne marchait ni ne courait, mais se déplaçait avec grâce. Chip poursuivait son propre chemin en sautant d'une pierre à l'autre, s'arrêtant dès que quelque chose l'intriguait.

En observant les mouvements fluides de la jeune fille, l'agilité de cette silhouette mince mais robuste, Gareth s'interrogea un instant sur la validité de son stratagème. Ceux qui connaissaient Maude ne pourraient être dupes !

C'était une chance que cette dernière n'eût jamais été

à la Cour. Mais si Miranda prenait sa place pendant la visite du roi, il faudrait qu'elle y soit présentée avant l'arrivée d'Henri.

Les proches de la famille qui savaient que Maude était maladive et toujours recluse devaient être convaincus de cette métamorphose. Ce serait à Imogène de jouer. Elle en était certainement capable.

Henri avait promis de venir avant l'automne. Il leur restait quelques semaines. Pouvait-on préparer la jeune saltimbanque dans un laps de temps aussi court ? Bien sûr que oui ! Elle était née d'Albard ; automatiquement, sa naissance et son hérédité lui viendraient en aide. De plus, elle était malléable et intelligente. Gareth était certain qu'elle apprécierait beaucoup sa nouvelle vie.

Il la regarda sautiller devant lui. Ils étaient arrivés sous les murs crénelés du château et il savait qu'on les observait de la tour intérieure. Un homme sur un cheval poussif n'était pas une menace et le propriétaire du château de Douvres était une vieille connaissance. S'il n'avait pas été avec Miranda, Gareth aurait fait appel à son hospitalité en lui demandant un repas et le prêt d'un cheval digne de ce nom. Mais il ne pouvait pas expliquer la présence de Miranda sans risquer de dévoiler son secret.

Elle porta la main à ses yeux pour admirer la vue. La ville était blottie au pied des falaises, et l'on apercevait les eaux du port tranquilles et la mer qui moutonnait au loin.

– Je n'ai jamais été à Londres, dit-elle lorsque Gareth la rejoignit.

Il comprit qu'elle regardait en direction de la France, où la seule famille qu'elle eût jamais connue allait bientôt débarquer. Lorsqu'elle leva les yeux vers lui, il y décela quelques larmes. Mais Miranda était une d'Albard et non plus une enfant de la balle : elle allait devoir abandonner son passé.

– Il est temps que vous découvriez les plaisirs de la métropole, dit-il d'un air enjoué. La route est plate désormais. Notre monture va nous porter tous les deux.

Miranda saisit la main qu'il lui tendait pour remonter

derrière lui. Elle appela Chip qui sortit des ajoncs en brandissant une poignée de feuilles. Il rayonnait de bonheur.

– Tu as trouvé ton repas, dit-elle en lui tendant les bras. Et nous, où allons-nous dîner ?

– *Aux Armes d'Angleterre* à Rochester, répondit Gareth. Je connais une écurie de louage où j'espère échanger ce pauvre cheval contre une bête plus robuste. Notre chevauchée de demain devrait être plus confortable et surtout plus rapide.

– Parlez-moi de votre sœur, continua Miranda. Pourquoi ne vais-je pas l'aimer ?

– Vous comprendrez bien assez tôt. Mais je vous garantis que la présence de ce singe n'améliorera pas son humeur.

– Est-ce que votre sœur est mariée ?

– Oui, elle a épousé lord Miles Dufort.

– Et est-ce que je vais l'apprécier, lui ?

– Il est pacifique, et c'est sa femme qui porte la culotte.

– Je vois, fit-elle. Votre maison est très grande ? C'est un palais ?

– Un palais modeste. Mais vous apprendrez vite à vous y repérer.

– La reine vient-elle vous rendre visite ?

– Parfois.

– Vais-je la rencontrer ?

– Si vous prenez la place de ma cousine, sans aucun doute.

– Et votre cousine... Est-ce qu'elle m'aimera ?

Anxieuse, elle posa une main sur l'épaule de Gareth.

– Je ne sais pas, dit-il en essayant d'ignorer le corps qui se pressait contre le sien. Je ne comprends pas bien ma cousine. En vérité, je ne la connais pas vraiment.

– Vous ne me connaissez pas non plus, mais je peux vous dire tout ce que vous voulez savoir.

– Plus tard. Êtes-vous vraiment obligée de vous serrer contre moi ? Il fait tellement chaud...

– Le cheval a le dos creux alors forcément je glisse

vers vous, protesta-t-elle en se reculant un peu. Je vais essayer de rester à ma place.

– Merci, sourit-il.

Cela faisait une éternité – depuis les premiers mois de son mariage – que Gareth n'avait pas ressenti un véritable amusement, recourant uniquement à l'humour pour dissimuler son amertume.

La route sinueuse s'enfonçait vers l'intérieur des terres et le cheval avait repris courage. Mais à l'approche d'un croisement ils entendirent soudain un tintamarre de cornemuses et de tambours, de chants et de mauvais rires.

– Qu'est-ce que c'est ? s'affola Miranda en regardant la route qui partait vers la droite.

Un groupe d'hommes apparurent, tapant sur des casseroles et soufflant dans des cornes.

– Tudieu, nous n'allons pas nous trouver au milieu de ça ! s'exclama Gareth en faisant faire demi-tour à son cheval.

Derrière les musiciens qui soufflaient et tapaient à qui mieux mieux, on entendait approcher les cris.

– Maintenant on va voir qui a le triste honneur de tout ce tintamarre, lança Gareth d'un ton sévère.

Bouche bée, Miranda vit apparaître le cortège.

En tête, un vieil homme portant une culotte trouée et un gilet de cuir sale chevauchait un âne. Des cornes en papier ornaient sa tête et il soufflait dans un sifflet en étain. Derrière lui, une vieille femme se trémoussait en frappant un sabot sur une casserole. Elle précédait un homme sur un cheval de bât qui brandissait un fouet et agitait un jupon pourpre en s'époumonant à souffler dans une corne de bélier.

Puis, vint un âne avec deux cavaliers ligotés dos à dos : une grosse femme au regard vide, le visage empourpré, et un homme maigrelet tourné vers la queue de l'âne. Il semblait très effrayé. La femme, pardessus son épaule, le frappait avec une louche en bois, tandis qu'il manipulait de son mieux un fuseau et une quenouille.

Des hommes et des femmes armés de bâtons marchaient de chaque côté de l'âne, encourageant par des insultes et des menaces les pauvres cavaliers à poursuivre leurs gestes.

Enfin, clôturant l'étrange parade, des paysans faisaient un boucan du diable avec toutes les sortes d'objets domestiques qu'ils avaient pu trouver lorsqu'on les avait appelés à se joindre au cortège.

– Qu'est-ce que ça veut dire ? demanda Miranda lorsqu'ils furent tous passés.

– C'est une coutume de la région, expliqua Gareth d'un air sombre. Ici, les hommes n'apprécient pas qu'un voisin se laisse dominer par sa femme. Il donne le mauvais exemple, et ses « gentils camarades » emploient ce moyen pour le lui faire comprendre...

– Mais si cet homme et sa femme sont heureux comme ça ? Peut-être qu'elle est plus énergique que lui, plus apte à prendre des décisions ?

– Hérésie, Miranda ! s'exclama Gareth en feignant d'être choqué. Connaissez-vous les Écritures ? Sachez que l'homme est le représentant de Dieu chez lui. Vous serez mal vue dans ce pays si vous tenez d'autres propos.

– Mais imaginons que ce soit un ivrogne, insista-t-elle, et qu'elle doive prendre les choses en main pour le bien des enfants...

– C'est le destin d'une femme d'obéir à son maître et de supporter tout ce qu'il lui inflige. C'est la loi du pays, chère enfant, et celle de l'Église.

Miranda ne savait pas s'il plaisantait ou s'il était sérieux.

– Vous m'avez dit vous-même que votre sœur menait son mari par le bout du nez. Admettriez-vous qu'on leur inflige un châtiment pareil ?

Gareth sourit.

– J'ai souvent regretté que Miles soit une poule mouillée, et que ma sœur ne soit pas punie pour être aussi autoritaire.

– Vraiment ?

– Non, j'exagère. Cette coutume provinciale est exécrable. Mais j'aimerais sincèrement que mon beau-frère se rebiffe de temps en temps.

Le cortège était à présent suffisamment éloigné pour qu'ils puissent reprendre la route sans avoir l'air d'en faire partie. Mais lorsqu'ils atteignirent le village, Gareth s'arrêta net.

Les participants étaient réunis devant l'auberge ; on leur distribuait des chopes de bière mousseuse tandis qu'ils s'agitaient en échangeant des blagues salaces. Il y avait de la brutalité sous cette apparente bonne humeur et, tandis que Gareth cherchait le moyen d'éviter la foule, deux charretiers aux bras noueux sortirent de l'auberge, échangèrent quelques insultes, et en vinrent aux mains.

La foule les entoura, prenant parti pour l'un ou pour l'autre, les encourageant par des obscénités.

Gareth, ennuyé, n'était pas armé pour une bagarre, et il s'inquiétait pour Miranda.

– Regardez les malheureux, murmura-t-elle à son oreille. Personne ne leur prête attention.

Elle montra du doigt le couple puni et leur monture, abandonnés en plein soleil dans un coin de la cour.

L'animal avait une musette attachée autour de la tête et mangeait tranquillement, insensible au soleil, mais ses cavaliers transpiraient à grosses gouttes, retenus par des cordes. La femme frappait avec sa louche pardessus son épaule tel un automate, et en dépit de ses oreilles et de ses joues meurtries, le mari continuait à manier la quenouille comme s'ils étaient encore sous la menace de leurs persécuteurs.

– Nous pourrions les détacher, souffla Miranda. Ils s'échapperont pendant que les autres sont occupés par la bagarre. Dans quelques heures, et après quelques pintes de bière, la foule les aura oubliés.

– Cela ne nous concerne pas, dit Gareth, décontenancé. La foule est agressive, je n'ai pas l'intention de la provoquer davantage.

– Mais nous ne pouvons pas abandonner ces pauvres gens, s'enflamma-t-elle. Ils ont assez souffert... Cette punition est parfaitement injuste. C'est notre devoir de les délivrer !

– Notre devoir ? répéta Gareth, abasourdi.

Miranda sauta à terre et traversa la cour en courant, Chip sur l'épaule.

Gareth sentit que sa vie allait changer quand il déplaça son cheval pour dissimuler Miranda à la vue des justiciers ! Elle batailla en vain avec les cordes qui retenaient le couple prisonnier. Exaspéré, Gareth se pencha pour trancher les liens avec sa dague. Puis, il saisit Miranda par la taille et la posa devant lui sur le cheval.

– Dépêchez-vous ! dit-elle au couple étonné. Vous pouvez vous enfuir. Nous vous protégerons.

– Et puis quoi encore... ironisa Gareth alors que le couple se laissait glisser à terre.

– Espèce d'imbécile ! s'écria la femme en assenant des coups de louche à son mari. Si tu avais su tenir ta langue, tout ça ne serait pas arrivé !

– Arrête, Sadie... supplia le petit homme en évitant les coups. Y faut s'enfuir avant qu'y reviennent.

Sa femme lui emboîta le pas en continuant à l'insulter. Aucun des deux ne remercia leurs sauveteurs.

– Quelle femme horrible ! Je commence à croire que nous n'aurions pas dû les aider, déclara Miranda.

– Je savais bien que c'était une erreur, ajouta Gareth alors que des cris furieux s'élevaient de la foule qui venait de s'apercevoir que les victimes s'enfuyaient.

– Allons, malheureux canasson, montre-nous de quoi tu es capable !

Il donna un coup de cravache sur la croupe de l'animal. Le cheval se cabra en hennissant et partit au galop. Gareth le talonna en le dirigeant droit sur le mur qui ceignait la cour de l'auberge.

La gorge nouée, Miranda vit le mur se rapprocher à toute vitesse. L'animal hésita, mais Gareth le cravacha sans merci et le cheval franchit le mur d'un bond maladroit, atterrissant dans le jardin potager de l'aubergiste.

Derrière eux, les cris se firent plus pressants tandis que les hommes et les femmes escaladaient le mur pour les poursuivre. Complètement ivres, ils avaient oublié leurs premières victimes.

– Bon sang de bonsoir ! grommela Gareth en s'apercevant que le jardin était clos par des murs et que la seule barrière s'ouvrait de l'extérieur.

Le cheval n'avait pas d'espace pour prendre son élan et franchir l'obstacle. Dans quelques instants, ils seraient rattrapés par les villageois haineux.

Miranda cria qu'elle allait ouvrir la barrière. Avant que Gareth pût protester, elle s'élança et sauta de l'encolure du cheval. Elle effleura le haut du mur avec ses pieds et réussit à ouvrir la barrière. Terrorisé, le cheval bondit dans la ruelle fétide qui séparait l'auberge des communs. Miranda eut le réflexe de refermer la barrière avant de reprendre sa place derrière Gareth.

– Où est passé Chip ?

– Il nous retrouvera, déclara Gareth qui essayait de maîtriser sa monture paniquée.

– Le voilà ! s'écria-t-elle.

Chip courait sur trois pattes, agitant sa main libre.

– Dépêche-toi, Chip ! appela Miranda.

Serrant les genoux, elle se pencha vers le sol et lui tendit la main. Chip lui sauta au cou.

– Comment diable allons-nous sortir d'ici ? demanda Gareth qui ne voyait pas d'autre solution que de repasser devant l'auberge.

Miranda se mit debout en équilibre sur la croupe du cheval qui piétinait le sol.

– Il y a un sentier sur la droite, derrière la fosse d'aisances, cria-t-elle, mais au même moment, une pierre lui frôla la tête et elle se rassit d'un coup.

Les villageois avaient ouvert la barrière du potager...

Sans hésiter, Gareth galopa le long de l'étroit passage.

– J'espère que ce chemin mène quelque part ou nous serons faits comme des rats !

Ils débouchèrent enfin dans un champ et les cris de la foule s'estompèrent. Gareth poussa un soupir de soulagement.

– La prochaine fois que je ferai mine de vous écouter, Miranda, rappelez-moi de me boucher les oreilles !

– Nous ne pouvions pas les abandonner à leur triste sort, insista la jeune fille.

Le comte Darcourt, lui, les aurait abandonnés sans remords ; mais il commençait à comprendre qu'en compagnie de Miranda d'Albard le monde était très différent.

– Dieu du ciel, on l'a échappé belle ! s'écria Bert en respirant l'air frais à grandes goulées, tandis que les portes de la prison se refermaient derrière eux.

– J'croyais pour sûr qu'ils allaient nous arrêter pour vagabondage, déclara Raoul. Par les larmes du Seigneur, la liberté, c'est rudement bon !

– Dépêchons-nous, dit Gertrude. Nous devons aller chercher nos affaires. On va essayer aussi de retrouver Miranda avant d'aller à Folkestone. On prendra un bateau et on reviendra pas de sitôt par ici !

– Comment lui mettre la main dessus quand la moitié des habitants de Douvres n'y est pas arrivée ? grommela Jebediah.

Luke avait pris la tête de la petite troupe.

– Bien sûr qu'on va la retrouver ! affirma-t-il. Je vais me renseigner dans les tavernes et autour de la place du marché. Quelqu'un l'aura sûrement vue.

– Emmène-moi, Luke, supplia le petit Robbie, le visage blême d'anxiété.

– Tu vas me ralentir, répliqua Luke, mais pris de pitié il ajouta : Bon, très bien. Je vais te porter sur mon dos.

Il s'accroupit afin que l'enfant puisse grimper sur ses épaules. C'était un poids plume et le jeune homme partit d'un bon pas en direction de la ville, laissant à ses amis le soin de récupérer leurs affaires confiées à un pêcheur compatissant.

6

– Bon sang, mais c'est Darcourt ! Où étais-tu passé, Gareth ? Ça faisait un bout de temps qu'on ne te voyait plus.

Lorsqu'il s'entendit appeler, Gareth étouffa un juron. Deux hommes traversaient la cour de l'écurie de l'auberge de Rochester en se dirigeant vers lui.

– On dirait que tu as vu un fantôme ! constata l'homme rondouillard aux yeux rieurs, vêtu d'un pourpoint en damas rouge. Pâlichon comme une fille indisposée, hein, Kip ? ajouta-t-il en frappant affectueusement l'épaule de Gareth.

– Comment te portes-tu, l'ami ? le salua Kip Rossiter avec un sourire. Ne prête pas attention à Brian. Tu sais bien que mon frère dit toujours n'importe quoi !

De même qu'il est incapable d'avoir une opinion personnelle ou de garder un secret, songea Gareth.

– Je suis arrivé de France il y a deux jours, expliqua-t-il. J'essaie d'échanger ce triste canasson pour une bête qui me permettra de rejoindre Londres avant la fin de l'année.

Il montra du doigt le cheval qui broutait l'herbe.

– Ne me dis pas que tu as posé ton illustre derrière sur ce malheureux animal, Gareth ! s'exclama Brian. Moi, j'aurais préféré marcher !

– J'avoue que l'idée m'a effleuré une ou deux fois, acquiesça Gareth en riant, un œil sur les alentours au cas où Miranda ferait une apparition. Et vous, qu'est-ce qui vous amène tous les deux dans la région ?

– On a été rendre une visite de courtoisie au vieux à

Maidstone, expliqua Brian en caressant sa barbe fournie.

Les frères Rossiter ménageaient un membre âgé et irascible de leur famille. À la cour d'Elizabeth, on se moquait de leurs prévenances envers ce parent acariâtre mais en fait très fortuné !

– Il faut le garder dans de bonnes dispositions, ajouta Kip. Il n'en a plus pour longtemps... As-tu dîné, Gareth ? Nous allions commander un festin digne de la reine pour nous consoler de la pitance offerte par le vieillard. Partageons une bonne bouteille, si tu le veux.

– Et ensuite, nous passerons la soirée en ville, renchérit Brian. Depuis une semaine, je suis chaste comme un moine et on m'a indiqué une maison derrière la cathédrale.

Gareth réfléchit. Miranda était allée se soulager pendant qu'il négociait les chevaux. Si les deux frères la voyaient, ils ne manqueraient pas de remarquer son étonnante ressemblance avec Maude.

– Je vous rejoins dès que j'ai conclu mon affaire de chevaux, marmonna-t-il.

– On demandera au patron de passer nous voir à l'auberge, inutile que tu l'attendes, dit Brian en passant un bras amical autour des épaules de Gareth. J'ai la gorge desséchée comme les seins d'une vieille fille !

Au même moment, Miranda apparut au coin de l'auberge. Vêtu de sa veste rouge et de son chapeau à plume, Chip chevauchait sur son épaule.

Lorsqu'elle vit Gareth, elle leva une main pour lui faire signe, mais dans le même instant, elle tourna brusquement les talons et repartit par où elle était venue, sa robe orange flottant autour de ses chevilles.

Gareth se sentit soulagé. Comme ses amis lui tournaient le dos, ils n'avaient pas pu la voir. Cette petite d'Albard réagissait au quart de tour !

Il proposa de les retrouver au salon, sous prétexte qu'il voulait se changer après sa journée de cheval. Les frères Rossiter lui firent promettre de les rejoindre sans tarder.

Miranda s'assit sur le lit de la chambre spacieuse en

regardant le crépuscule assombrir la pièce. Lorsqu'elle avait vu le comte avec les deux hommes, elle avait réagi instinctivement, sachant qu'elle avait raison. Mais elle se sentit un peu délaissée jusqu'à ce que les pas de Gareth retentissent dans l'escalier.

– Pourquoi êtes-vous dans le noir, Miranda ? demanda-t-il en entrant dans la chambre.

– Je ne sais pas. J'avais le sentiment que je devais rester cachée.

Elle alluma le chandelier à plusieurs branches posé sur une table. La lumière éclaira ses mèches rousses.

Comme celles de sa mère, songea Gareth. Il se rappelait avoir contemplé sa cousine Elena se brossant les cheveux devant une coiffeuse ; la bougie avait éclairé les mêmes feux dans sa belle chevelure.

– Pourquoi vous êtes-vous éclipsée aussi discrètement ? demanda-t-il, curieux.

– Je n'ai guère réfléchi. Il m'a semblé évident que, si je devais participer à une tromperie à Londres, il fallait éviter que vos connaissances me voient avant le moment choisi.

– Je vous félicite... Tout le monde n'aurait pas réagi aussi promptement et de manière aussi intelligente.

Le compliment fit rougir la jeune fille.

– Est-ce que ces deux hommes connaissent votre cousine ?

– Ils l'ont vue plusieurs fois... Plus souvent que la plupart des gens. (Gareth retira son ceinturon et son épée, posa sa cape sur une chaise. Il versa de l'eau dans un bassinet.) À n'en pas douter, ils auraient remarqué votre ressemblance.

– Même avec ma robe et mes cheveux courts ?

– J'avoue qu'il faut faire preuve d'une certaine imagination, mais on ne sait jamais...

Miranda savait désormais quand il la taquinait. Elle lui sourit.

– Je suppose que je dois rester ici toute la soirée.

– Je vais faire monter votre repas. Vous ne vous sentirez pas trop seule ?

Miranda mentit en secouant la tête. Elle n'avait pas l'habitude d'être seule.

Gareth hésita. Il voyait bien qu'elle était malheureuse, mais il n'avait pas le choix. Alors qu'il retirait son pourpoint, il glissa la main dans sa poche intérieure. Il effleura le parchemin et la petite bourse en velours qui contenait le bracelet. À la fenêtre, Miranda contemplait la tombée de la nuit.

En voyant son dos mince et droit, son cou de cygne, Gareth se rappela sa cousine qui avait la même grâce et la même élégance. Le bracelet qui avait orné le mince poignet d'Elena embellirait celui de Miranda. Il imaginait aisément la saltimbanque en guenilles resplendissante dans une tenue de cour. N'était-elle pas la digne fille d'Elena ?

Miranda se retourna alors que Gareth retroussait soigneusement ses manches, révélant des avant-bras musclés et des poignets solides. Elle sentit son ventre se nouer et son pouls s'accéléra. C'était la première fois qu'elle éprouvait une semblable émotion.

– Pourriez-vous prendre une chemise propre dans mon bagage ? lui demanda-t-il. Celle-ci n'est vraiment plus portable après notre chevauchée de ce matin.

Quand Gareth se pencha pour s'asperger le visage, Miranda se surprit à admirer son dos, le contour de ses fesses fermes serrées dans les hauts-de-chausses, ses cuisses soulignées par des bas noirs. La bouche sèche, elle sentit ses joues s'empourprer.

Elle s'empressa de lui choisir une chemise en lin écru. Gareth la remercia, retira sa chemise poussiéreuse. Son torse était pâle, plus clair que son cou, mais ses muscles n'avaient rien à envier à ceux de Raoul, l'homme fort de la troupe.

Miranda examina l'épée et le lourd ceinturon. Elle se rappela avec quelle vigueur il s'en était servi pour disperser les voyous qui avaient torturé Chip. Le comte Darcourt était certes un homme de la cour d'Angleterre, mais c'était aussi un soldat.

Gareth enfila sa chemise propre qui sentait bon la lavande et la rentra dans ses chausses.

– Vous voudrez peut-être profiter de l'eau, vous aussi, fit-il.

– Je regrette de ne pas avoir de robe propre. Toutes mes affaires doivent être en France à présent...

– Nous réglerons ce problème dès notre arrivée à Londres, lui promit-il en lui relevant le menton d'un doigt, tant elle semblait peinée. N'ayez pas l'air aussi abattu, petit feu follet. Je vais vous faire monter un délicieux repas.

D'où tenait-il ce surnom affectueux ? se dit-il, étonné. Puis, il se rappela le ton bougon de Mama Gertrude alors qu'elle cherchait Miranda : « *Cette fille, jamais tranquille... on dirait un feu follet.* »

– Je crains de rentrer tard, mais j'ai demandé qu'on vous prépare un deuxième lit.

Il lui lâcha le menton avec un sourire, enfila son pourpoint et quitta la chambre.

Miranda s'assit sur le lit. Chip vint se blottir dans ses bras et il lui toucha la joue. Elle lui gratta la nuque, se demandant soudain pourquoi elle se sentait si désemparée. Elle se sentait bien avec le comte, alors qu'ils ne se connaissaient que depuis deux jours !

Étendant ses longues jambes sous la table en chêne, Gareth but sa chope d'hydromel. Autour de lui, les voix refluaient, les tonalités légères des femmes alternant avec les voix graves des hommes qui avaient beaucoup bu pendant la soirée. Des rires grivois montaient vers les poutres noircies de fumée.

Une jeune servante vint remplir sa chope, mettant une certaine distance entre eux comme si elle redoutait d'être pincée ou chatouillée. À sa grande surprise, Gareth n'éprouvait aucun intérêt pour les filles de cette maison de passe située derrière la cathédrale. Elles s'exhibaient devant les clients. Lorsque les négociations avaient abouti, le couple disparaissait dans l'une des niches isolées par un rideau.

La maquerelle, une femme aux traits durs, richement vêtue d'une toilette en damas, traversa la salle.

– Personne ne vous tente, monseigneur ? lui demanda-t-elle en s'asseyant près de lui, le sourire carnassier. Vos amis semblent très satisfaits, eux.

– Je ne suis pas d'humeur ce soir, madame.

– Nous pouvons satisfaire les goûts les plus divers, monseigneur. Mes filles sont prêtes à tout pour faire plaisir. Ellie, appela-t-elle alors qu'une jeune femme émergeait d'une niche. Ellie a des dons très particuliers, « n'est-ce pas, ma chère » ?

Son sourire était menaçant. Aussitôt, Ellie se lova contre Gareth en lui murmurant quelques mots à l'oreille. Ses cheveux lui chatouillaient la joue et sa peau dégageait ce parfum que Gareth associait toujours à une maison de passe, une fragrance musquée mêlée aux odeurs d'autres hommes et à un corps mal soigné.

Un soir, Charlotte était venue vers lui et elle avait cette même odeur. Après l'une de ses nuits de débauche, après s'être donnée à tous ceux qui voulaient d'elle. Comme toujours, elle était ivre. Elle s'était frottée contre lui comme cette putain, murmurant des détails lubriques, aguichante et provocante. Seul son mari avait jamais refusé l'invitation de ce corps voluptueux aux appétits insatiables.

La catin continuait à murmurer des obscénités, frottant ses seins et son ventre contre lui. Avec un juron, Gareth la repoussa en se relevant. La fille manqua de tomber à la renverse. Furieuse, la maquerelle se dressa à son tour.

– Idiote ! lança-t-elle à la fille effarée. Il faut un peu de tact, je me tue à vous le répéter !

– Ce n'est pas sa faute, dit Gareth en s'interposant.

Il tendit une guinée à la maquerelle et se dirigea vers la porte.

– Gareth, mon ami, où vas-tu ? La nuit ne fait que commencer et je veux encore goûter à certaines marchandises de choix.

Brian chancelait. Il avait retiré son pourpoint, sa chemise était ouverte, ses chausses délacées. Avec un sourire radieux, il leva son verre.

– Kip s'est trouvé une petite jeunette comme il les aime.

– Je rentre à l'auberge, grogna Gareth. Je ne suis pas d'humeur ce soir. Amusez-vous bien. On se reverra à Londres.

– Tu ne veux pas faire la route avec nous, demain ? demanda Brian d'un air offensé.

– Je dois partir à l'aube. Vous n'aurez même pas ouvert les yeux à cette heure-là.

– Qui sait ? On ne les aura peut-être même pas encore fermés, plaisanta Brian.

Gareth le salua avant de sortir dans la rue tranquille. Il retourna vers l'auberge.

Depuis la mort de Charlotte, il avait assouvi ses pulsions sexuelles grâce à des femmes disponibles qui n'exigeaient pas de contrepartie affective : des épouses insatisfaites, des veuves solitaires, parfois une prostituée. Il s'était résigné à cette existence. Lady Mary pourrait être une épouse consciente de ses devoirs, mais leur union n'aurait rien de passionné. Après Charlotte, il avait besoin d'une épouse frigide, qui se sentirait soulagée à la fin de chaque union charnelle, et reconnaissante aux grossesses qui la libéreraient de son devoir conjugal.

Il passa sous la lanterne de l'auberge plongé dans ses idées cyniques, sans apercevoir la silhouette agenouillée sur le rebord de la fenêtre qui surplombait l'entrée.

Miranda s'enfouit précipitamment sous la couverture du lit gigogne. Elle contempla le plafond, tendant l'oreille pour écouter le pas dans le couloir. Comme l'expression du comte lui avait semblé étrange ! Il avait l'air froid et distant, bien différent de l'homme qu'elle connaissait.

Mais elle le connaissait très peu, s'avoua-t-elle. Elle ne savait rien de son univers. Elle avait attendu son retour parce qu'elle n'avait pas l'habitude de dormir seule, et que la chambre lui semblait immense. Même la présence de Chip n'avait pas suffi à la réconforter. Or, quand elle entendit le loquet se soulever, son cœur fit un bond dans sa poitrine comme si Gareth avait été un inconnu.

Fermant les yeux, elle feignit de respirer calmement. Elle sentit qu'il se penchait au-dessus d'elle, la regardant à la lumière de la lune qui pénétrait par les volets ouverts.

Gareth remonta la couverture sous le menton de Miranda afin qu'elle n'attrapât pas froid. Il chatouilla le cou du singe, parce qu'il lui était impossible d'ignorer le petit animal, puis il retira ses vêtements et les jeta en direction du coffre posé au pied du lit.

Saisi d'une profonde lassitude, il grimpa dans le lit. Depuis la fin de son idylle avec Charlotte, après ces quelques mois de bonheur si subitement écourtés, il ressentait souvent cette fatigue mélancolique. Il savait aussi que les cauchemars reviendraient le hanter.

Miranda attendit que le souffle du comte devînt régulier avant de s'assoupir à son tour.

Elle se réveilla, le cœur battant, au milieu de la nuit. Chip était assis sur le rebord de la fenêtre et murmurait d'un air inquiet.

Dans le grand lit, l'homme se démenait comme un beau diable. Il avait rejeté la courtepointe et marmonnait des mots incohérents.

Miranda sauta du lit. Elle s'approcha de Gareth et, lorsqu'elle vit son visage, elle se retint de crier : sa bouche était crispée en une ligne cruelle, ses lèvres avaient blanchi, des rides profondes creusaient ses joues.

Elle le saisit par l'épaule, le secouant comme elle secouait Robbie lorsqu'il avait des cauchemars. Elle lui parla doucement, d'une voix ferme mais tranquille, lui rappelant qui il était, où il se trouvait, et l'assurant que tout allait bien.

Brusquement, Gareth se réveilla. Égaré, il contempla sans le voir le visage soucieux penché au-dessus du sien. La voix mélodieuse continuait à le bercer. Peu à peu, il comprit les paroles apaisantes, et les horreurs du cauchemar s'évanouirent. La main sur son épaule était chaude, réconfortante. Miranda essuya son front en sueur avec un coin du drap.

– Êtes-vous réveillé maintenant, monsieur le comte ?

Il se redressa, conscient que le drap s'était entortillé autour de ses cuisses, le dénudant presque entièrement. Se couvrant avec la courtepointe, il s'appuya contre les oreillers en essayant de reprendre son souffle.

– Vous ai-je réveillée ? J'en suis désolé.

– J'ai l'habitude. Robbie aussi fait d'affreux cauchemars. Est-ce que je peux vous apporter quelque chose ?

– Dans ma sacoche de selle... Un flacon de cognac.

Elle le lui apporta. Il la remercia en dévissant le bouchon. L'alcool lui brûla la gorge et réchauffa ses entrailles glacées.

– Ça vous arrive souvent ? murmura-t-elle.

– Non, répliqua-t-il sèchement, en prenant une nouvelle gorgée de cognac.

Que pouvait comprendre cette ingénue à la frénésie d'une femme dont les appétits sexuels démesurés avaient exigé d'être comblés, tel un corps qui a besoin de nourriture pour survivre ? Miranda ne comprendrait jamais ce qu'il avait ressenti en assistant, impuissant, à la cruelle maladie qui avait rongé la femme qu'il avait aimée, sachant que seule sa mort pourrait le délivrer...

Que dirait-elle si elle apprenait qu'il avait cherché le pouls de son épouse tombée de la fenêtre, avec l'espoir qu'elle était morte, et qu'il avait étouffé un cri de joie alors qu'une jeune existence venait d'être anéantie ? Comment jugerait-elle un homme qui avait prié chaque jour pour la mort de son épouse afin d'être sauvé de son tourment ? Et quelles étaient les mains meurtrières qui avaient exaucé sa prière ? Enfin, comment jugerait-elle un homme qui avait l'intention d'emporter ce secret dans sa tombe ?

Miranda retourna auprès de Chip. Si le comte Darcourt ne désirait pas parler de son cauchemar, elle ne l'y forcerait pas. Peut-être était-il comme Robbie qui ne comprenait pas les siens ? Le petit garçon disait seulement qu'il tombait dans un trou noir. Elle se pencha par la fenêtre pour respirer l'air frais. Le ciel commençait à peine à s'éclaircir.

– L'aube sera bientôt là, dit-elle.

– Je vais essayer de dormir encore une heure, dit Gareth. Vous devriez faire comme moi, Miranda.

Miranda se recoucha mais elle n'avait plus sommeil. Elle regarda le rectangle de la fenêtre s'éclairer peu à peu. Le chœur de l'aube annonça la nouvelle journée avec un chant joyeux. Où serait-elle ce soir ? Dans un palais de Londres, une ville qu'elle ne connaissait pas, prisonnière d'un monde dont elle ignorait les règles ?... Comment pourrait-elle se substituer à une lady comme Maude ? Elle, une saltimbanque, une vagabonde, une acrobate... C'était absurde de penser qu'elle réussirait à imiter quelqu'un d'aussi différent. Mais le comte semblait sûr de lui.

Avec une grimace, Chip disparut par la fenêtre dans les branches d'un magnolia.

Miranda rejeta la couverture et s'étira avant de se lever. Elle s'habilla en silence. Les vêtements de Gareth étaient éparpillés dans toute la chambre. Elle les ramassa, humant l'odeur qui imprégnait le pourpoint et la chemise. C'était celle qui collait aux habits de Raoul après l'une de ses nuits passées en ville. Il en revenait toujours échevelé, le regard égaré.

« Tu empestes la maison de passe, Raoul ! » lui avait reproché Gertrude un matin, alors que l'homme fort, encore dans les vapeurs d'alcool, avait voulu l'embrasser.

Les prostituées faisaient partie intégrante de la vie, mais Miranda se sentait curieusement déçue que le comte cherchât du réconfort auprès d'elles.

Elle secoua les vêtements avec vigueur. Quelque chose tomba d'une poche du pourpoint. Elle ramassa la petite bourse en velours. Le lien s'était relâché ; elle vit luire de l'or.

Un lourd bracelet incrusté de perles, en forme de serpent, lui glissa dans la main. Elle l'examina à la lumière. Le reptile tenait dans la bouche une perle représentant une pomme. Aux maillons en or était accrochée une seule breloque, un ravissant cygne d'émeraude. Le bijou était à la fois magnifique et oppressant. Il y avait quelque chose de malfaisant dans le dessin compliqué des maillons et pourtant le cygne, scintillant d'un vert presque liquide dans les premiers rayons du soleil, possédait une beauté innocente.

Miranda ressentit un frisson d'appréhension. Ce bracelet lui donnait un sentiment de malaise et d'effroi. Bien qu'elle ne l'eût jamais vu auparavant, le bijou lui semblait familier.

Elle allait le ranger lorsque la voix du comte la fit sursauter.

– Que faites-vous, Miranda ?

– J'étais en train d'épousseter vos vêtements quand ce bracelet est tombé d'une poche. À en juger par la puanteur de vos habits, vous étiez dans une maison de passe hier soir, ajouta-t-elle à mi-voix, en rangeant soigneusement le bijou dans la bourse.

– Et alors, ça vous gêne ? s'amusa Gareth, les mains croisées derrière la nuque.

– Bien sûr que non ! rétorqua-t-elle avec un haussement d'épaules.

– On dirait que vous êtes pudibonde, ma chère ?

Sans répondre, Miranda rougit. Elle n'était pas prude, mais elle se sentait troublée.

– Apportez-moi le bracelet, demanda-t-il.

Miranda lui obéit. Il lui prit la bourse des mains.

– Montrez-moi votre poignet.

Fascinée, Miranda le regarda attacher le bracelet autour de son poignet. La lumière faisait miroiter les perles incrustées dans la gourmette. Une nouvelle fois, elle ressentit la même appréhension, la même sensation de déjà-vu.

– Il est très beau, mais je ne l'aime pas, dit-elle d'un air perplexe en effleurant la tête de serpent.

Fronçant les sourcils, Gareth examina lui aussi le bracelet.

– Pourtant, il vous sied à merveille, déclara-t-il.

Elena avait porté le bijou avec panache. Son poignet était aussi mince que celui de Miranda, ses doigts aussi longs et délicats. Mais à l'inverse de Miranda, la minceur d'Elena trahissait une certaine fragilité.

Gareth se rappela le soir où il avait vu le bracelet

pour la première fois, le jour des fiançailles d'Elena, quand Francis le lui avait attaché autour du poignet. Charlotte en avait été jalouse. Sans aucune gêne, elle avait soupesé le cadeau, suppliant Elena de le lui prêter pour un soir. Plus tard, elle avait hanté les rues de Paris et de Londres à la recherche d'un bijou semblable, mais elle avait rejeté tous les substituts que son mari lui avait offerts.

– Je ne l'aime pas, insista Miranda d'un air presque désespéré alors qu'elle essayait de le retirer.

– C'est étrange... murmura Gareth, après avoir ouvert la fermeture. C'est un objet unique et très précieux. Il faudra le porter pour jouer votre rôle.

Et si je lui disais la vérité ? Si je lui avouais que ce ne sera pas seulement un rôle éphémère ? Est-ce que cela lui faciliterait la tâche ?

– Je me fais des idées, lança-t-elle. C'est peut-être parce que je suis un peu anxieuse.

Gareth décida que le choc de la révélation serait trop violent pour la jeune fille. Quand elle se serait habituée à sa nouvelle vie, elle accepterait plus facilement la vérité. Il ne voulait surtout pas l'effaroucher. *A priori,* l'histoire était tellement incroyable qu'il serait naturel pour Miranda de soupçonner un dessein diabolique plutôt que d'accepter la vérité.

– Ne soyez pas anxieuse. Ce ne sera pas difficile. Dans un jour ou deux, vous rirez de vos craintes.

Miranda fit un effort pour le croire.

7

– Qu'on la mette au pain noir et à l'eau ! On verra si ce régime lui plaît !

Lady Imogène arpentait la galerie. Son ample jupe en damas pourpre, élargie à la hauteur des hanches par un vertugadin, oscillait à chaque pas. Elle frappait la paume de sa main avec son éventail fermé, comme pour marteler son propos. Ses lèvres déjà fines avaient presque disparu et ses petits yeux bruns sous des sourcils épilés avaient la dureté de la pierre.

– Pardonnez-moi, ma chère, mais il me semble que Maude adore jouer à la martyre, se permit de constater lord Dufort, debout dans l'encadrement de la porte.

– Balivernes ! répliqua sa femme. Cette fille se lassera vite d'être confinée dans sa chambre, sans feu et sans les petites attentions auxquelles elle est habituée.

Miles n'était pas convaincu. L'obstination de Maude semblait redoubler dans l'épreuve. Plus Imogène la soumettait à un régime sévère, plus elle résistait. La détermination qu'on lisait dans ses yeux bleus contrastait fortement avec son air maladif.

– Je veux qu'elle capitule avant le retour de Gareth, reprit Imogène.

Elle s'immobilisa devant l'une des hautes fenêtres voûtées qui donnaient sur la cour du palais. Le bâtiment principal était flanqué de deux ailes que joignait une imposante grille en fer forgé. Derrière la grille passait la rue avec son incessant ballet de cavaliers, de charrettes et de carrosses. On entendit résonner la corne d'une péniche sur le fleuve qui passait derrière la maison, en bordure du jardin.

Imogène avait peur. Où était passé Gareth ? Son navire avait-il coulé en haute mer ? Avait-il été agressé par des bandits ou des soldats ? La France était un pays en guerre et ses routes étaient dangereuses.

S'il lui était arrivé malheur, elle se sentirait éternellement coupable car c'était elle qui avait insisté pour qu'il se rendît en France. Elle avait voulu l'occuper, espérant qu'une mission lui redonnerait la vitalité et la vivacité qui le caractérisaient avant l'échec de son mariage.

Autrefois, Imogène n'avait jamais douté un seul instant que son frère parviendrait aux sommets du pouvoir réservés à un homme riche et issu d'une famille illustre. Elle s'était dévouée à son bonheur et à son avenir. Et, un temps, il avait joué un rôle important à la cour de la reine Elizabeth, tout en s'intéressant de près aux biens de la famille Darcourt qui, en France, avait souffert de la persécution religieuse infligée aux huguenots. Elle avait été fière de la carrière de son jeune frère qui avait vu concrétisés tous ses rêves, jusqu'à ce que la folie de son épouse, Charlotte, ne le détruise...

Il avait été fou amoureux de cette femme magnifique mais diabolique. Impuissante, Imogène l'avait vu, peu à peu, renoncer à un monde où il occupait un haut rang, et elle n'avait pu l'influencer ni par ses paroles ni par ses actes. Compatissant à son humiliation, elle n'avait pas compris pourquoi il ne répudiait pas cette épouse qui le déshonorait. Personne ne lui en aurait voulu non plus s'il l'avait fait enfermer ni s'il avait demandé le divorce. Mais Gareth avait préféré rester à ses côtés jusqu'au bout.

Sans le montrer, Imogène avait pleuré bien des larmes de dépit en assistant, impuissante, à la destruction d'un homme qu'elle avait façonné pour servir l'ambition familiale.

Pis encore... La mort de Charlotte n'avait pas délivré Gareth de sa détresse ! Il s'était replié encore davantage sur lui-même, ce qui avait renforcé le tourment d'Imogène, certaine à l'époque que une fois Charlotte éliminée, les blessures de Gareth se seraient refermées. Elle n'avait pas hésité à agir pour réparer le tort infligé à son frère, mais tout cela en vain...

Miles regardait le dos rigide de sa femme. Il devinait ses pensées. Il avait compris depuis longtemps qu'Imogène n'avait de fierté et de sentiments que pour son frère. Il savait qu'elle s'inquiétait de son absence prolongée. Malheureusement, son appréhension la rendait encore plus difficile à vivre qu'à l'accoutumée.

Miles baissa les yeux pour examiner les souliers neufs de sa femme. Ils soulignaient le galbe de ses mollets dans leurs bas brodés. Quand il se redressa, il croisa son regard ironique.

– Je m'étonne que vous ne suiviez pas la nouvelle mode de ces talons rehaussés, très chère. On se sent mieux en gagnant quelques centimètres.

Lady Imogène devint plus attentive. Elle faisait entièrement confiance à son mari en ce qui concernait la mode.

– Vous le pensez vraiment ? demanda-t-elle.

– On m'a dit que Sa Majesté en avait commandé trois paires : en cuir, en damas rose et en satin bleu.

– Dans ce cas, je vais en commander une paire pour accompagner ma nouvelle toilette en satin noir. Que pensez-vous d'un cuir rouge ?

– Un choix exquis, acquiesça Miles en s'inclinant. Aurons-nous des invités à souper ?

– Vous savez parfaitement que votre sœur et son imbécile de mari viennent dîner. Entre les minauderies de votre sœur et le goût prononcé de votre beau-frère pour l'alcool, nous serons privés de toute conversation intelligente.

– Vous pourriez placer ma sœur à côté du pasteur, proposa Miles.

– Bien sûr. À qui d'autre pourrais-je l'infliger ?

Imogène se reprit à contempler la cour.

– Ma chère Imogène, quel bonheur de vous trouver à la maison ! Je vous souhaite le bonjour, lord Dufort.

Lady Mary d'Abernathy entra en coup de vent dans

la galerie, fit une révérence à Miles et offrit sa joue fraîche à Imogène.

– Je n'ai qu'une minute, poursuivit-elle. La reine est retournée au palais de Whitehall pour la nuit. Pendant qu'elle se trouve avec lord Cecil, je m'accorde quelques instants de liberté. Avez-vous eu des nouvelles du comte Darcourt ? Je commence sérieusement à m'inquiéter.

Imogène avait choisi lady Mary d'Abernathy pour remarier Gareth, non seulement parce qu'elle était bien née et qu'elle avait un physique agréable, ce qui était nécessaire pour un homme important, mais surtout parce qu'elle pensait pouvoir l'influencer et éviter qu'elle n'usurpât sa place auprès de Gareth.

– Ne vous inquiétez pas, ma chère, dit Imogène en lui tapotant la main. Nous devons attendre et prier.

Miles se caressa la barbe en songeant que lady Mary avait bien raison de se tracasser. Gareth était son dernier espoir de faire un brillant mariage. À l'aube de la trentaine, veuve sans enfants d'un mari qui avait succombé à la petite vérole quelques mois après leur mariage, Mary était dans une situation précaire. La fortune de son époux avait été héritée par le frère de celui-ci, et ses propres biens avaient été confiés à un oncle qui prétendait les conserver comme dot en attendant qu'elle se remarie. La reine, elle, lui avait accordé une modeste place de dame de compagnie.

Depuis plusieurs années, Mary languissait à la Cour sans qu'on s'intéressât à elle. Personne ne croyait que l'oncle donnerait la dot promise, et une veuve sans argent n'avait aucun espoir d'attirer un prétendant.

C'est alors qu'Imogène avait décidé que lady Mary serait une parfaite épouse pour son frère. Gareth s'était montré poliment indifférent, mais il avait laissé faire sa sœur.

– Le comte Darcourt enverra sûrement un messager dès son arrivée à Douvres, déclara lady Mary avec ce ton geignard que Miles commençait à trouver insupportable.

– Nous l'espérons. Dès que j'aurai des nouvelles, je vous le ferai savoir, promit Imogène.

– Je prie tous les soirs pour qu'il revienne sain et sauf.

– Comme nous tous, reprit Imogène. La reine vous donnerait-elle la permission de dîner avec nous ce soir ?

Le visage de Mary s'éclaira. Il était beaucoup plus agréable de dîner à la table des Dufort qu'avec les autres dames de compagnie de la reine ! Celles-ci étaient des aristocrates plus jeunes qu'elle, agitées et bavardes, encore pleines d'illusions, ou des femmes mariées qui jouissaient d'une certaine influence à la Cour. Et Mary savait bien que toutes la jugeaient avec pitié et condescendance.

– Je pense que cela peut s'arranger, dit-elle avec une révérence pour Miles et un baiser du bout des doigts pour Imogène.

Traversant le jardin, lady Mary se hâta vers l'appontement du palais. Une barque l'y attendait pour la ramener à Whitehall.

Alors qu'Imogène se remettait à déambuler nerveusement et que Miles songeait à battre en retraite, la sentinelle postée à la grille d'entrée fit sonner le cor. Le maître était de retour !

– On dirait que vos prières ont été exaucées, dit Miles, soulagé.

– Que le Seigneur soit loué ! Darcourt est revenu ! (Le visage extatique, mais avec une lueur calculatrice dans le regard, Imogène joignait les mains.) Espérons que sa mission a réussi, murmura-t-elle. Vite, vite... Je dois descendre l'accueillir.

Elle bouscula son mari comme s'il n'avait pas eu plus d'importance qu'un moucheron.

Miles regarda par la fenêtre. Son beau-frère franchissait la grille sur une puissante jument grise. Il semblait aussi dispos que d'habitude. Qui aurait cru qu'il venait d'effectuer un harassant voyage de quatre mois ?

Quand Gareth mit pied à terre, Miles aperçut une jeune fille inconnue, vêtue d'une robe criarde, assise sur la croupe du cheval. Elle sauta à terre d'un mouvement leste. Abasourdi, Miles colla son nez à la vitre : perché sur l'épaule de la demoiselle, il croyait bien reconnaître un singe vêtu d'une veste rouge et d'un chapeau orné d'une plume orange.

– Par Lucifer ! marmonna Miles, alors que son épouse traversait la cour en toute hâte pour accueillir son frère.

Fasciné, il vit les mains tendues d'Imogène retomber brusquement. Il n'entendait pas un mot de la conversation. Gareth prit la jeune fille par la main et l'attira vers Imogène comme pour la lui présenter. Lady Imogène eut un mouvement de recul. Le singe sauta à terre et entama une gesticulation frénétique, pour la plus grande joie des domestiques.

Imogène se tourna vers les palefreniers hilares.

– Retirez cette chose dégoûtante d'ici ! Tordez-lui le cou ! Noyez-le !

– Est-ce là l'accueil que vous réservez à votre frère bien-aimé, Imogène ? s'amusa le comte alors que Miranda rattrapait Chip qui était surexcité.

– Gareth, comment pouvez-vous envisager de tolérer une saleté pareille dans la maison ? s'époumona Imogène. Je suis ravie de vous revoir, mais...

– Chip n'est pas une saleté, déclara Miranda, irritée qu'on insulte toujours son compagnon.

– Il doit être couvert de puces, frémit Imogène. Gareth, nous aurions bien aimé avoir des nouvelles à votre arrivée à Douvres...

Lorsque son regard s'attarda sur Miranda, Imogène blêmit :

– Bonté divine ! On dirait Maude...

– Je vais tout vous expliquer, dit Gareth.

Il posa une main sur l'épaule de Miranda et la poussa vers la porte d'entrée.

– Je refuse que cette bête pénètre dans la maison ! s'écria Imogène au bord de l'hystérie. Dans une demeure civilisée... Je vous en conjure, Gareth, réfléchissez !

– C'est tout réfléchi, dit-il sans se démonter, en pénétrant dans le grand hall.

– Eh bien, Darcourt, que nous ramenez-vous de ces lointains pays ? plaisanta Miles en descendant l'escalier.

Gareth salua son beau-frère puis entra dans un salon lambrissé. De hautes portes vitrées ouvraient sur la pelouse qui descendait jusqu'au fleuve.

Miranda était stupéfaite. Comme c'était clair ! Le comte Darcourt devait être riche comme Crésus pour s'offrir des portes pareilles ! Elle détailla le salon. Des étagères pleines de livres tapissaient les murs. Des dizaines et des dizaines de livres... Comme dans la bibliothèque d'un monastère. Deux tapis richement brodés, assez beaux pour être accrochés aux murs, reposaient sur le parquet en chêne. S'apercevant que ses sabots étaient pleins de boue, Miranda s'immobilisa dans un coin du plancher.

– Miranda, permettez-moi de vous présenter à lord et lady Dufort.

– Pardonnez-moi ! fit-elle en sursautant. Je n'avais jamais vu autant de livres.

– Savez-vous lire ? demanda Gareth.

– Un magicien a voyagé avec nous pendant quelque temps. Il m'a appris à lire mais je ne suis pas très douée pour l'écriture. Il m'a aussi appris à calculer des horoscopes. Si vous voulez, je peux faire le vôtre, monsieur le comte. Et le vôtre aussi, madame...

– Par tous les saints ! s'écria Miles. Elle ressemble comme deux gouttes d'eau à Maude. Vous permettez ? ajouta-t-il en s'approchant de Miranda. C'est incroyable... Sauf la longueur des cheveux, bien sûr, et elle me semble aussi plus joyeuse et robuste. Mais à part ça...

Gareth était très satisfait par les remarques de son beau-frère.

– Lorsqu'elle sera arrangée et habillée avec une robe de Maude, je parie qu'on n'y verra que du feu, renchérit-il.

– Qu'est-ce que cela veut dire, Gareth ? demanda Imogène.

Elle était partagée entre la joie de revoir son frère, l'excitation d'apprendre qu'il avait réussi sa mission, le dégoût que lui inspirait le singe et l'incrédulité que provoquait la présence de Miranda.

– Le comte Darcourt m'a demandé de prendre la place de lady Maude et j'ai accepté, déclara celle-ci.

Il y eut un silence stupéfait. Miranda vit que Gareth avait retrouvé ce regard cynique qu'elle détestait. Mais dès qu'il s'aperçut qu'elle l'observait, il lui sourit et lui fit un clin d'œil. Il semblait l'inviter à partager son amusement devant la stupéfaction de sa famille.

Miranda esquissa à peine un sourire. Elle ne se prenait plus pour sa complice, mais pour un pion sur un échiquier...

Gareth tira sur un cordon près de la porte.

– Imogène, pourriez-vous donner des instructions pour la métamorphose de Miranda ?

Imogène s'était ressaisie. En dépit de son caractère versatile, elle était experte en intrigues. Elle ne comprenait pas totalement le projet de son frère, mais elle était prête à patienter. Pourtant, elle ne put cacher son dédain pour l'inconnue.

– Doit-elle prendre la place de Maude à table dès ce soir ? Nous avons des invités.

– Qui cela ? demanda Gareth, ignorant l'expression angoissée de la jeune fille.

– Ma sœur et son mari, répondit Miles. Et lady Mary qui traîne dans la maison depuis des semaines dans l'espoir d'avoir des nouvelles de son fiancé. Elle sera littéralement transportée à l'idée de vous revoir.

Une fiancée ? Miranda dressa l'oreille. C'était la première fois qu'elle en entendait parler. Le comte Darcourt avait retrouvé son regard méprisant. Elle se demanda si l'homme qu'elle connaissait, le charmant compagnon de route, était le véritable comte Darcourt. Autrement, dans quel guêpier s'était-elle fourrée ?

– Ce sera une bonne initiation pour Miranda, dit Gareth.

– Mais... Mais n'est-ce pas un peu précipité ? paniqua-t-elle. Je viens juste d'arriver...

– Vous réussirez parfaitement, l'interrompit Gareth alors qu'apparaissait un valet de pied. Je serai à vos côtés, dit-il en lui serrant la main pour lui donner du courage. Toutes les personnes ici présentes vous aideront si vous avez des difficultés, mais vous n'en aurez pas.

Comment peut-il être aussi confiant ? se demanda Miranda.

– Fais monter de l'eau chaude et prépare un bain dans la chambre verte, ordonna Imogène au valet. J'aurai besoin de deux servantes. Suivez-moi, vous, ajouta-t-elle en voulant saisir le poignet de Miranda.

La jeune fille s'esquiva. Imogène essaya de le saisir une nouvelle fois. Miranda recula d'un pas.

– Bon sang, obéissez ! Venez tout de suite avec moi ! s'emporta Imogène.

– A-t-elle le droit de me parler sur ce ton, monsieur le comte ? demanda Miranda.

– Impertinente ! cria Imogène.

– Silence ! lança Gareth en levant une main. Miranda est ici de son plein gré. Elle n'est pas une domestique et elle a droit à tous les égards. Si elle prend la place de Maude, elle devra être traitée comme un membre de la famille à part entière.

Imogène fronça les sourcils ; elle n'appréciait pas du tout cette idée.

– Je ne veux pas de ce singe dans la chambre verte, déclara-t-elle en essayant d'imposer son autorité.

– Chip restera avec moi, dit Gareth alors que Miranda le lui remettait à regret. Je vais lui faire apporter un bol de raisins et de noix.

Miranda hésitait. Elle devinait qu'elle pouvait encore refuser de jouer le jeu. Une fois qu'ils l'auraient transformée en une réplique de lady Maude, ce serait trop tard, elle aurait franchi le Rubicon.

– Très bien, madame, soupira-t-elle avec un dernier regard pour Gareth.

Imogène sembla outrée par tant d'impudence. La bouche pincée, elle suivit Miranda qui avait déjà quitté le salon.

Gareth versa du vin dans deux verres de Murano ; il en offrit un à son beau-frère.

– J'en déduis que votre mission a été un succès, fit Miles en examinant la dentelle de ses manches. Autrement, vous ne chercheriez pas une remplaçante pour Maude.

– Bonne déduction, beau-frère, commenta Gareth en sirotant son vin.

La chambre verte était une vaste pièce peu meublée, située dans l'aile est de la demeure. Les lourdes poutres en chêne au plafond et le lit encastré dans un placard en boiseries sombres lui donnaient un air lugubre. Heureusement, la fenêtre à meneaux ouvrait sur le fleuve.

Imogène commença par ignorer Miranda. Elle s'affaira autour des servantes qui remplissaient une baignoire avec des seaux d'eau chaude, veillant à ce que les chiffons sous les pieds de la baignoire fussent assez épais pour protéger le parquet. Quand les domestiques lui semblaient trop lentes, elle leur donnait des bourrades.

Les servantes avaient de la peine à dissimuler leur curiosité. Miranda leur souriait lorsqu'elle croisait leurs regards effarés. On aurait dit qu'elle venait d'une autre planète !

– Vous... la fille... Comment vous appelez-vous déjà ? Miranda ? Retirez ces haillons dégoûtants, ordonna Imogène.

Miranda se déshabilla en silence et entra dans la baignoire. La vapeur fleurait bon les pétales de rose parsemés sur l'eau. Quel luxe inouï de prendre un bain chaud ! Le savon blanc au parfum de lavande moussait merveilleusement entre ses doigts. Elle qui ne se baignait qu'en été, dans les rivières ou les étangs, utilisant du savon à la graisse de bœuf ! Alors elle décida de profiter pleinement de cet instant de grâce et une servante lui savonna la tête, sous le regard critique de la mégère...

Tapotant ses lèvres avec son index, Imogène dévisageait l'étrangère. Quelle était l'idée de Gareth ? La présence de cette créature devait avoir un rapport avec sa mission auprès du roi Henri.

Gareth avait changé. Comme par miracle, il avait retrouvé son dynamisme d'autrefois. Ce qui signifiait qu'il avait un objectif et qu'il avait échafaudé un plan pour l'atteindre. Cette inconnue qui émergeait des bulles de savon faisait partie du plan...

Sa ressemblance avec Maude était troublante. Habillée et coiffée, l'inconnue ressemblerait à une jeune aristocrate de la cour d'Angleterre. Mais qu'en serait-il de ses manières ? Comment Gareth pensait-il pouvoir faire passer cette bohémienne pour un membre de la noble famille d'Albard ?

Ses cheveux mouillés plaqués sur son crâne soulignaient la finesse de son cou de cygne et la délicatesse des traits de son visage, sa bouche généreuse, son nez régulier et son menton arrondi. Mais c'étaient les yeux qui fascinaient Imogène. D'un bleu profond, ourlés de longs cils noirs. Leur expression était si déterminée, si pleine d'assurance qu'elle en ressentait une certaine gêne. Cette fille-là ne se laisserait pas facilement manipuler.

Curieusement, c'étaient les mêmes que ceux de Maude. Combien de fois Imogène avait-elle remarqué ce regard chez sa cousine ? Un regard qui contrastait étrangement avec sa pâleur et ses airs de mourante. L'inconnue, en revanche, semblait en pleine santé. Maintenant que son visage était propre, à peine abîmé par quelques égratignures, on découvrait des joues roses et une peau nacrée. Bien qu'elle fût menue, on la devinait solide.

Gareth avait-il pris du plaisir avec cette fille ? Imogène fut obligée de reconnaître qu'elle était attirante. Elle ne ressemblait pas physiquement à Charlotte, mais elle dégageait une sensualité très particulière qui la tracassa.

– Qui êtes-vous et d'où venez-vous ? s'écria-t-elle soudain, à bout de nerfs.

Prenant le drap de bain que lui tendait l'une des servantes, Miranda s'en enveloppa.

– J'ai rencontré le comte à Douvres. J'appartiens à une troupe de saltimbanques ambulants.

Quand Miranda vit la réaction d'Imogène, les yeux exorbités et tendant son cou ridé, elle pensa qu'elle ressemblait à un dindon.

Une vagabonde ! Gareth avait ramené une vagabonde à la maison ! Une criminelle, probablement. Une voleuse. Tous les objets de la maison étaient en péril.

Tandis que la sœur de Gareth la dévisageait avec horreur, Miranda enroula ses cheveux dans un linge.

Imogène quitta la pièce sans un mot, traversa le couloir et déverrouilla la porte de Maude.

La porte claqua contre le mur. Maude était emmitouflée, près de l'âtre éteint. Elle était seule. Elle n'avait le droit de voir Berthe que deux fois par jour, le matin et le soir. En dépit de la journée ensoleillée, elle semblait transie de froid et ses lèvres étaient blêmes. Elle contempla sa geôlière d'un air calme, sans se lever, et lui souhaita poliment bonjour.

Imogène remarqua que le pain noir, le bol de gruau et le pichet d'eau n'avaient pas été entamés.

Elle était venue choisir une robe pour Miranda, mais devant l'obstination de sa cousine, son sang ne fit qu'un tour. Elle ne se laisserait pas faire par cette malheureuse ingrate ! Si Maude obéissait, ils n'auraient pas besoin de lui substituer la bohémienne.

– Le comte Darcourt est de retour. Vous allez descendre dîner et présenter vos respects à votre tuteur.

– Bien sûr, madame, je ne voudrais pas faire un affront au comte, répliqua Maude en triturant les franges de son châle.

– Vous devez vous soumettre. Votre tuteur a reçu une proposition de mariage de la cour de France et vous allez lui obéir.

Maude releva la tête. Imogène fut pétrifiée par son regard triomphant.

– C'est impossible, madame. Je me suis convertie et j'ai été baptisée dans la foi catholique la semaine dernière. Aucun huguenot à la cour d'Henri IV ne souhaitera désormais m'épouser.

La bouche ouverte, les yeux écarquillés, Imogène sentit un voile rouge lui passer devant les yeux.

– Petite traînée ! hurla-t-elle en la giflant.

Maude faillit tomber à la renverse sous l'impact de la gifle, mais son regard jubilant, presque fanatique, ne cilla pas.

– Je suis catholique, madame. Le père Damian a veillé à ma conversion.

Imogène poussa un hurlement de rage qui résonna dans toute la maison. Maude lui tendit ses sels et Imogène lui arracha le flacon des mains et le jeta dans un coin de la chambre.

Au salon, Gareth portait le verre à ses lèvres quand retentit le cri strident. Miles leva les yeux au ciel. Tous deux étaient habitués aux colères de lady Dufort.

– Je me demande ce qui l'a mise dans cet état, maugréa Miles.

Gareth quitta la pièce. Il gravit les marches de l'escalier deux par deux.

Chip abandonna l'assiette de noix et de raisins dont il s'était régalé après le départ de Miranda et il suivit Gareth en bondissant. Arrivé en haut de l'escalier, le petit singe s'arrêta. La tête penchée, il renifla attentivement. Puis, n'écoutant que son instinct, il fila retrouver sa maîtresse.

8

Gareth, persuadé que la colère d'Imogène avait été provoquée par Miranda, s'aperçut en arrivant sur le palier que les cris déchirants provenaient de la chambre de Maude.

– Pour l'amour du ciel, Imogène, vous allez réveiller les morts ! s'exclama-t-il en entrant dans la pièce située au bout du couloir.

Le visage livide, Imogène pointa un doigt accusateur en direction de la jeune fille.

– Elle... Elle dit qu'elle s'est convertie. Elle a abjuré. C'est une catholique !

Épuisée, Imogène se laissa tomber sur une chaise. Elle contemplait Maude avec horreur, comme si la jeune fille avait eu des cornes et une queue fourchue.

À l'arrivée de son tuteur, Maude s'était levée.

Impassible, Gareth dissimulait de son mieux le tumulte qu'avait provoqué cette nouvelle surprenante dans ses pensées. Désormais, il n'avait plus le choix : Miranda devait occuper le devant de la scène. Secrètement, il avait toujours espéré convaincre Maude d'accepter le mari qu'on avait choisi pour elle. Il avait pensé faire jouer à Miranda un rôle de remplaçante en attendant que Maude se résigne à son destin. Une fois qu'elle aurait été fiancée à Henri de France, et après un délai raisonnable, on aurait planifié l'apparition de l'autre jumelle d'Albard.

Il avait déjà songé à arranger à cette dernière un beau mariage ; pas aussi grandiose que celui de sa sœur, mais une alliance qui lui aurait apporté une fortune et une place importante dans la société. Le duc de Roissy aurait pu être intéressé par cette union. Et si jamais Miranda avait refusé cette destinée, elle aurait été libre de retourner à sa vie d'autrefois. Personne n'aurait été au courant de la mystification, et la petite acrobate aurait vécu une expérience enrichissante.

Cependant, Gareth n'avait jamais envisagé vraiment cette dernière éventualité. Toute personne saine d'esprit, arrachée à la rude vie des bateleurs, accepterait de tout cœur une identité aussi prestigieuse.

Or, voilà que la conversion de Maude bouleversait ses plans. Henri IV ne voulait pas épouser une catholique et Maude ne pourrait plus être dissuadée de quoi que ce soit. Désormais, on devait éduquer Miranda afin qu'elle prît la place de sa sœur. Pour assurer la cause et l'ambition des d'Albard, Miranda devait épouser Henri de France.

Si son premier projet était audacieux, celui-ci l'était encore davantage. Stimulé par ce défi, Gareth se sentait très excité. Pourquoi Miranda ne parviendrait-elle pas à s'adapter à son rang ? C'était juste et mérité qu'elle fût rendue à sa véritable famille d'une manière aussi spectaculaire.

Mais les risques étaient énormes. Henri, si cruellement trahi par le passé, ne devrait jamais apprendre la tromperie. Il ne devrait jamais savoir que la jeune fille du portrait n'était pas celle qu'il avait épousée. Si jamais il apprenait la vérité, le comte Darcourt deviendrait son pire ennemi. La reine d'Angleterre l'apprendrait à son tour, et la famille Darcourt serait ruinée pour les générations à venir.

Cependant le plan pouvait réussir. Gareth ignorait si Henri était au courant de l'existence de l'autre bébé d'Albard. Il pensait que non. Un jeune homme de dix-neuf ans dont on venait d'assassiner la mère, empêtré dans un écheveau d'intrigues et de traîtrises, n'aurait pu s'intéresser de près au destin de ses conseillers. D'ailleurs, après le drame, Francis d'Albard, miné par le chagrin, avait refusé d'évoquer l'enfant disparue.

Le bébé était devenu une victime anonyme de cette nuit de cauchemar. Même Maude ignorait l'existence de sa sœur jumelle. À l'époque, Francis avait à peine pu supporter la vue de sa fille survivante. Comme s'il rendait les bébés responsables de la mort de leur mère... Si Elena n'avait pas été ralentie par ses enfants, aurait-elle pu échapper aux assassins ? Il avait rayé l'une des petites de sa mémoire aussi sûrement que si elle n'avait jamais vécu, et l'autre avait été traitée comme une orpheline avant même le décès de son père, deux ans plus tard.

Il ne fallait rien changer à cet état de fait si on voulait placer une d'Albard sur le trône de France. Si Miranda devenait Maude pour toujours, alors Maude devait disparaître ; il était inutile de retrouver l'enfant disparue. La vraie Maude réaliserait son rêve et se retirerait dans un couvent, pendant que sa sœur prendrait sa place dans la haute société.

– Ainsi, vous avez abjuré, ma pupille, dit Gareth d'un ton aimable.

– J'ai obéi à ma conscience, milord, répondit Maude.

– Je refuse de continuer à l'héberger, déclara Imogène, tremblante d'indignation. Je ne veux pas de catholique sous mon toit. Qu'on la jette à la rue !

– J'imagine d'ici les réactions du monde civilisé, reprit Gareth avec un ton de détachement amusé qui stupéfia sa sœur.

Maude serra son châle autour de ses épaules. L'attitude flegmatique de son tuteur la laissait perplexe.

– On a assassiné quelqu'un ? demanda une voix mélodieuse.

Les trois occupants de la chambre se tournèrent vers Miranda, toujours drapée dans ses serviettes de bain. Chip tournoyait devant elle en babillant. Avant qu'on pût l'en empêcher, Miranda pénétra dans la chambre.

– C'est comme se regarder dans un miroir, dit-elle, abasourdie.

Elle toucha le bras de Maude comme si elle s'attendait qu'elle disparaisse, mais son double était bien de chair et de sang.

– Qui êtes-vous ? demanda Maude, interloquée.

Gareth plaça une main rassurante sur l'épaule de Miranda.

– Miranda, je vous présente lady Maude d'Albard. Maude, voici Miranda qui appartient à une troupe de baladins.

Maude baissa les yeux vers Chip qui la contemplait, tête penchée, d'un air perplexe.

– Et toi, qui es-tu ? demanda-t-elle en s'accroupissant.

– Il s'appelle Chip, dit Miranda.

L'acrobate était bouleversée par sa ressemblance avec cette inconnue. Gareth devina son émotion, mais il ne pouvait pas encore lui donner d'explications. Il déplaça sa main et la posa sur la nuque de la jeune fille. Un frisson la parcourut. Il la sentit se détendre.

– Comme il est merveilleux ! s'exclama Maude en tendant une main vers Chip.

Sans hésiter, le singe s'en saisit et la baisa en s'inclinant. Maude éclata de rire. Gareth sursauta : il n'avait jamais entendu Maude rire.

Imogène sortit de son état second. Elle vit la main de son frère reposer sur la nuque de la vagabonde, dans un geste parfaitement détendu. La jeune fille semblait l'ignorer, comme si elle y était habituée. Les cheveux d'Imogène se hérissèrent.

– La tenue de cette fille est parfaitement inconvenante, protesta-t-elle en se levant. Retournez à votre chambre. Je vais vous apporter des vêtements. Vous devriez avoir honte de vous promener à moitié nue dans la maison.

– Elle n'est pas à moitié nue, protesta Gareth.

Aussitôt, il eut la vision de ce corps qu'il avait déjà aperçu dévêtu. Les fesses rondes, les cuisses minces mais musclées, le ventre plat, la toison fournie à la jointure des cuisses... Il sentit poindre le désir et lâcha aussitôt la nuque de Miranda, comme s'il s'était brûlé la main.

– Pourquoi n'y a-t-il pas de feu dans cette chambre ? s'enquit-il, furieux. Je croyais que ma cousine avait besoin de chaleur.

– Je l'ai interdit, expliqua Imogène.

– De même qu'on m'a supprimé toute nourriture saine et la présence de ma servante, ajouta Maude.

– J'avais pourtant demandé qu'on n'agisse pas contre la volonté de ma cousine.

– Vous êtes trop mou, Gareth. Regardez à quoi vous a mené votre indulgence excessive ! Jamais votre pupille n'accomplira son devoir !

– Ma pupille a décidé que son devoir était de servir Dieu, reprit Gareth. Je ne vois pas qui d'entre nous pourrait lui en vouloir.

Il ouvrit l'armoire et choisit un jupon en dentelle, une chemise en lin, des bas de soie.

– J'espère que vous n'êtes pas opposée à partager votre garde-robe avec Miranda pour quelques jours, cousine ?

– Pas le moins du monde, milord. La robe bleu ciel lui irait à ravir. De quelle couleur sont tes cheveux ? lui demanda-t-elle.

Miranda défit lentement le turban.

– Comme les tiens, murmura-t-elle.

– Pourquoi sont-ils aussi courts ?

– Des cheveux longs m'auraient gênée pour mon travail d'acrobate. Est-ce que tu te sens bizarre quand tu me regardes et que tu te vois toi-même ?

Maude hocha lentement la tête. Elle tendit la main, effleura la joue de Miranda et porta sa main tremblante à son propre visage.

– Est-ce que tu as aussi les mêmes pensées que moi ? frémit-elle.

– J'en doute, répondit Miranda en souriant. Toi, tu es une lady et je suppose que tu penses comme telle. Moi, je suis une vagabonde, selon lady Dufort. Je dois probablement penser comme une vagabonde, bien que je n'en sois pas si sûre.

Imogène reprit le dessus en s'approchant de son frère.

– Donnez-moi les vêtements, Gareth, mais je vous préviens, vous n'arriverez pas à en faire une femme du monde.

Miranda fut plus rapide. Elle prit les habits des mains de Gareth.

– Je vais m'habiller ici. J'aimerais parler avec lady Maude.

– Très bien, acquiesça-t-il. Je viendrai vous chercher pour le dîner, dans une heure.

– Dois-je aussi descendre souper, milord ?

– Non, cousine. Désormais, vous pouvez mener la vie d'une recluse dévote, ainsi que vous l'avez toujours souhaité. Aussi longtemps que Miranda prendra votre place, vous resterez cachée.

– J'en suis ravie, milord, dit Maude dans un sourire.

Gareth hocha la tête avant de quitter la chambre avec sa sœur. Ils refermèrent la porte derrière eux.

Maude et Miranda, intimidées, se dévisagèrent en silence. Chip s'était réfugié en haut de l'armoire d'où il observait la scène.

– Pourquoi vas-tu prendre ma place ? demanda Maude.

– Je suppose que c'est parce que tu ne veux pas leur obéir, dit Miranda. Comme ces vêtements sont beaux... ajouta-t-elle en caressant la soie douce.

– Ça ne te gêne pas de tricher ? s'enquit Maude, déconcertée.

Confrontée à cette fille qui lui ressemblait tant, elle avait l'impression d'être coupée en deux.

– C'est une imposture bien payée, répondit Miranda en haussant les épaules.

Elle étudiait la jupe de dessous, raidie par des cerceaux de branches souples recouverts d'étoffe.

– Je n'ai jamais porté de robe à paniers, hésita-t-elle.

– Mais à qui ça profite, cette histoire ? insista Maude.

– Je n'en ai pas la moindre idée, rétorqua Miranda, un peu agacée. Peux-tu m'aider à mettre cette jupe ?

Avec une énergie qu'on ne lui connaissait pas, Maude se leva du sofa, abandonnant quelques châles en chemin.

– Comment peux-tu prétendre être moi quand tu n'as jamais porté de vertugadin ? Je vais l'attacher autour de ta taille. Voilà, et maintenant on ajuste le jupon en lin amidonné, et enfin, la robe.

Miranda leva les bras tandis que Maude s'activait en laissant tomber ses châles. Elle laça le corselet de la robe bleue, une dentelle blanche cascada sur le cou et les épaules de Miranda, des plis souples soulignaient sa taille fine. La saltimbanque se sentit prise au piège des lourds vêtements. Elle avait la sensation d'étouffer.

– Je me sens un peu à l'étroit, mais la tenue est très élégante. De quoi ai-je l'air ?

– C'est fou, tu me ressembles encore plus ! s'extasia Maude.

– Tu es toute pâle. Es-tu malade ?

– Un peu, frissonna Maude en ramassant ses châles. Il fait si froid ici...

– Moi, je ne trouve pas. Mais pourquoi n'allumes-tu pas le feu ? Il y a ce qu'il faut sur la cheminée.

– Je ne sais pas allumer un feu ! s'exclama Maude, choquée.

– Je suppose que tu as peur de te salir les mains, soupira Miranda.

Après avoir disposé des brindilles dans l'âtre, Miranda fit naître une flamme avec le silex et l'amadou. Ravie, Maude se rapprocha de la cheminée.

– Ne sais-tu rien faire par toi-même ? demanda Miranda.

– C'est inutile. Il y a des domestiques pour ces choses-là.

– Mais si tu avais su allumer ton propre feu, tu n'aurais pas eu froid, rétorqua Miranda, de plus en plus troublée.

Comment pouvaient-elles se ressembler autant et être aussi différentes ?

– C'est vrai, admit Maude. Et toi, es-tu vraiment une saltimbanque ?

– Je le suis depuis mon enfance, et je suppose que je le serai à nouveau un jour. Mais explique-moi ce que tu sais de cette histoire qui nous concerne.

– De quelle religion es-tu ?

– Je n'en sais rien. Celle qui est la plus commode selon les moments. C'est grave ?

– Très grave ! s'exclama Maude, interloquée.

Décidément, ces gens étaient compliqués, songea Miranda. Elle s'assit sur le sofa, heureuse de voir que ses jupes se plaçaient d'elles-mêmes. Chip lui sauta sur les genoux et elle l'entoura d'un bras.

Maude lui raconta tout ce qui s'était passé chez les Darcourt ces derniers temps. Une heure plus tard, Miranda avait compris beaucoup de choses.

– Ils veulent que tu fasses un brillant mariage à la cour de France pour le bien de la famille, récapitula-t-elle.

– Alors que moi, je veux devenir une épouse du Christ.

– Ça doit être très ennuyeux de vivre dans un couvent. Tu es certaine de ton choix ?

– J'ai la vocation, s'indigna Maude. Et Berthe m'accompagnera.

Miranda avait déjà entendu parler de la nourrice. Elle en avait déduit que celle-ci n'était pas pour rien dans la soi-disant vocation et la conversion de Maude ; mais elle garda le silence.

– Pourquoi veulent-ils que tu prennes ma place ? s'interrogea Maude. Tu ne peux pas me remplacer, tout de même ?

– Ce n'est que pour quelque temps. Le comte Darcourt n'a pas précisé la durée, mais il m'a promis cinquante couronnes.

– Ils ont probablement l'intention de me demander d'abjurer, mais je m'y refuse. Même sous la torture, je resterai fidèle à ma foi catholique !

– C'est admirable, mais pas très pratique, constata Miranda.

De plus en plus perturbée, elle avait le sentiment d'être entraînée dans un tourbillon qu'elle ne contrôlait pas.

Au salon, Imogène relut pour la troisième fois la demande en mariage d'Henri de France.

– C'est à peine croyable... murmura-t-elle.

– Les d'Albard et les Darcourt sont des familles dignes de devenir les alliées d'Henri de Navarre, la corrigea Gareth.

– Mais une alliance pareille mettra la famille Darcourt au premier plan à la cour de France. Je vais aller à Paris... Nous serons les cousins du roi. Même ici, à la cour d'Elizabeth, nous serons plus influents. Ce mariage sera magnifique, continua-t-elle, tout à son exaltation. Il aura lieu à Paris, quand la ville se sera rendue. À moins qu'on ne l'organise ici. Et quel bonheur pour votre épouse, Gareth ! Vous serez nommé ambassadeur, ou à un poste tout aussi important. Lady Mary sera enchantée.

Et d'autant plus reconnaissante à sa bienfaitrice, songea Imogène.

– Je ne vois pas comment ce mariage pourrait avoir lieu. Henri de France refuse d'épouser une autre catholique, intervint Miles qui avait appris la conversion de Maude.

– Maude va abjurer ! déclara Imogène, froissant dans son énervement le courrier du roi de France. J'obtiendrai sa soumission, n'ayez crainte !

– Vous arriverez peut-être à lui arracher un consentement, Imogène, mais vous ne pourrez pas l'empêcher de dire la vérité à Henri en privé. Et si Maude lui avoue qu'elle l'épouse contre son gré, il cessera de la courtiser.

– On dirait que cela vous réjouit, Gareth ! s'offusqua Imogène.

Gareth resta de marbre. L'excitation cupide de sa sœur le renvoya à la sienne, et il trouvait cette pensée révoltante.

– Miranda prendra la place de Maude pendant la visite d'Henri, déclara-t-il.

Il ne voulait pas avouer la véritable identité de Miranda à sa famille, ni ses projets pour son avenir : Miles était digne de confiance, mais il abusait parfois de la boisson et ses compagnons n'étaient pas toujours fréquentables. Quant à Imogène, elle risquait de tout compromettre dans un accès de colère.

– Devons-nous révéler la supercherie à lady Mary ? s'enquit Miles en étudiant ses ongles parfaitement manucurés.

– Non ! intervint Imogène. Le secret doit rester en famille. Je suis sûre que Mary est digne de confiance, mais c'est dangereux de dévoiler des actes aussi graves. Si jamais Henri l'apprenait...

Gareth lui donna raison. Par ailleurs, il s'aperçut qu'il n'avait pas envie de partager cette situation avec sa fiancée. Cette pensée le mit mal à l'aise.

– Mais enfin, Henri IV ne peut pas épouser une vagabonde sous prétexte qu'elle ressemble à une d'Albard ! s'exclama Miles.

– Bien sûr que non, l'apaisa Gareth. Il épousera une d'Albard.

– Mais comment ? s'écria Imogène.

– Faites-moi confiance, chère sœur.

Imogène songea que Gareth comptait peut-être endormir la méfiance de Maude pour mieux la soumettre à la dernière minute.

– Je vous soutiens, Gareth, reprit-elle. Je ferai de mon mieux pour éduquer la fille. Êtes-vous certain qu'elle saura s'adapter à ce nouveau rôle ?

– Je n'en doute pas, conclut sèchement Gareth.

Après avoir recommandé à sa sœur de faire préparer un bon repas pour Maude et de lui permettre de voir sa nourrice, il quitta le salon afin d'aller se changer avant le dîner.

Assises côte à côte, les deux jeunes filles avaient passé un long moment perdues dans leurs pensées.

– Lord Dufort semble plutôt agréable, fit observer Miranda.

– Sa femme le mène par le bout du nez, mais il est assez gentil en effet.

– Qu'en est-il de sa sœur ?

– Lady Beringer ? ironisa Maude. C'est une sotte et

son mari est idiot. Mais pourquoi veux-tu savoir tout ça ?

– Ils sont invités à dîner ce soir. Je préfère être un peu au courant avant de les rencontrer.

– Ne t'inquiète pas. Anne Beringer ne voit pas plus loin que le bout de son nez et lord Beringer est toujours ivre. Qui d'autre est invité ?

– Lady Mary, la fiancée du comte Darcourt.

– Tu vas vraiment t'amuser, railla Maude avec un sourire cynique qui ressemblait tout à fait à celui de Gareth.

– Tu ne l'aimes pas ?

– Ils sont tous pareils, dépourvus de conversation, d'esprit ou de talent ! À Londres, tout le monde est comme ça.

– Tu n'exagères pas un peu ?

– Tu verras.

– Pourquoi le comte se fiancerait-il avec une idiote ?

– Pour respecter les convenances, expliqua Maude en haussant les épaules. C'est la seule chose qui motive les gens dans cette société.

Miranda se leva et arpenta la chambre. Elle examina les meubles raffinés, les opulentes tapisseries qui ornaient les murs. Comment une personne élevée dans ce luxe pourrait-elle comprendre quelqu'un qui dormait sur une paillasse ou sous une meule de foin pour s'abriter de la pluie, qui se nourrissait le plus souvent de vieux fromage et de pain rassis ?

À l'inverse, comment une enfant de la balle pourrait-elle s'habituer à cette opulence ? S'asseoir à une table avec des nobles prétentieux ? Surtout si Maude affirmait qu'ils étaient stupides... Miranda était certaine qu'elle allait commettre de terribles faux pas.

– Je suppose que le pasteur sera présent, lui aussi, poursuivit Maude. Lady Imogène l'invite toujours avec les Beringer. Il est censé divertir Anne. Il sait que je m'intéresse au catholicisme mais il ne me prend pas au sérieux.

– Je ne sais rien de tout cela, s'inquiéta Miranda. Je

devrais peut-être feindre d'avoir mal à la gorge pour ne pas trop parler.

On frappa et le comte Darcourt ouvrit la porte. Son pourpoint en soie bleu nuit était brodé d'étoiles argentées. La courte cape bleue accrochée à son épaule était bordée de fourrure de renard blanc.

– Monsieur le comte, je disais justement que je devrais feindre un mal de gorge pour éviter de trop parler, déclara Miranda.

Gareth était trop occupé à la détailler pour l'entendre.

– La couleur de votre robe vous sied à merveille, mais il faut qu'une couturière fasse quelques retouches. Nous nous en contenterons pour ce soir.

Il retira d'une poche le bracelet en forme de serpent.

– Maintenant vous devez le porter, s'excusa-t-il en l'attachant au poignet de Miranda. C'est un cadeau de fiançailles de votre prétendant.

Miranda frémit une nouvelle fois en sentant les écailles en or du serpent effleurer sa peau.

– Je le déteste ! grommela-t-elle, les dents serrées.

– Je peux voir ? s'enquit Maude en s'approchant. Comme il est étrange... C'est un bijou magnifique mais tellement...

– Sinistre ! lança Miranda. Est-ce qu'il a une grande valeur, monsieur le comte ?

– Ce bijou n'a pas de prix, expliqua Gareth. Il appartenait à la mère de Maude.

– Oh ! s'étonna celle-ci. Est-ce pour cela qu'il me semble familier ?

– J'en doute. Vous aviez seulement dix mois quand votre mère est morte.

En son for intérieur, Gareth se demanda si le souvenir atroce de l'assassinat, alors que leur mère les serrait dans ses bras, avait marqué la mémoire des bébés. Ce bracelet mystérieux était-il entaché par le drame sanglant de cette nuit de terreur ?

– Qu'allons-nous faire avec vos cheveux, Miranda ? demanda-t-il en caressant ses cheveux courts. Auriez-vous une coiffe, cousine ?

Maude fouilla dans une malle et en sortit une coiffe en soie bleu nuit, agrémentée de perles et d'une fine dentelle.

– Celle-ci ira avec la robe, dit-elle.

Avec un sourire de remerciement, Gareth fixa la coiffe sur les cheveux de Miranda. Maude fut si surprise qu'elle lui sourit à son tour.

– Malheureusement, on voit toujours qu'elle a les cheveux courts, regretta Gareth. Quand avez-vous vu des invités pour la dernière fois, Maude ?

– Pas depuis plusieurs mois.

– Parfait ! Nous dirons que vous avez eu une forte fièvre et qu'il a fallu vous couper les cheveux.

– On se demandera comment j'ai l'air en si bonne santé, rétorqua Maude.

– Un rétablissement des plus spectaculaires ! proposa Miranda. Mais j'ai encore bien mal à la gorge et je peux à peine parler...

Gareth lui donna le bras, satisfait de leur subterfuge. Maude les regarda partir, étonnée de se sentir abandonnée et presque envieuse. C'était absurde !

Chip grattait tristement la porte fermée. Maude l'appela. Il s'approcha comme à regret, la détaillant de ses petits yeux bruns. Le singe semblait troublé aussi par cette ressemblance.

Maude lui ouvrit les bras. Avec un soupir presque humain, Chip lui sauta dans les bras et lui tapota la joue.

9

– Comment dois-je appeler votre fiancée, monsieur le comte ? Et comment vais-je la reconnaître ? Je risque de la confondre avec la sœur de lord Dufort.

Miranda essayait de cacher sa nervosité, mais tout s'enchaînait trop vite. Elle n'avait pas encore eu le temps de s'habituer à sa nouvelle situation.

– Lady Beringer ressemble beaucoup à Miles, la rassura Gareth. Vous appellerez ma fiancée « lady Mary » comme tout le monde. Par ailleurs, ajouta-t-il en s'immobilisant un instant en haut de l'escalier, il faudra vous habituer aussi à m'appeler comme les autres.

Sans réfléchir, il posa un doigt sur le petit nez retroussé. La caresse était enfantine, mais elle fit sourire Miranda, chassant l'inquiétude de son regard bleu.

Le salon lui sembla bondé alors qu'il ne s'y trouvait que six personnes... Debout dans l'embrasure de la porte avec Gareth, Miranda sentait son cœur battre la chamade.

Le pasteur était présent, comme l'avait prévu Maude. On le reconnaissait facilement à sa tenue sombre. Il affichait un air suffisant et semblait très désireux de plaire à la maîtresse de maison. Il était très conscient de l'importance de son rôle d'homme de foi, responsable des âmes de la maisonnée Darcourt. Mais il savait aussi qu'il y était considéré davantage comme un employé que comme un hôte : lady Imogène ne l'invitait que lorsqu'elle avait besoin de lui.

– Quoique sa gorge soit encore irritée, Maude se sent assez bien pour se joindre à nous ce soir, dit Gareth. Les nouvelles de son prétendant lui ont mis du baume au cœur, n'est-ce pas, ma chère cousine ? Le duc de Roissy va être honoré d'avoir une épouse aussi charmante et ma cousine se réjouit d'être bientôt unie à un homme d'une telle importance.

Le pasteur s'inclina, un sourire complaisant aux lèvres.

– Lady Dufort me parlait à l'instant de la demande en mariage que vous avez rapportée de France, milord. C'est magnifique ! Toutes nos félicitations, lady Maude.

– Milord, je m'inquiétais tellement de ne pas avoir de nouvelles ! dit une femme en s'approchant de Gareth. Votre chère sœur et lord Dufort se sont lassés de me voir chez vous...

– Je n'ose le croire, madame, dit Gareth en lui baisant la main.

Miranda dévisagea lady Mary avec intérêt. Elle était grande, pâle, très digne. Elle avait un visage tout en longueur, des traits aiguisés, un regard gris-vert. Sous sa coiffe en dentelle, ses cheveux étaient châtains. Miranda la trouva très distinguée. Son port de tête et son expression hautaine le lui confirmèrent. Elle portait une robe discrète bleu lavande qui contrastait avec le velours cramoisi de lady Imogène et la somptueuse robe turquoise et or de lady Beringer.

– Lady Maude, comme je suis heureuse de vous voir, lui dit lady Mary, tout sourires. Vous semblez en pleine forme.

– Merci, madame, murmura Miranda avec une petite révérence, les yeux baissés.

– C'est une chance que vous ayez recouvré la santé, ajouta lady Beringer. Toutes nos félicitations pour vos fiançailles.

– Je vous remercie, lady Beringer, fit Miranda en parlant à mi-voix.

– Cousine, je ne savais pas que votre gorge vous gênait encore, dit Imogène en se levant pour venir vers elle.

Elle lui releva le menton et l'examina d'un regard critique qui rappela à Miranda celui d'un boucher inspectant une bête. Imogène ajusta la coiffe qui avait glissé.

– J'ai été déçu de constater qu'on avait dû lui couper les cheveux quand elle a eu tant de fièvre, déclara Gareth.

– C'était plus prudent, renchérit Imogène. Et comment se porte votre fils, Anne ? demanda-t-elle pour dévier l'attention. Je suppose qu'il est revenu de sa petite escapade à la campagne.

Elle eut un sourire malveillant. Miranda s'étonna de voir rougir la sœur de lord Dufort.

– Ce garçon est un bon à rien, décréta un homme au ventre proéminent. (Sous les chausses bouffantes, des bas roses brodés enserraient ses cuisses épaisses.) C'est la deuxième fois que la reine le chasse de la Cour. À la prochaine, elle le bannira à jamais. S'il n'était pas mon fils, je dirais qu'il est mal né.

Il jeta un regard furibond à lady Beringer qui blêmit en comprenant le sous-entendu.

– Il te ressemble comme deux gouttes d'eau, Beringer, intervint Miles d'un ton sec. Vous partagez aussi le même penchant pour la bouteille.

Miranda était si surprise qu'elle en oublia d'avoir peur.

– Maude, venez me montrer votre bracelet, susurra lady Mary d'un air doucereux.

Miranda ne réagissant pas, Imogène la rappela à l'ordre :

– Maude !

– Pardonnez-moi, lady Mary, bafouilla Miranda. Cette fièvre m'a rendue un peu sourde.

– Prendrez-vous un verre de vin, cousine ?

– Volontiers, monsieur le... Gareth.

Il y eut un silence de mort dans la pièce. Le comte fronça les sourcils et lady Imogène sembla furieuse.

– Un petit pâté de homard, ma chère ? proposa Miles en lui mettant un plateau de minuscules tartelettes sous le nez.

Le silence avait été rompu. Gareth s'écarta. Miles murmura à l'oreille de Miranda :

– Ne vous inquiétez pas, ce sera oublié dans un moment.

Quoi donc ? se demanda Miranda, perplexe. Elle s'approcha de lady Mary qui semblait fort mécontente.

– Vous êtes devenue très familière avec votre tuteur, ma chère, dit-elle d'un air offusqué.

– Ma cousine a vu si peu de monde ces derniers temps qu'elle a dû oublier que nous n'étions pas en famille, dit Imogène.

Miranda se sentit perdre pied.

– Je m'étonne que le comte Darcourt accepte que sa cousine l'appelle par son prénom, même en privé, insista Mary.

Elle se maudit d'avoir été aussi stupide. Le comte Darcourt avait seulement voulu qu'elle l'appelle « milord » et non plus « monsieur le comte » comme les domestiques. Jamais une pupille n'appellerait son tuteur par son prénom !

Le majordome vint annoncer d'une voix de stentor que le dîner était servi.

Imogène fit signe au pasteur d'accompagner la jeune fille.

– Et surtout, taisez-vous le plus possible ! souffla-t-elle à Miranda en lui pinçant le bras.

Donnant le bras à lady Mary, Gareth suivit sa sœur et lord Beringer jusqu'à la grande pièce voûtée où ils prenaient leurs repas. Flanquée de bancs et de chaises à chaque extrémité, une longue table en chêne était dressée au centre de la pièce. Des dessertes étaient placées le long des murs ; un immense chandelier aux nombreuses bougies était accroché au plafond. On entendait jouer un groupe de musiciens dans la galerie.

Gareth fit asseoir lady Mary à sa droite avant de présider la table. Sa sœur s'assit à sa gauche et les autres invités s'installèrent de part et d'autre sur les bancs. Miranda et le pasteur, les invités les moins importants, se retrouvèrent un peu à l'écart.

Miranda était abasourdie par l'immensité de la pièce. Devant elle, on avait posé une assiette en argent, un couteau, une cuillère et une fourchette à trois dents.

Elle n'avait jamais utilisé cet ustensile et elle regarda subrepticement comment les autres le maniaient.

Au lieu d'utiliser le pain comme support, ils se servaient dans les plats et posaient leur nourriture directement sur leurs assiettes en argent. Cela semblait assez facile. Quand la soupière arriva jusqu'à elle, Miranda utilisa la louche en essayant de pêcher quelques morceaux de chair. L'assiette lui semblait trop plate pour contenir du liquide, mais personne ne réclamait de bol.

– Puis-je vous passer le pain, lady Maude ? demanda son voisin.

En le remerciant, Miranda choisit un morceau de pain blanc. Elle se dépêcha d'absorber un peu du potage pour éviter qu'il ne déborde. Il n'y eut pas de regards horrifiés bien que personne ne l'imitât.

Son voisin prit sa cuillère pour déguster son potage. Miranda s'empressa de l'imiter.

Gareth ne la quittait pas des yeux. Elle avait commis une erreur. En ferait-elle d'autres ?

– Votre cousine est resplendissante, milord, constata Mary. Mais je suis surprise de cette familiarité entre vous. À force de passer mon temps à la Cour, peut-être suis-je devenue vieux jeu ?

– Pas du tout. Mais vous oubliez que je connais Maude depuis qu'elle a deux ans.

– Mais vous appeler par votre prénom en public ! protesta lady Mary en agitant son éventail. C'est déjà indécent en privé... Pardonnez-moi d'être aussi franche, milord. J'anticipe sans doute le moment où ces confidences seront courantes entre nous.

Elle lui effleura la main. Le regard distant, Gareth esquissa un sourire.

– Même moi je n'oserais pas employer votre prénom, persista lady Mary.

– Je n'en doute pas, madame. Il est inconcevable que vous vous laissiez emporter par l'émotion.

– Soyez assuré que vous n'aurez jamais à rougir de votre épouse, conclut-elle.

Ses yeux légèrement globuleux étaient rivés sur lui. Mary connaissait parfaitement la réputation de Charlotte, mais elle aurait préféré périr plutôt que d'évoquer un passé pareil !

Gareth s'intéressa de nouveau à Miranda. Il voyait qu'elle était tendue et qu'elle faisait de son mieux pour copier les gestes de ses voisins.

Mary fut surprise et suivit son regard. Il observait sa pupille avec une lueur particulière dans les yeux. Elle ne l'avait jamais vu ainsi. Auparavant, Maude semblait plutôt l'agacer. Était-ce parce que la jeune fille s'était enfin pliée aux ordres de sa famille ?

D'une manière indéfinissable, Maude avait changé. Autrefois, toujours morne et recluse, entourée de châles et de ses préparations médicinales, il y avait désormais une étincelle dans son regard. Bien qu'elle fût pâle, elle n'avait plus le teint blafard d'une malade. Elle semblait même assez gaie.

– Alors, chère lady Maude, avez-vous continué à étudier la vie des saints ? s'amusa le pasteur.

– Je m'intéresse beaucoup moins aux martyrs.

Miranda regardait la côte de bœuf qu'on découpait non loin d'elle en priant pour qu'on ne vînt pas la lui présenter en premier.

– Est-ce possible ! s'exclama-t-il. Seriez-vous moins fascinée par les rites ostentatoires des catholiques ?

Les serviteurs présentèrent le plat à Gareth qui se servit d'une fourchette pour placer les tranches de viande sur son assiette.

– Il n'y a aucune honte à avoir, lady Maude, persista le pasteur. La méditation peut ramener quelqu'un sur le droit chemin. On n'a pas besoin de la confession pour obtenir la rédemption.

Miranda songea que Maude avait eu raison de la prévenir que le pasteur était barbant ! Elle prit un morceau de viande et regarda attentivement les champignons qu'on lui présentait. Il n'y avait pas de cuillère pour se servir. Devait-elle utiliser sa propre cuillère et risquer de contaminer ses voisins ? Devait-elle tremper son pain dans le plat comme elle en avait l'habitude ?

Malgré leur odeur délicieuse, Miranda décida que c'était trop risqué et, avec un sourire de regret, elle fit signe qu'elle n'en voulait pas. On présenta le plat au pasteur qui utilisa sa cuillère sans hésiter.

N'écoutant le pasteur que d'une oreille, elle l'interrompit alors qu'il la sermonnait sur la vie ennuyeuse des religieuses dans les couvents.

– Je vous assure que j'ai compris mon erreur, dit-elle.

Sa voix résonna clairement, sans le moindre enrouement. Tous la regardèrent et le pasteur sembla étonné.

– Quelle erreur, cousine ? demanda Gareth. Je m'étonne que quelqu'un d'aussi jeune, ayant mené une vie aussi protégée, soit coupable de graves péchés.

Miranda rougit. Il la taquinait, mais elle savait qu'il cherchait à détourner l'attention de sa bévue.

– J'avais autrefois des penchants pour la vie religieuse, mais j'expliquais au pasteur que j'avais compris mon erreur, dit-elle en baissant les yeux.

Elle piqua son couteau dans un morceau de viande et se rappela la fourchette au dernier moment. Les joues empourprées, elle prit une gorgée de vin.

– Quelle idée saugrenue ! postillonna lord Beringer. Qui préférerait mener une vie de religieuse alors qu'elle peut avoir un mari aussi intéressant ? Vous portez un bien joli bracelet, lady Maude !

– C'est un présent du duc de Roissy pour prouver son intention de courtiser ma cousine, précisa Imogène.

Miranda sentit les regards converger sur le bracelet. Tous les convives essayaient d'en estimer la valeur, sauf le pasteur qui, rabroué, ne lui adressait presque plus la parole.

Miranda resta silencieuse, écoutant la conversation et refusant tous les plats dont l'usage lui semblait compliqué. À la fin du repas, interminable, elle avait encore faim...

– Installons-nous au salon, dit Imogène en se levant. Les musiciens nous y rejoindront. Mon frère, restez-vous avec vos amis ou voulez-vous nous accompagner tout de suite ?

Miranda eut un regard implorant pour Gareth.

– Je ne veux pas être séparé si vite de ma fiancée, dit

Gareth en prenant la carafe de cognac. Messieurs, nous serons aussi bien au salon qu'ici.

Lord Beringer sembla content. Il emporta deux autres flasques au salon. Le pasteur fit ses adieux. Il semblait en froid avec Miranda, mais elle savait que Maude ne lui en tiendrait pas rigueur.

Miranda avait mal à la tête. Elle s'assit à l'écart des femmes dans le renfoncement de la fenêtre. Les hommes s'étaient réunis près d'une desserte où se trouvaient les bouteilles. Les musiciens jouaient doucement.

– Êtes-vous fatiguée ? demanda Gareth en s'approchant.

– Un peu, milord.

Il lui posa la main sur le front.

– Vous me semblez fiévreuse. Imogène, je crois que Maude devrait se retirer. Nous ne voulons pas qu'elle soit alitée lors de l'arrivée de Roissy.

– Bien sûr que non, s'inquiéta Imogène. Je vais demander qu'on vous apporte une tisane, Maude.

Soulagée de pouvoir s'échapper, Miranda la remercia en se levant. Après avoir fait une révérence, elle se dépêcha de rejoindre la chambre verte.

Chip l'y attendait, serrant la robe orange entre ses mains. Dès qu'elle apparut, il lui sauta au cou.

– Oh, Chip, quelle affreuse soirée ! Je ne pensais pas que ce serait aussi difficile. Je ne sais pas si je vais savoir jouer mon rôle.

Le tenant serré dans ses bras, elle s'approcha de la fenêtre. Le jardin était plongé dans l'obscurité, excepté le sentier de gravillons blancs éclairé par des torches, qui descendait vers le fleuve. Miranda entendait au loin les heurts des embarcations et les appels des mariniers portés par la brise.

– Alors, comment était-ce ?

– Je pensais que tu dormais, dit Miranda en se retournant.

– Je dors peu, expliqua Maude en refermant la porte derrière elle. Est-ce que tu aimes cette chambre ? Je l'ai toujours trouvée plutôt triste.

– Tu as raison, acquiesça Miranda.

Chip contempla Maude de son air intelligent.
– Alors, raconte, fit Maude en frissonnant. Tu devrais fermer la fenêtre. L'air de la nuit est dangereux.
– Il m'est déjà arrivé de dormir à la belle étoile pendant des orages, dit Miranda, mais elle tira les volets. Pour répondre à ta question, la soirée a été détestable.
– Je te l'avais bien dit ! soupira Maude.
– Tu avais raison pour le pasteur. Et lady Mary est si... si distinguée...
Miranda s'assit sur le rebord de la fenêtre, heureuse de sentir un léger courant d'air lui frôler le dos. Il apportait les odeurs de la rivière et les bruits du monde extérieur dans cette pièce sombre et étouffante.
– ... mais pourquoi veut-il l'épouser ?
– Il faut bien qu'il épouse quelqu'un, dit Maude. Il a besoin d'un héritier. Sa première femme ne lui a pas donné d'enfant.
– Qu'est-ce qui lui est arrivé ?
– Un accident. On n'en parle jamais ici. Je ne l'ai pas connue car j'habitais à la campagne avec lord et lady Dufort à l'époque. Mais après sa mort, on est tous venus habiter ici.
– Pourquoi avoir choisi lady Mary ? Elle est élégante et plutôt jolie, mais elle est si austère... J'imagine qu'il y a des centaines de femmes qui donneraient n'importe quoi pour épouser le comte ! Il est si charmant... et si séduisant, conclut Miranda en rougissant.
– Tu ne le trouves pas distant ? s'étonna Maude.
– Non, pas du tout !
– Il a toujours un regard ironique et intimidant...
Miranda réfléchit.
– Par moments, c'est vrai. Mais la plupart du temps, il semble plutôt s'amuser de la vie.
– Comme c'est étrange, fit Maude. Je ne pensais pas qu'il avait de l'humour, alors je me disais que lady Mary était une compagne idéale. (Elle bâilla et se leva de son fauteuil.) Il vaut mieux que je retourne me coucher avant que Berthe ne me cherche.
La main sur la poignée, elle hésita.
– Je ne pense pas que lady Imogène t'ait attribué une

servante. Veux-tu que Berthe t'apporte quelque chose, du lait chaud, une brique pour le lit ?

– Non, merci, répondit Miranda, touchée par sa sollicitude.

– Est-ce que tu sauras te déshabiller toute seule ?

– Je pense que oui, répondit Miranda en souriant.

– Puisque tu dors à la belle étoile et que tu sais allumer un feu, tu dois être débrouillarde. Je te souhaite une bonne nuit, conclut Maude en laissant la porte entrouverte.

Miranda la referma derrière elle. Il y avait quelque chose d'aride dans la vie de Maude, et la jeune fille avait l'impression d'être entraînée vers le même abîme. Le monde qu'elle connaissait, avec ses arômes de pain frais, ses relents d'égouts, ses cris de joie qui répondaient aux hurlements de douleur et de désespoir, cet univers de coups et de caresses, de haine et d'amour, semblait désormais englouti ; elle était abandonnée telle une épave sur une rive sans repères.

Elle se débarrassa de ses vêtements pesants. Elle avait honte de laisser d'aussi somptueux habits joncher le sol et pourtant elle ne les ramassa pas, comme pour défier sa propre conscience forgée par des années d'économie. Vêtue de sa seule chemise et de bas, elle ouvrit grands les volets et aspira à pleins poumons l'air frais de la liberté.

Comment survivrait-elle dans cet endroit, en attendant le moment où Gareth jugerait qu'elle avait gagné ses pièces d'or, alors qu'elle étouffait déjà ?

Elle était plongée dans ses pensées moroses lorsqu'elle entendit des pas crisser sur le gravier. Une torche éclaira le comte Darcourt. Il portait une cape noire mais il allait tête nue. Miranda vit la dureté de son expression, celle dont avait parlé Maude.

Sans réfléchir, elle enfila sa vieille robe orange. Maude avait oublié un châle, elle s'en couvrit la tête et les épaules.

Le comte était presque arrivé au bord du fleuve. Miranda enjamba la fenêtre, cherchant le lierre du pied. Elle prit appui sur les racines et descendit le long du mur avec la même aisance que quand elle dansait sur une poutre. Enchanté, Chip la précédait de quelques pas.

Elle courut vers le fleuve. Le comte discutait avec le gardien qui lui souhaitait une bonne soirée.

Miranda se faufila par une ouverture de la barrière. Darcourt montait dans une barque. Une lampe à huile brûlait à la poupe du bateau. Quatre rameurs saisirent leurs rames.

Chip sauta dans l'embarcation au même moment où Miranda atterrissait sur le pont, évitant de justesse de se cogner à la lanterne.

10

Alerté par le bruit, Gareth se retourna. Le fanion noir et or aux couleurs des Darcourt claquait dans la brise nocturne. Miranda se tenait sous la lampe à huile. Elle rejeta son châle et inspira profondément.

– Que diable faites-vous ici ? s'exclama-t-il.

Elle semblait être surgie de nulle part, cette petite bohémienne dans sa robe orange. La jeune lady en robe du soir n'était plus qu'un songe.

Les rameurs, n'ayant pas reçu de contrordre, continuaient à ramer, entraînant la barque vers le milieu du fleuve pour pouvoir profiter du courant.

– Je vous ai vu de ma fenêtre. J'étouffais dans cette chambre. (Elle s'accouda à côté de lui. La lumière éclairait ses mèches auburn.) J'avais besoin d'air frais. Ce fut une soirée éprouvante. Pardonnez-moi pour toutes ces bévues. Je ne sais pas ce qui m'a pris de vous appeler Gareth.

– C'est mon prénom, mais Maude ne peut pas l'employer en public.

– Et en privé ?

– Non plus, ajouta-t-il avec un sourire désolé. Ma pupille ne peut jamais m'appeler par mon prénom. Jusqu'au jour où elle cessera d'être ma pupille.

– Et quelqu'un qui n'est pas votre pupille ?

Miranda plaisantait. En inclinant la tête, ses cheveux courts révélèrent la légère marque sur le haut de sa nuque.

Gareth avait bien compris qu'elle parlait pour elle, ce qui soulevait une question intéressante : cette descendante d'Albard était-elle autant sa pupille que sa sœur jumelle ? Si l'on apprenait son identité, elle le deviendrait certainement.

– Cela dépend des circonstances, déclara-t-il. Mais il ne faudrait pas que cela devienne une habitude au risque de vous faire commettre un autre faux pas.

– Cette mascarade ne va pas marcher. C'est trop difficile pour moi. J'ai déjà fait assez d'erreurs ce soir, alors que nous n'étions encore qu'en famille et avec quelques-uns de vos intimes.

– Ne soyez pas ridicule ! Vous vous êtes très bien débrouillée, et on ne vous avait rien expliqué !

Le compliment rasséréna la jeune fille.

– Mais vous feriez mieux de chercher quelqu'un d'autre, persista-t-elle.

L'embarcation oscillait à cause du courant. La brise chassait les relents des détritus et des fosses d'aisances qu'on déversait dans le fleuve. Les eaux noires filaient sous la coque. Les lanternes des bateaux clignotaient dans la nuit. Au-dessus de Londres, le ciel était dégagé et les étoiles brillaient autour d'une lune presque pleine. Gareth se sentait bien.

Le corps de Miranda se trouvait près du sien. Il percevait chacune de ses respirations, le bracelet de sa mère scintillait sous la lanterne. Elle avait des mains fines, une peau veinée de bleu. Pourtant, il savait qu'elles avaient de la force et que son corps menu cachait une puissance étonnante.

– Personne ne pourra jouer le rôle aussi bien que vous, dit-il sincèrement. Si vous me quittez, il faudra que j'abandonne une cause qui me tient à cœur. Mais vous êtes libre de votre choix.

Gareth fixait un point au-delà du fleuve, la mâchoire serrée.

– Pourquoi est-ce si important que Maude épouse ce duc français ?

– C'est une question de prestige, Miranda, tout simplement, rétorqua-t-il d'un air cynique. C'est peut-être égoïste, mais je tiens à ce que ma famille retrouve le pouvoir dont elle jouissait avant la persécution des huguenots. Grâce à cette alliance avec Roissy, notre position sera confortée.

– Vous deviendrez plus puissant ?

– Oui, beaucoup plus.

Il ne pouvait pas lui avouer que la reprise d'un pouvoir aussi important était sa seule possibilité d'oublier à jamais la blessure laissée par Charlotte – le terrible sentiment de honte et de culpabilité qui le taraudait.

Miranda mordilla l'un de ses ongles.

– Mais si Maude s'y refuse, êtes-vous prêt à la sacrifier pour réaliser votre ambition ?

– Je crois qu'elle changera d'avis, mais en attendant, il faut que son prétendant soit accueilli par une fiancée consentante.

Miranda hésitait. Elle pouvait certes faire un effort, mais supporterait-elle toutes ces tensions, même pour cinquante couronnes ? Certes, cet argent aiderait Robbie et permettrait à la troupe d'avoir un lieu de repli l'hiver pour éviter les rigueurs des routes. Si elle se montrait économe, elle pourrait même assurer son avenir. Avait-elle le droit de refuser ce soutien à ses amis ? Des gens qui l'avaient recueillie alors qu'elle n'était qu'un bébé, qui avaient tout partagé avec elle, comme une vraie famille ?

– J'ai besoin de votre aide, Miranda, insista Gareth.

– Très bien, milord. Je ferai de mon mieux.

Pourquoi le lui refuser ? Il s'était toujours montré gentil avec elle, avant même d'avoir eu cette idée. Et puis surtout, elle l'estimait. Elle appréciait sa compagnie, elle aimait son sourire chaleureux, ses caresses furtives, son amitié...

– Je vous en serai éternellement reconnaissant, feu follet, dit-il dans un large sourire.

Lui saisissant le menton, il déposa un baiser sur ses lèvres.

Il avait voulu ce geste de gratitude pour sceller leur contrat, mais il n'avait pas prévu le choc qu'il ressentirait lorsque les lèvres de Miranda s'ouvrirent légèrement sous les siennes. Enivré par le parfum de sa peau soyeuse et de ses cheveux, il lui prit le visage entre les mains. Elle vacilla sur le pont et son corps souple effleura le sien. Il recula d'un pas, secoua la tête comme pour en chasser des images confuses.

Miranda se passa la main sur la bouche. Ses lèvres la brûlaient alors qu'il les avait à peine frôlées. Son cœur battait à tout rompre, elle avait chaud. Les mamelons durcis de ses seins gonflaient son corselet. Une étrange lourdeur s'était emparée de ses reins.

La barque s'immobilisa près de l'appontement du quartier de Blackfriars. Des ruelles montaient vers la colline de Ludgate et, sur leur droite, le dôme de l'église Saint-Paul s'élevait au-dessus d'un enchevêtrement de toits.

– Les rameurs vont vous ramener, dit Gareth d'une voix rauque. Simon, je me débrouillerai pour rentrer.

– Oui, monsieur le comte. On raconte que la nouvelle église est presque terminée. Y paraît que c'est magnifique.

– Je vais y faire un tour pour voir l'avancée des travaux, dit Gareth en quittant la barque.

Miranda fronçait les sourcils, ses doigts encore posés sur ses lèvres.

Il lui souhaita bonsoir avant d'emprunter la rue des Charpentiers qui menait vers Whitefriars, ses tavernes et ses maisons de joie. Sa main reposait sur le pommeau de son épée où elle resterait pendant toute la durée de sa promenade dans les rues de Londres.

Miranda ne pouvait pas rentrer comme s'il ne s'était rien passé... Pas avant d'avoir compris exactement ce qu'elle avait ressenti. Elle sauta à terre alors que les rameurs quittaient l'appontement. Chip sauta à son tour.

En dépit de l'heure tardive, les gens vaquaient à leurs occupations. Un marchand vêtu d'une opulente pelisse de fourrure suivait deux valets en livrée qui lui ouvraient le chemin alors que deux autres fermaient la marche. Quatre hommes portaient une litière d'un pas vif en direction du Temple. Une main blanche en écarta le rideau et Miranda aperçut un visage fin encadré par une coiffe semée de bijoux.

– Vous avez besoin d'être éclairé, monseigneur ? proposa un petit garçon qui tenait une lanterne éteinte.

Son visage était creusé, ses yeux enfoncés dans leurs orbites.

Gareth lui fit signe d'allumer sa lampe et lui donna une pièce. Le petit garçon empocha l'argent, alluma la mèche et précéda Gareth, redressant fièrement ses maigres épaules.

– Milord... Milord ! Est-ce qu'on peut vous accompagner ? demanda Miranda. Je n'ai jamais été à Londres.

– Ce soir, je préférerais être seul, rétorqua Gareth, agacé. Retournez vite à la barque. Ils vous ramèneront.

S'il ignorait leur baiser, ils pourraient l'oublier tous les deux. *Après tout, ce baiser n'avait peut-être aucune importance,* songea-t-il.

Avec un sourire qu'il espérait réconfortant, Gareth continua son chemin. Miranda ne savait pas comment parler du baiser si Darcourt ne l'aidait pas, mais elle refusait de rentrer tête basse à la maison.

Elle le rattrapa. Bien qu'il l'ignorât, elle avançait à sa hauteur, quoiqu'il marchât d'un bon pas.

– Est-ce que vous allez voir les putains, milord ? demanda-t-elle quelques minutes plus tard.

Gareth soupira. Les sœurs d'Albard avaient le même entêtement.

– Même si j'en avais l'intention, il faudrait bien que je m'en passe puisque vous êtes encore là. Devez-vous vraiment m'accompagner ?

– J'ai peur de me perdre toute seule.

– Je n'en crois pas un mot, s'amusa-t-il.

Miranda se sentit soulagée. Ils avaient retrouvé cette complicité affectueuse qu'elle aimait tant. Elle se dit que si le comte Darcourt n'était pas troublé par le baiser, elle ne devait pas l'être non plus. Il embrassait probablement lady Mary de la même façon. À cette idée, elle éprouva un sentiment de dégoût. Comment imaginer cette femme hautaine, aux manières impeccables, abandonnée à une étreinte qui provoquait cet embrasement des sens, toute cette ardeur ?

La ruelle était sombre, les toits des maisons se rejoignaient de chaque côté ; les étages élevés étaient si proches qu'on pouvait toucher les rebords d'une fenêtre à l'autre. Lorsqu'ils arrivèrent à Whitefriars, la ruelle s'élargit. Des lumières jaillissaient des portes et des fenêtres ouvertes des tavernes. On entendait des rires et de la musique.

Arrivé à l'enseigne du *Mulet d'Or,* Gareth dit au petit garçon de les laisser. Il lui donna une autre pièce. L'enfant éteignit sa lampe pour économiser son huile.

Gareth franchit les grilles ouvertes et pénétra dans la cour, Miranda sur les talons. La taverne occupait trois façades. Les portes ouvertes laissaient entrer l'air frais et des gens allaient et venaient. Au premier étage, des hommes et des femmes étaient accoudés à la balustrade de la galerie, discutant avec leurs amis, tandis que résonnaient des rires et des chansons.

Des chevaux, des carrioles et des carrosses étaient garés dans la cour. L'air était chargé d'odeurs de crottin, de bière et de tabac.

Miranda suivit le comte qui se fraya un chemin à travers les clients éméchés. Elle n'était pas choquée par les femmes aux poitrines dénudées, ni par les hommes aux chausses délacées et aux pourpoints dégrafés. Elle fréquentait des lieux pareils depuis son enfance.

Gareth entra dans une pièce où l'on buvait et fit un signe au garçon en lui réclamant du vin. Il tira un banc et s'assit à califourchon à la longue table. Parfaitement à l'aise, Miranda s'assit à ses côtés. Tout aussi ravi, Chip gambada sur la table.

Quelques personnes se partageaient un ragoût odorant.

– C'est du gibier, dit Miranda. Je meurs de faim !

– Mais vous venez de dîner.

– Je n'avais pas faim pendant le repas, grimaça-t-elle. Ce n'est pas pour critiquer votre table, milord, mais...

– Vous vous habituerez à nos manières, dit-il d'un air compréhensif. Apportez un bol de ragoût et un morceau de pain, demanda-t-il au serveur.

Il n'y avait pas de couverts et Miranda utilisa ses doigts et le pain pour attraper la sauce. C'était le plus délicieux repas qu'elle eût pris depuis leur départ de Douvres ! Rassasiée, l'esprit gentiment embrumé, elle posa la question qui la taraudait depuis des heures :

– Éprouvez-vous des sentiments profonds pour votre fiancée, milord ?

– Lady Mary deviendra mon épouse, dit Gareth d'un air renfrogné. Une épouse admirable et, si Dieu le veut, elle me donnera des héritiers.

– Votre première femme...

– Que savez-vous d'elle ? s'enquit-il d'une voix neutre.

– Rien. Maude m'a dit qu'elle avait eu un accident. Je ne voulais pas être indiscrète... ajouta-t-elle, voyant qu'il semblait mécontent.

Un accident... Aux yeux du monde, cela avait été un accident. La silhouette indistincte derrière Charlotte qu'il avait aperçue l'instant avant qu'elle ne tombe aurait pu naître de son imagination. Il était deux étages plus bas, dans la cour. Il aurait pu se tromper. Mais Charlotte était avec son amant, ce jeune homme dont la jalousie avait presque fait pitié à Gareth alors que Charlotte torturait le malheureux garçon par son indifférence, sa passion fulgurante, puis ses rejets inattendus quand elle trouvait quelqu'un plus à même de la satisfaire. Au cours de cet après-midi dramatique, Gareth avait croisé John de Vere dans le vestibule, le visage livide, les yeux fous. Il avait quitté la maison, incapable de supporter de rester sous le même toit que sa femme alors qu'elle se donnait à un autre. Il était resté dans la cour quelques minutes. Il avait vu tomber Charlotte. Et il avait vu l'ombre derrière elle une seconde avant sa chute. Une ombre qui avait attendu de voir s'écraser le corps sur le sol et le sang gicler de sa tête. L'ombre avait alors disparu, et le mari de Charlotte avait cherché son pouls, lui avait fermé les yeux, ivre de bonheur. Un crime passionnel... Ce n'était pas à lui de juger un acte pareil. Et si cette ombre n'avait pas été de Vere ?... Dans ce cas, la mort de Charlotte aurait tout de même été un crime passionnel, mais d'une passion d'un autre genre.

– Milord... milord ? Qu'est-ce qui ne va pas ?

Il s'avisa soudain que Miranda le tirait par la manche. Elle semblait effrayée.

– Allons-nous-en. L'aube ne va pas tarder à se lever.

Il jeta une poignée de monnaie sur la table en bois.

Miranda se leva lentement. Gareth avait eu la même expression égarée que pendant son cauchemar. Elle claqua des doigts pour appeler Chip. Tous deux suivirent le comte qui retournait vers le fleuve. *Une femme avisée ferait bien de ne pas se mêler de cette affaire*, songea-t-elle. Mais avait-elle jamais été prudente ?

Un éclair déchira le ciel noir, illuminant la sombre masse des murs de Paris qui se dressaient le long de la Seine. Le grondement presque simultané du tonnerre fit trembler l'air lourd. Les cieux s'ouvrirent, déversant une pluie torrentielle sur la terre assoiffée, les grosses gouttes martelant la surface grise du fleuve.

Les sentinelles emmitouflées dans leurs capes marchaient de long en large au pied des murailles. Au centre du camp qui assiégeait la ville, Henri de Navarre se tenait devant sa tente, levant son visage vers la pluie, attrapant les gouttes avec sa langue. Ses cheveux et sa barbe furent bientôt trempés. Sa chemise en lin collait à son torse musclé. Sous ses pieds, la terre se transformait en boue.

À l'abri de la tente, ses conseillers regardaient leur roi, étonnés par ce comportement étrange. Henri était un soldat aguerri, qui ne craignait pas un peu de pluie, mais se laisser tremper de la sorte n'était pas digne de leur souverain pragmatique et obstiné.

Le médecin du roi ne le supporta plus :

– Sire, c'est folie... Vous allez attraper mal.

Le vieil homme s'aventura sous le déluge, soulevant ses pieds aspirés par la boue. L'eau coulait de la barbe.

– Venez vous abriter, sire. Je vous en conjure.

Avec un grand éclat de rire, Henri posa une main sur l'épaule du vieillard.

– Roland, tu n'es qu'une femmelette. Il faudrait

davantage que quelques gouttes d'un orage d'été pour m'abattre.

Puis, il écarta les bras comme pour étreindre la tempête.

La foudre zébra le ciel. L'éclair toucha la terre à quelques mètres du roi. Il y eut une lumière vive. Un arbre se fendit en deux, tombant lentement jusqu'au sol alors qu'éclatait un coup de tonnerre. On respirait l'odeur du bois brûlé et de la terre dévastée.

– Sire !

Les hommes sortirent en courant de la tente, saisirent le roi sous les aisselles et l'entraînèrent à l'abri.

– C'est en effet folie de vous exposer de cette manière, le gronda le duc de Roissy.

Le roi Henri aimait que ses compagnons lui parlent franchement et le duc ne manquait jamais l'occasion de dire le fond de ses pensées.

– Un éclair et ce serait la fin de tout, ajouta Roissy en montrant les murailles de la ville. Vous êtes roi de France, sire, et non plus seulement roi de Navarre. Nous sommes vos sujets. Nos destins sont liés au vôtre.

– Tu as raison de me gronder, Roissy, s'excusa Henri. La foudre est tombée un peu trop près à mon goût. Mais la chaleur de ces derniers jours a été intolérable. Il y a quelque chose d'irrésistible à défier les éléments déchaînés de la nature... Merci, Roland.

Il prit le linge que lui tendait le vieillard, retira sa chemise trempée et se frotta vigoureusement. Une main sur l'épaule de Roissy, il leva une jambe afin qu'un serviteur lui retire une botte, puis l'autre, avant de se débarrasser de ses chausses.

Nu, il traversa la tente et prit une cruche de vin sur une table. Il avala une rasade, s'essuya la bouche du revers de la main avant de jeter un regard moqueur sur l'assemblée.

– Messieurs, messieurs, vous me regardez comme si j'étais un phénomène de foire. Quand ai-je jamais agi sans raison ? Gilles, ajouta-t-il en claquant des doigts.

Son serviteur accourut, des habits secs dans les bras.

Henri se dépêcha de s'habiller. On lui enfila ses bas et ses bottes.

– À table, messieurs. Je dois partir à l'aube.

– Vous allez à Londres en dépit de nos réticences, sire, s'interposa Roissy d'un ton irrité, alors qu'ils s'approchaient de la table où l'on avait disposé du pain, du fromage, de la viande et des cruches de vin.

– Oui, Roissy, dit le roi en tranchant le rôti avec son poignard. C'est l'heure d'aller courtiser. J'ai envie de me trouver une épouse protestante.

Les hommes s'attablèrent alors que le roi mordait à même la viande.

– Sire, je vous en prie, réfléchissez, insista Roissy. Si vous partez, le moral des troupes va faiblir. Nos hommes perdront espoir et les Parisiens en profiteront.

– Mon cher Roissy, mes hommes ne sauront pas que je me suis absenté. Les Parisiens penseront que je suis toujours aux portes de leur ville. C'est toi, mon ami, qui prendras ma place, expliqua-t-il avec un sourire froid. Nous sommes de la même taille, tu porteras mes habits en public. Nous dirons que ma plaisanterie de ce soir sous la pluie m'a rendu fiévreux et m'a donné un bon mal de gorge, ce qui expliquera ma voix enrouée et pourquoi je reste plus longtemps sous ma tente.

Roissy comprit alors que le roi était sorti sous l'orage délibérément.

– J'ai toute confiance en toi, Roissy, poursuivit le roi d'un ton sérieux. Tu sauras aussi bien que moi comment conduire ce siège. On nous a fait comprendre que la ville ne se rendrait pas avant l'hiver et je serai de retour à temps pour sa reddition.

Roissy hocha la tête. Leurs espions avaient affirmé que les citoyens ne donneraient pas les clés tant qu'il restait un rat comestible dans les égouts. La ville possédait encore quelques réserves de blé, mais celles-ci ne sauraient suffire jusqu'à la nouvelle récolte, et alors les choses tourneraient au plus mal.

– Si vous vous éternisez en Angleterre, sire, vous risquez de manquer la traversée avant le printemps prochain, reprit-il.

– J'en ai assez d'attendre ! déclara Henri. Si cette fille est aussi jolie que son portrait et si elle est prête à m'épouser...

Il rit doucement. Même Roissy esquissa un sourire : quelle jeune fille refuserait d'épouser le roi de France ?

– Je vais la courtiser, conclure l'affaire avec Darcourt, et revenir avant la fin octobre pour entamer la procédure de divorce avec Marguerite. Il faudra bien obtenir ce divorce avant mon couronnement, non ?

Il se tourna vers son ministre.

– Sans aucun doute, sire, acquiesça l'homme en s'essuyant la bouche avec un mouchoir en dentelle, un geste gracieux qui semblait déplacé dans un lieu aussi fruste, où se pressaient les compagnons du roi qui étaient des soldats aux mains calleuses et aux ongles sales, aux tenues crottées, et non des courtisans à l'élégance raffinée.

– Qui va vous accompagner, sire ? demanda Roissy, vaincu par la détermination de son suzerain.

– Deroule, Vancair et Magret, déclara Henri en les regardant tour à tour. Je prendrai ton identité, Roissy, puisque tu vas prendre la mienne. Nous échangerons nos habits. Je porterai tes couleurs et j'arborerai ton étendard. C'est impératif que tout le monde, excepté la famille de la jeune fille, ignore la véritable identité du prétendant. Le duc de Roissy rend visite à la cour de la reine Elizabeth, pendant que son souverain continue à soutenir le siège de Paris. La reine elle-même ne doit pas soupçonner un seul instant mon identité. Elle prétend soutenir ma cause mais Elizabeth est plus retorse qu'un sac de vipères. Si elle devine qu'Henri a quitté les portes de Paris, on ne peut pas prévoir sa réaction.

– Vous avez raison, sire, déclara Roissy d'un ton pressant. Que se passerait-il si par malheur vous étiez découvert ?

– Je ne le serai pas, Roissy, si tu joues correctement ton rôle, conclut le roi. Buvons à l'amour, messieurs !

11

Miranda fut réveillée le lendemain matin par le bruit de la porte qui s'ouvrait. Maude lui souhaita bonjour.

– Quelle heure est-il ? fit Miranda en bâillant.

– Sept heures. Comme il fait froid ici ! frissonna la jeune fille.

– C'est vrai, acquiesça Miranda en voyant qu'il faisait encore sombre et gris. On dirait qu'il va pleuvoir.

– Je suis désolée de t'avoir réveillée, mais je pensais que tout cela n'avait été qu'un rêve et que tu ne me ressemblais pas autant.

– Et alors ? s'amusa Miranda.

– Tu n'as pas changé depuis hier soir. Je n'arrive pas à m'y habituer, ajouta-t-elle en lui touchant la joue. Même ta peau est semblable à la mienne.

Chip vint sautiller sur la courtepointe pour les saluer. Maude lui gratta la nuque.

– Que va-t-il se passer aujourd'hui ?

– Je n'en ai pas la moindre idée, déclara Miranda en sautant du lit et en s'étirant.

– Ton corps n'est pas fait comme le mien, remarqua Maude. Nous sommes minces toutes les deux mais toi, tu as des formes.

– C'est parce que la pratique de l'acrobatie m'a musclée, expliqua Miranda en ramassant la robe qu'elle avait négligemment laissée tomber par terre la veille. J'imagine que je dois la remettre, mais elle est toute froissée.

– Laisse. Les servantes s'en occuperont. Je vais te chercher une robe de chambre.

Avec une vivacité inattendue, Maude se rendit dans

sa chambre et revint avec une robe de chambre en velours.

– Viens chez moi, Miranda, il y a un feu de bois. On doit me saigner aujourd'hui, alors Berthe prépare la bière aux épices pour me redonner des forces.

– Tu es malade ? s'inquiéta Miranda en enfilant avec bonheur la luxueuse robe de chambre.

Chip sur l'épaule, elle suivit Maude.

– Je dois être saignée pour éviter de tomber malade, grimaça Maude. Chaque semaine, on m'enlève l'équivalent d'une tasse de sang.

– Comment peux-tu supporter cette horreur ? s'exclama Miranda. Les saignées, c'est encore pire que les purgatifs !

– Ce n'est pas très plaisant, mais c'est nécessaire.

– À mon avis, c'est ça qui te rend malade, fit observer Miranda.

Maude se pelotonna dans le sofa, réchauffant ses pieds devant la cheminée.

– Berthe, voici Miranda dont je t'ai parlé hier soir.

La femme âgée qui surveillait une bouilloire en cuivre accrochée au-dessus du feu leva la tête. Ses yeux pâles s'écarquillèrent. Elle laissa tomber sa cuillère en bois.

– Sainte mère ! Que Dieu nous protège ! (Elle s'approcha de Miranda avant d'apercevoir Chip.) Oh, une bête sauvage ! s'écria-t-elle, horrifiée.

– Chip n'a rien de sauvage et il ne vous fera aucun mal, la rassura Miranda.

Berthe fut fascinée par Miranda. Elle lui saisit le visage entre les mains.

– C'est l'œuvre du diable ou celle du Seigneur ! marmonna-t-elle.

– Ne t'inquiète pas, Berthe, s'impatienta Maude. Est-ce que ma boisson est prête ? J'ai besoin de me réchauffer.

– Bien sûr, mon ange. Il ne faudrait pas que tu prennes froid à cette heure matinale.

Berthe s'affaira autour de la bouilloire sans quitter des yeux Miranda qui s'assit sur un tabouret, loin de la chaleur étouffante du brasier.

– Si tu es venue sauver ma fillette des flammes de l'enfer, tu es probablement envoyée par le Seigneur, murmura la nourrice en offrant une chope de bière chaude à Miranda qui huma le parfum des clous de girofle.

– Je veux des œufs mollets pour mon petit déjeuner, annonça Maude, puisque je ne suis plus condamnée au pain et à l'eau, grâce à Miranda.

– C'est plutôt grâce au comte Darcourt, la corrigea Miranda.

– On vient te saigner ce matin, mon trésor, et les œufs risquent de t'échauffer. Il vaut mieux manger léger, se tracassa la nourrice.

– Je me sens assez vaillante aujourd'hui, rétorqua Maude. Le médecin n'aura pas besoin de me prendre beaucoup de sang.

– Dans ce cas, autant lui dire de ne pas venir, fit Miranda.

Berthe ignora la proposition en posant une main sur le front de sa protégée.

– Tu sais bien comme tu es souvent faible, ma petite.

– Pour l'instant, je me sens en forme et je veux mes œufs ! s'emporta Maude. Si tu ne me les apportes pas immédiatement, je vais m'énerver !

Miranda fut surprise par le ton impérieux de la jeune fille, mais Maude obtint gain de cause et Berthe s'empressa de quitter la chambre.

– Elle est souvent obstinée et je dois me fâcher un peu, s'excusa Maude avec un sourire. Pourquoi sembles-tu contrariée ?

– C'est désagréable de voir quelqu'un qui me ressemble autant se comporter de façon aussi désagréable.

– Qu'est-ce qui te permet de me juger ? s'emporta Maude. Comment peux-tu comprendre ce qu'on m'impose ici ? Seule Berthe s'occupe vraiment de moi. Lady Imogène et Gareth m'utilisent pour servir leurs intérêts. Ils se fichent pas mal de ma personne.

Les joues empourprées, les yeux furibonds, Maude était transformée par la colère.

Miranda fut étonnée de retrouver chez son double

une force comparable à la sienne. Brusquement, elle comprit la vie de Maude comme si elle l'avait vécue elle-même. La malheureuse jeune fille était emmurée vivante dans cette vaste demeure. Comment ne pas être maladive quand on n'avait pas de compagnons de son âge, quand on ne savait rien du monde extérieur ? Maude avait été tenue à l'écart de tout parce que quelqu'un pensait un jour pouvoir utiliser sa naïveté.

Soumise aux mêmes contraintes, ne serait-elle pas devenue elle aussi irritable et butée ? songea Miranda. Maude avait réagi par une défiance qui avait donné un sens à sa vie. Un avenir au couvent était au moins un choix pour lequel elle pouvait se battre, une alternative à l'existence que lui réservait sa famille.

Berthe revint, accompagnée d'un laquais qui portait un plateau. Il jeta un coup d'œil curieux à Miranda qui garda obstinément la tête baissée.

– Viens manger, ma petite, je t'ai préparé des œufs, dit Berthe.

– Il y en a assez pour deux, Miranda, proposa Maude. Si tu aimes les œufs mollets.

– J'aime tout. On ne peut pas se permettre d'être difficile quand on n'a jamais su quel serait son prochain repas.

– Je me demande laquelle de nos vies a été la plus difficile, dit Maude d'un air songeur.

– La tienne ! répondit Miranda en se beurrant une tranche de pain frais. La liberté, c'est ce qu'il y a de plus précieux. Jamais je ne pourrais vivre comme toi, ajouta-t-elle en désignant la chambre. Tout est luxueux et confortable, mais comment peux-tu supporter de ne jamais rien faire sans demander la permission, de ne jamais te promener sans qu'on sache où tu te trouves ?

– Quand on n'a rien connu d'autre... observa Maude.

La porte s'ouvrit soudain comme sous l'effet d'une tornade, et lady Imogène fit son apparition. L'immense nuage noir de sa robe à paniers en damas remplissait l'embrasure de la porte. Miranda faillit avaler de travers. Les deux jeunes filles se levèrent et lui firent la révérence.

– Comme vous allez être reléguée dans votre chambre, cousine, vous n'aurez plus besoin de vos robes, déclara Imogène. Inutile de gaspiller de l'argent, nous allons les faire retoucher pour Miranda. Berthe, emporte les robes de lady Maude dans la chambre verte.

– N'aurai-je plus rien à me mettre, madame ? demanda Maude en geignant délibérément.

– Des robes d'intérieur vous suffiront, rétorqua Imogène. N'est-ce pas aujourd'hui qu'on vient vous saigner ? ajouta-t-elle, tandis que Berthe, raide d'indignation, quittait la chambre en transportant quantité de soieries, de damas et de velours.

– Si, madame.

– Dans ce cas, je vous conseille de vous mettre au lit. Aïe ! fit-elle en portant une main à sa tête. Qu'est-ce que c'est ? Aïe ! cria-t-elle encore en touchant sa nuque.

Miranda avait compris ce qui se passait. Chip adorait faire des farces. Elle l'avait souvent grondé pour ça, mais sans succès. Perché sur le haut de l'armoire, il jouait avec une poignée de noisettes dont il bombardait lady Imogène.

Quand celle-ci aperçut le coupable, elle recula jusqu'à la porte.

– Je lui ferai tordre le cou ! jura-t-elle, ivre de rage.

En entendant son ton hargneux, Chip la bombarda de plus belle. Avec un cri perçant, Imogène s'enfuit en se protégeant le visage.

Miles, qui venait de quitter sa chambre au bout du corridor, fut bousculé par sa femme qui se cachait toujours les yeux.

– Où allez-vous ? demanda-t-il, en se retenant à elle pour ne pas tomber.

Sa femme était plus grande que lui, et le vertugadin et la fraise en dentelle de sa robe la rendaient plus corpulente.

– La bête sauvage m'a attaquée ! s'écria-t-elle en montrant d'un doigt tremblant la chambre de Maude.

Protégé par le corps de sa femme, Miles risqua un coup d'œil. Il reçut une noisette en plein front.

– Aïe ! fit-il en s'abritant derrière l'ample robe en damas noir.

– Chip, descends tout de suite ! ordonna Miranda.

Mais il ne lui obéit pas. Il s'amusait trop et ça ne lui arrivait pas tous les jours !

Le comte Darcourt choisit ce moment-là pour apparaître. Il évita une noisette de justesse.

– Ne pouvez-vous pas le calmer un peu, Miranda ? demanda-t-il d'un ton las.

– J'essaie ! fit-elle, partagée entre le rire et les larmes.

Elle savait que, si elle n'arrivait pas à maîtriser son compagnon, il risquait d'être chassé par la maisonnée ou enfermé dans une cage pour le restant de ses jours...

– Il n'a presque plus de munitions, s'amusa Maude, les yeux pétillants.

Sa dernière noisette lancée, Chip se trémoussa en haut de l'armoire, criant à tue-tête ce qui aurait pu être pris pour des insultes.

– Regardez-le ! Que dit-il ? hurla Imogène, réalisant aussitôt l'absurdité de sa question. (Elle inspira profondément pour reprendre son calme.) Gareth, j'insiste pour que cette créature disparaisse immédiatement de ma vue.

Enfin, Miranda réussit à attraper Chip.

– Il ne voulait que jouer, implora-t-elle, mais il est vexé parce que lady Imogène ne l'aime pas.

Gareth écrasa une noisette sous son talon. Le sol en était jonché. Chip inclina la tête sur le côté et lui adressa un clin d'œil. Contrairement à son singe, Miranda semblait bien mal à l'aise. Emmitouflée dans une robe de chambre luxueuse, on voyait dépasser ses pieds nus qui semblaient joliment vulnérables. Son long cou de cygne était mis en valeur par un col en fourrure, mais des mèches désordonnées se dressaient sur sa tête hirsute. Moitié lady, moitié vagabonde, elle était terriblement séduisante...

Un bref instant, Gareth oublia que sa sœur furibonde, sa cousine hilare et le pauvre Miles attendaient tous son intervention. Il était comme fasciné par cette jeune femme tout en contrastes. Et il ressentit un étrange sentiment, comme si quelque chose en lui resté longtemps obscur et caché s'ouvrait soudain à la lumière.

– Faites un effort, Miranda, s'entendit-il lui dire.

Lady Imogène poussa une exclamation furieuse avant de tourner les talons. Son mari hésita, mais il la suivit.

– Milord, dois-je vraiment emporter toutes les robes de lady Maude dans la chambre verte ? s'indigna Berthe à son tour.

Sans comprendre, Gareth interrogea la nourrice du regard.

– Les vêtements de lady Maude... Lady Dufort m'a ordonné de les donner à l'autre demoiselle.

– Ne soyez pas ridicule ! s'emporta Gareth. Vous avez dû mal comprendre. En attendant d'avoir sa propre garde-robe, Miranda empruntera quelques toilettes à Maude. Je suppose que lady Dufort vous a seulement demandé de faire un choix parmi quelques robes...

– Ce n'est pas ce que j'ai compris, grommela Berthe en attisant le feu.

Agacé, Gareth allait quitter la pièce quand apparut un homme en pourpoint noir poussiéreux, portant des chausses démodées et une sacoche en cuir. C'était le médecin de la famille.

– Vous êtes souffrante, cousine ? demanda Gareth à Maude.

– On doit me saigner, milord, expliqua-t-elle en s'allongeant, tandis que Berthe lui retirait une pantoufle.

– Vous avez de la fièvre ?

– Monsieur le comte, c'est le jour de la saignée hebdomadaire de lady Maude, expliqua le médecin en prenant un scalpel dans sa sacoche. Des saignées régulières sont indispensables pour la maintenir en bonne santé.

– Il ne faut pas que le sang s'échauffe, renchérit Berthe en s'agenouillant avec un bol pour recueillir le sang.

Gareth arqua un sourcil. Les décisions des médecins l'avaient toujours dépassé... Il fallait probablement faire confiance à celui-ci.

– C'est stupide d'être saigné quand on n'est pas

malade, grommela Miranda. Mama Gertrude prétend que ça affaiblit le corps.

– Qui est Mama Gertrude ? demanda Maude alors que le médecin lui coupait une veine à la plante du pied et que le sang giclait dans le bol.

Miranda frémit comme Maude. Elle avait cru sentir la douleur dans sa propre chair et elle avait l'impression de se vider de son sang aussi.

– Est-ce que la vue du sang vous effraie ? demanda Gareth, voyant que Miranda avait blêmi.

La jeune fille secoua la tête.

Gareth trouva la situation intéressante : les deux jeunes filles étaient aussi pâles l'une que l'autre. Maude avait fermé les yeux et Miranda avait détourné la tête.

– Je vous laisse entre les mains du médecin, cousine. Miranda, je crois que lady Imogène aimerait vous faire essayer des robes. Nous devons nous rendre chez la reine ce soir et il faut que vous soyez convenablement vêtue.

– Chez la reine ? s'exclama Miranda, paniquée.

– On m'a demandé de lui rendre visite après dîner. « Sa Majesté regrette de ne pas avoir vu le comte Darcourt depuis des semaines », fit-il en imitant le ton obséquieux du chambellan de la Cour.

Une lueur ironique passa dans son regard. Il savait pertinemment que la reine n'était que curieuse. Il avait dû lui demander la permission de quitter la Cour pour se rendre en France et elle voulait simplement connaître l'issue de sa mission.

– Ne pourrions-nous pas attendre quelques jours, milord ? demanda Miranda, affolée. Je ne me sens pas prête.

– N'ayez crainte, la présentation sera brève. J'ai plus confiance en vous que vous en vous-même, feu follet.

Il referma la porte derrière lui.

Miranda frotta son pied curieusement endolori contre son mollet, tandis que le médecin enroulait un pansement autour du pied de Maude.

– As-tu déjà été à la Cour, Maude ? lui demanda-t-elle.

– Non, mais je sais bien ce qu'il s'y passe, murmura-t-elle, les yeux clos.

– Peux-tu me le dire ?

– Bon sang, ne vois-tu pas que lady Maude a besoin de calme et de repos ? s'agaça Berthe.

Haussant les épaules, Miranda repartit dans sa chambre en promettant de revenir plus tard.

Une pile de vêtements était posée sur le lit. C'est fou ce que Maude possédait comme toilettes alors qu'elle quittait si rarement sa chambre ! La plupart des robes semblaient neuves.

Chip bondit sur le rebord de la fenêtre, observa la pluie fine qui tombait, puis disparut dans les feuilles de lierre pour rejoindre le jardin.

Miranda comprit ce sauve-qui-peut quand lady Imogène, raide comme la justice et l'air compassé, fit son entrée avec deux servantes. Elle vérifia prudemment que le singe avait bien disparu.

Au fur et à mesure que la métamorphose de Miranda s'accomplissait, l'amertume d'Imogène diminuait. La ressemblance entre Maude et cette inconnue était au-delà d'une simple ressemblance. C'était magique, presque inquiétant.

Miranda s'abandonna aux mains agiles des deux servantes qui la revêtaient, boutonnant, laçant, prenant des mesures pour ajuster les robes. Les deux jeunes filles avaient une silhouette pratiquement identique, mais la poitrine de Miranda était un peu plus développée et ses hanches légèrement plus larges.

– C'est dommage qu'aucune de vous deux ne soit plus grande, déclara Imogène alors que Miranda attendait qu'on lui essaie une autre robe. Les silhouettes disgracieuses gagnent à être plus élancées.

Miranda rougit. Sous le regard inquisiteur de lady Imogène, elle se sentit soudain vulnérable.

Les servantes lui enfilèrent une robe de velours pêche et un corselet en taffetas écarlate. Agitant son éventail, Imogène tourna autour de Miranda.

– Redressez les épaules. Aucune fille de bonne famille ne se tiendrait aussi mal.

Miranda n'avait jamais réfléchi à son maintien. Elle avait toujours pensé qu'elle se tenait parfaitement droite. Mais elle fut soudain assaillie de doutes. Si quelque chose d'aussi évident que son maintien et sa démarche pouvait trahir ses origines, quelle chance avait-elle de convaincre la reine et les courtisans ? C'était absurde... Elle appartenait à une troupe de baladins ; elle avait passé des nuits en prison pour vagabondage ; elle avait connu la faim et dormi sous des meules de foin. On l'avait trouvée bébé, égarée dans une boulangerie...

– Par Lucifer !

Le cœur gros, Miranda se laissa tomber sur le lit, indifférente aux épingles qui dépassaient de la robe.

– Qu'est-ce qui ne va pas ? s'irrita Imogène.

Miranda se releva presque aussitôt. Elle avait donné sa parole au comte Darcourt ; elle ferait de son mieux.

– Rien, madame.

Imogène ordonna à une servante d'aller chercher lord Dufort. Miranda avait à peine retiré la robe pêche que le mari d'Imogène apparut dans l'embrasure de la porte.

– Choisissez la robe qu'elle doit porter ce soir, Miles. Malheureusement, les chaussures de Maude lui sont trop petites. Il faudra qu'elle supporte d'être serrée jusqu'à ce que le cordonnier lui en fabrique d'autres. Quand on a de si grands pieds...

Miranda savait qu'Imogène exagérait. Ses pieds étaient longs, certes, mais étroits.

– C'est la toilette en velours pêche qui me convient le mieux, dit-elle fermement. Est-ce que vous vous y connaissez en robes, milord ?

– Il paraît que oui, ma chère, répondit Miles d'un air modeste. Je crains que cette couleur ne vous mette pas en valeur. La robe ne seyait pas à Maude non plus.

En voyant la déception de la jeune fille, il poursuivit d'un ton enjoué :

– Nous commettons tous des erreurs. On imagine une tenue flatteuse à une certaine lumière, et puis en bougeant, on s'aperçoit que c'est un désastre.

Miranda s'étonnait d'entendre un homme tenir un pareil discours, mais Imogène écoutait attentivement son mari.

– Et le vert émeraude ? demanda Imogène.

Miles l'examina à la lumière, puis approcha le tissu du visage de Miranda.

– La couleur est correcte, mais je crains que la forme ne soit trop volumineuse. Essayez-la pour voir.

Les servantes aidèrent Miranda à passer la jupe en brocart brodé de feuilles de vigne.

Lord Dufort tourna autour d'elle en se concentrant.

– C'est parfait... La couleur est divine, et la coupe est moins excessive que je ne l'avais pensé. Si vous me permettez...

Il ajusta le décolleté, lissa les manches étroites, déplaça la fraise qui lui entourait le cou.

– Gareth avait raison, murmura Imogène. Nous nous en tirerons peut-être. Mais que faire avec ces affreux cheveux ?

Miranda effleura ses cheveux courts.

– Je conseille une coiffe Tudor avec un escoffion pour encadrer le visage et une cornette relevée à l'arrière, dit Miles. La longueur des cheveux sera dissimulée par la cornette opaque. Dans quelques semaines, tout cela sera inutile puisque vous aurez une belle chevelure, ajouta-t-il en souriant.

– Espérons que, dans quelques semaines, elle sera loin d'ici, rétorqua Imogène. Ma cousine aura eu le temps de recouvrer ses esprits. Préparez la toilette pour ce soir ! ordonna-t-elle aux servantes en tournant les talons.

– Lady Mary est au salon, lui apprit alors Miles.

– Bon sang, pourquoi ne pas me l'avoir dit tout de suite ? rouspéta sa femme. Mettez la robe verte et venez présenter vos respects à lady Mary, jeune fille. Il faut vous habituer à fréquenter des personnes de qualité.

Imogène disparut dans un bruissement de soie.

– Vous vous en tirerez à merveille, la rassura gentiment Miles alors que Miranda mourait d'angoisse.

Il enroula la robe de chambre autour de ses épaules, et elle le remercia d'un sourire.

Quand il fut sorti, Chip apparut sur le rebord de la fenêtre. Miranda lui ouvrit les bras et il s'y précipita.

– Dans quel guêpier me suis-je fourrée, mon pauvre Chip ! murmura-t-elle en enfouissant son visage dans ses poils humides. Seigneur, tu empestes le fumier !

Tout joyeux, Chip lui tira les oreilles.

12

Mama Gertrude ajusta un châle sur sa tête afin de protéger son chapeau de velours dont les plumes dorées commençaient à souffrir du crachin.

– Doux Jésus ! Serions-nous enfin arrivés ? s'exclama-t-elle.

– C'est un fichu palais, grommela Bert en regardant la demeure grandiose des Darcourt. Ça n'a pas l'air d'une maison louche.

– Ces endroits-là sont dans Southwark, de l'autre côté de la rivière, expliqua Gertrude. Ça, c'est bien la résidence d'un gentilhomme.

– Mais qu'est-ce que Miranda fait chez un gentilhomme ?

– Elle a été enlevée pour satisfaire tous ses désirs, déclara Jebediah, toujours pessimiste. Il va la garder prisonnière chez lui jusqu'à ce qu'il s'en lasse. On peut rien faire si elle est là-dedans, fit-il en frottant ses mains décharnées. J'avais bien dit que c'était une idée stupide de venir.

– Tu dramatises toujours, Jebediah ! fit Luke. Si cet homme retient Miranda contre son gré, on va la sortir de là.

– Et comment on fera, mon grand ? ironisa Jebediah qui frissonnait sous sa cape élimée. Un seul regard de travers et ce comte Darcourt te fera jeter au cachot !

– Est-ce que c'est cette maison ? demanda Robbie qui venait seulement de rejoindre la troupe.

Son visage reflétait la douleur de son pied, toujours plus forte par temps humide.

– On n'est pas sûrs, mon p'tit, dit Raoul en regardant l'enfant. Mais le charretier a dit que c'était la demeure des Darcourt.

– À Douvres, l'homme de l'écurie nous a affirmé que Miranda était partie avec le comte Darcourt, lança Gertrude. N'est-ce pas, Luke ?

– Il a même dit que c'était un vrai gentilhomme, et il nous a décrit parfaitement Miranda. Qu'il n'a pas aimée du tout d'ailleurs ! Il paraît qu'elle se mêlait trop de ce qui ne la regardait pas...

– Pas tout à fait faux... plaisanta Raoul.

– Mais il ne semble pas que le comte l'ait emmenée contre son gré, reprit Jebediah. Il faut s'abriter de cette pluie. Elle nous fait mal aux os.

– Allons trouver un logement en ville avant la fermeture des portes, Gertrude, ajouta son mari. Jeb a raison. Nous ne savons pas si Miranda a été enlevée ou pas.

– Je vous le répète : elle ne l'a pas suivi sans raison, affirma Gertrude. Miranda ne vendrait jamais sa vertu et, si on lui a fait du mal, il faut la sauver.

– C'est l'une de nous. Il ne faut pas l'abandonner, insista Luke, d'un air presque désespéré.

– Personne n'en a envie, dit Raoul pour le rassurer. (Il posa son bras sur les épaules du jeune homme qui vacilla sous le poids.) Mais allons nous reposer jusqu'à demain. Je meurs de faim !

À regret, Luke suivit la petite troupe qui se dirigea vers les portes de Londres. Raoul tirait la charrette à bras qui contenait leurs maigres biens. Les cloches allaient se mettre à sonner, annonçant la fermeture des portes. Ils devaient se dépêcher de trouver un abri.

Robbie les suivait en dernier. Il n'arrivait pas à quitter le palais des yeux. Où pouvait être Miranda ? La douleur que lui causait son absence était aussi forte que celle de son pied. Elle lui massait sa jambe endolorie quand il souffrait trop... Les autres n'étaient pas méchants et ils veillaient sur lui aussi, mais pas comme Miranda. Et, parfois, quand il n'arrivait pas à marcher assez vite pour les suivre, il craignait qu'ils ne l'abandonnent. Lui, ils ne le rechercheraient pas comme Miranda ! Elle comptait davantage à leurs yeux qu'un estropié qui coûtait plus cher qu'il ne rapportait...

Un vacarme dans la cour attira son attention. Les grilles en fer forgé furent ouvertes, et quatre porteurs sortirent avec une litière. En dépit de leur fardeau, ils dépassèrent Robbie rapidement. Une main féminine écarta le rideau, ce qui fit battre le cœur de l'enfant. Un regard gris-vert dans un long visage sec se posa sur lui et sur les alentours. Puis le rideau se referma.

Robbie rattrapa la troupe en boitillant aussi vite que possible.

Lady Mary n'avait pas remarqué le petit garçon qui traînait la jambe le long de la route, comme elle ne remarqua pas la troupe de saltimbanques. Elle franchit sans encombre les portes de la ville ; les porteurs étaient revêtus de la livrée de la reine puisque Mary était l'une de ses dames de compagnie. Cette fonction lui permettait d'être logée et nourrie, de recevoir une nouvelle toilette par an et de faire face ainsi à une déchéance matérielle consécutive à son veuvage.

Ses mains se crispèrent sur ses genoux. Maintenant que Gareth était revenu sain et sauf, rien ne devait l'empêcher de devenir la comtesse Darcourt et donc une femme riche et puissante. Et désormais, l'avenir semblait encore plus prometteur puisque, une fois la pupille du comte mariée au plus fidèle conseiller du roi de France, Gareth jouirait d'une position des plus considérables !

Après avoir supporté tant de rebuffades et d'humiliations, Mary ferait taire les commères et se réjouirait de voir tous les railleurs devenir d'obséquieux admirateurs... Elle saurait utiliser son pouvoir !

Mais toutes ces pensées agréables ne l'étaient pas aujourd'hui autant qu'à l'ordinaire. Quelque chose l'irritait.

Cherchant à définir ce qui la préoccupait, elle repensa à Maude. Elle la connaissait depuis deux ans et savait bien que Gareth supportait difficilement sa cousine souffreteuse. Qu'elle devienne duchesse de Roissy n'y changerait rien...

Or, récemment, Maude avait changé. Dans ses yeux lumineux, on décelait une étincelle nouvelle ; au lieu de ses habituelles moues boudeuses, elle souriait plus volontiers. Et d'où venait cette soudaine camaraderie avec le comte Darcourt ?

Quand Gareth était entré dans le salon où elle attendait avec Imogène que Maude vienne les rejoindre, il était arrivé en donnant le bras à sa cousine. Mary se remémorait leurs rires et voyait le sourire de Gareth, le regard attentif qu'il posait sur la jeune fille malgré la présence de sa fiancée.

Mary savait qu'elle n'aurait jamais droit à une attitude chaleureuse de la part de Gareth. Après leur mariage, son mari lui accorderait seule la sollicitude due au devoir dont elle ferait preuve envers lui. C'était inconcevable d'imaginer entre eux une relation plus profonde. Leur union allait être fondée sur le devoir et l'intérêt. Si Dieu le voulait, elle lui donnerait des héritiers parce que son devoir l'exigeait, même si son corps se révulsait à l'idée d'exprimer toute émotion.

Mais alors, pourquoi était-elle troublée que Gareth trouve soudain autant de plaisir à être en compagnie de sa cousine ?

Mary avait été habituée à un Gareth distant et compassé, qui souriait rarement, et qui parlait toujours de façon raisonnable. Et voilà tout à coup qu'il plaisantait avec cette enfant de manière assez peu conventionnelle. La jeune fille répondait sans aucune gêne aux taquineries de son cousin, alors qu'elle aurait dû se montrer pleine de déférence. Mary ne comprenait pas que Gareth encourageât cette familiarité, ni que son fiancé eût autant changé...

La litière pénétra dans la cour du palais de Whitehall. Les porteurs s'arrêtèrent au pied de l'escalier qui menait aux appartements que lady Mary partageait avec deux autres dames de compagnie.

Elle se dépêcha de gravir les marches alors que l'horloge sonnait trois heures. Elle devait se changer. Sa

Majesté recevait ce soir à Greenwich, et la barque transportant les dames de compagnie partait dans une demi-heure.

– Qu'en penses-tu ? demanda Miranda en tournoyant devant le petit miroir.

– Tu ressembles à une vraie dame de la Cour, commenta Maude, allongée sur le lit.

Miranda crut déceler une certaine rancœur chez la jeune fille.

– Et ce n'est pas bien ? s'étonna-t-elle.

– Si c'est tout ce que tu attends de la vie...

– Et pourquoi pas ? Une vie luxueuse, des belles robes, des fêtes...

– C'est une existence futile et hypocrite, commenta Maude d'un air méprisant.

Miranda s'assit sur le bord du lit et arrangea les plis de sa robe.

– Lady Imogène m'a étouffée sous une masse de recommandations : comment faire la révérence, à qui parler, à qui ne pas parler, quand me taire, comment me tenir... Elle me rend nerveuse, et quand elle m'agace, je ne peux plus l'écouter. Le comte, lui, pense que tout viendra naturellement et que je n'ai pas besoin de leçons. (Elle ouvrit les mains dans un geste de lassitude.) Je suis dépassée, Maude.

– N'aie pas peur ! Ces gens-là sont pour la plupart stupides et écervelés. Rappelle-toi qu'ils ne voient pas plus loin que le bout de leur nez. Ils penseront que tu es moi parce que c'est ce qu'on leur aura dit. Tu porteras les vêtements appropriés et tu seras accompagnée par les gens qu'il faut. Personne ne croira jamais que quelqu'un aurait eu l'audace de les tromper.

– En remplaçant une lady par une saltimbanque, tu veux dire ? s'amusa Miranda.

– Ils sont faciles à duper, répondit Maude en souriant.

– Et la reine ? Ne me dis pas qu'elle est stupide, elle aussi.

– Non, mais l'idée ne l'effleurerait pas que le comte Darcourt puisse commettre un acte perfide. Même si tu fais des petites erreurs, elle ne soupçonnera rien.

– Si elle ne m'approuve pas, le comte sera déçu, s'inquiéta Miranda.

– Tu n'as pas besoin de parler. Fais ta révérence, prends un air humble, et attends qu'elle te renvoie.

– Dis-moi si ma révérence est correcte, demanda Miranda.

Elle se leva, recula de quelques pas et fit une révérence gracieuse, sa robe s'évasant en corolle autour d'elle.

– Pense à garder les yeux baissés, incline un peu plus longuement la tête, puis relève-la quand tu termines ta révérence.

– Si je descends plus bas, j'ai peur de me retrouver sur les fesses !

– Voilà qui serait drôle, puisqu'on n'a pas le droit de s'asseoir sans la permission de Sa Majesté ! plaisanta Maude. On m'a dit qu'Elizabeth adore obliger les ambassadeurs et les courtisans à rester debout pendant des heures. Elle arpente les salons jusqu'à ce que les gens tombent de fatigue. Cela l'amuse tout particulièrement avec les hommes. Je crois qu'elle aime prouver de cette manière qu'elle leur est supérieure, conclut Maude en riant.

Miranda repensa à Mama Gertrude et se sentit soudain seule. Souveraine à sa manière, c'était elle qui maintenait la cohésion de la troupe, prenait les décisions, leur remontait le moral, s'occupait de l'argent. Raoul était physiquement le plus fort, mais un cheval de labour l'était aussi. Pensaient-ils à elle ? Leur manquait-elle ?

– Pourquoi as-tu soudain l'air si triste ?

– Mes pieds me font souffrir. Je ne sais pas comment je vais supporter ces chaussures toute la soirée. Et est-ce qu'on voit que j'ai les cheveux courts ?

Miranda toucha le voile opaque vert pâle qui retombait sur ses épaules comme une mantille.

– Pas du tout, la rassura Maude. Mais tu sembles

tellement désemparée. J'ai *ressenti* ta tristesse, comme si j'étais triste moi-même, ajouta-t-elle, l'air perplexe.

Confuse et incertaine, Miranda voulut parler d'autre chose.

– Est-ce que tu ne regrettes pas de rester ici à t'ennuyer, alors que les autres s'amusent ?

– Je suis heureuse avec mon bréviaire et mes prières. Je récite le rosaire avec Berthe. Est-ce que je peux te confier un secret ? Le père Damian viendra ici dès votre départ et, après avoir entendu ma confession, il dira la messe.

Même si elles semblaient souvent ressentir des émotions identiques, Miranda s'étonnait qu'une personne de son âge pût se réjouir à l'idée de se confesser et de recevoir l'absolution...

– Jusqu'à ce que tu écoutes l'appel du Seigneur, tu vivras dans les ténèbres, prononça Berthe avec conviction, levant les yeux de ses broderies, une lueur presque fanatique dans le regard. Tu dois ouvrir ton cœur et t'offrir en toute humilité à notre Sainte Mère.

Miranda s'abstint de répondre.

– Peux-tu t'occuper de Chip pendant mon absence, Maude ? Crois-tu que le père Damian y verra une objection ?

– Non, il aime toutes les créatures de Dieu, dit Maude en caressant Chip qui était assis sur son lit, serrant tristement contre lui la vieille robe orange de Miranda. Le singe devinait que sa maîtresse allait une nouvelle fois l'abandonner.

L'horloge sonna trois heures. Miranda rejeta les épaules en arrière pour se donner du courage.

– Je vais descendre.

– N'oublie pas que j'ai la réputation d'être une jeune fille fragile !

Maude s'aperçut qu'elle venait encore de plaisanter... Avec un sourire, Miranda se pencha pour embrasser Chip qui lui toucha la joue en babillant.

– Maude va s'occuper de toi, lui promit-elle.

– Regarde, Chip, ajouta Maude, j'ai des amandes et de bons pruneaux au sucre.

Tandis que Chip se servait, Miranda s'éclipsa avec un sourire.

Maude regarda la porte se refermer. Brusquement, la pièce lui sembla sans vie. L'arrivée du père Damian ne la réjouissait même plus ; elle se sentait aussi triste que le ciel gris.

C'est probablement l'effet de la saignée de ce matin, se dit-elle.

Le sourire de Miranda s'était évanoui. Son cœur battait à tout rompre. Elle ouvrit son éventail et l'agita devant ses joues roses. Comme elle avait chaud ! Une main sur la rampe en bois de l'escalier, elle descendit lentement.

Trois personnes l'attendaient dans le vestibule.

Gareth eut un instant d'hésitation. Est-ce que ce n'était pas Maude ? Imogène, elle aussi, sembla surprise. Lord Dufort était ravi de voir l'effet de la toilette qu'il avait choisie.

– Vous êtes magnifique, ma chère, dit-il en frappant des mains. N'est-elle pas délicieuse, Darcourt ?

Gareth acquiesça. C'était bien Miranda. Il la reconnaissait à son teint, à sa silhouette souple. Ce matin-là, il avait pu profiter du merveilleux contraste entre la petite vagabonde et la jeune lady. Désormais, la première avait disparu, il ne restait que la demoiselle. Il songea soudain qu'il détestait cette imposture.

Miranda s'arrêta sur l'avant-dernière marche. Le comte Darcourt portait une courte cape argentée sur l'épaule. Son pourpoint argent bien ajusté était brodé de fils turquoise, un ceinturon incrusté de bijoux lui enserrait la taille.

Elle rougit. Sa peur s'envola, tant elle était heureuse de le revoir. Elle éprouvait l'étrange sensation qu'elle avait ressentie à l'auberge de Rochester en le regardant changer de chemise. Quand elle croisa son regard, elle comprit qu'il avait deviné ses pensées.

– Est-ce que je vous plais, milord ? demanda-t-elle, sans honte du sous-entendu.

– La transformation est étonnante, n'est-ce pas, Imogène ? fit Gareth.

– Je vous félicite, mon frère. Je n'aurais jamais cru qu'elles puissent se ressembler autant.

Gareth tendit la main à Miranda. Le bracelet scintillait à son poignet.

– Vous vous y êtes habituée ? demanda-t-il.

– Voyons, Gareth, le bijou est splendide ! s'exclama Imogène.

– Je n'aime pas ce bracelet, reprit fermement Miranda, mais la breloque du cygne est ravissante.

– Comme nous sommes heureux de vous l'entendre dire, ironisa Imogène. Vous devez être une experte en bijoux !

Pour détendre l'atmosphère, Gareth leur demanda de se dépêcher car il fallait une bonne heure de bateau pour rejoindre Greenwich.

Ils s'installèrent dans l'embarcation. Deux valets en livrée et deux servantes les accompagnaient. Lady Imogène s'assit dans l'un des deux fauteuils installés à la poupe. Ses servantes lui posèrent un châle sur les épaules.

– Prenez place à mes côtés, Gareth, dit-elle à son frère.

– Ma pupille a des questions à me poser, je préfère que nous nous installions sur le banc au milieu de la barque, répondit-il. Miles, prenez donc le fauteuil.

Miles ne semblait pas enchanté, mais il obéit à son beau-frère. Il conseilla à sa femme de protéger ses souliers en chevreau de l'humidité. Aussitôt, Imogène ordonna qu'un valet vînt essuyer les planches humides.

Le banc central était recouvert d'un épais coussin. Un soleil timide jouait avec les nuages. Les étendards noir et or des Darcourt claquaient au vent. Les quatre marins portaient la livrée aux couleurs de la famille et ils utilisaient de longues perches pour manœuvrer au milieu des autres bateaux.

– Le soupirant de Maude va-t-il bientôt arriver ? demanda Miranda quand Gareth s'assit à côté d'elle.

– Il ne va pas tarder. Il avait prévu de quitter la France peu de temps après moi.
– Est-ce que la reine approuve ce mariage ?
– Absolument.
– Les gens croiront-ils que je suis Maude ?
– Sans hésiter. Ma cousine n'a pas encore été présentée à la Cour. Ils n'y verront que du feu.
– Est-ce que la reine voudra me parler ?
– Elle se contentera probablement de vous saluer de la tête. Il n'est pas nécessaire que vous parliez. On risque même de trouver cela inconvenant. Ne répondez que si l'on vous pose une question directe.
– Est-ce que vous resterez près de moi, milord ?
– Lady Imogène sera votre chaperon.
– J'ai besoin de vous savoir à mes côtés. Pour me corriger si je fais une erreur...
Miranda semblait de plus en plus désespérée.
– Tout ira bien, affirma-t-il.
À cinq heures, la barque arriva au palais de Greenwich. Une longue file de bateaux patientaient pour débarquer leurs passagers. Les marins criaient les noms de leurs maîtres pour essayer de gagner une place.
Contrairement à ses domestiques, Gareth n'était pas pressé. Il cherchait à voir si l'un ou l'autre des invités qui débarquaient aurait pu connaître Maude par le passé.
– C'est un scandale, se plaignit Imogène. Nous devrions passer devant tout le monde.
– Pas avant le duc de Suffolk, tout de même, rectifia Gareth.
– Ni Sa Grâce le duc d'Arundel, ajouta Miles.
Imogène se tut, agacée. Miranda se leva d'un bond, faisant osciller le bateau. Elle s'approcha de Gareth.
– Asseyez-vous ! siffla Imogène. C'est inconvenant de se lever avant de pouvoir descendre, et on ne dévisage pas les gens de cette façon !
Décidément, cette femme ne sait pas parler sans aboyer ! songea Miranda.
Gareth lui demanda à mi-voix de se rasseoir.
– Pleutre... murmura-t-elle en riant.

– Parfois, il faut savoir battre en retraite pour mieux remporter la victoire, feu follet, dit-il de cet air insouciant qui la faisait toujours rire.

Il plaça une main sur son dos pour la ramener à sa place. À travers l'étoffe, Miranda sentit la chaleur de la paume de Gareth. Son corps tout entier frissonna. Son ventre se noua. Elle leva les yeux vers lui.

Le regard de Miranda trahissait toujours ses pensées. Gareth fut frappé d'y lire un élan de désir. Un désir mêlé de confusion et d'appréhension. Un désir dont l'innocence le toucha.

Gareth, lui, savait exactement ce qu'il éprouvait pour elle. Il laissa retomber sa main. Miranda s'assit. Elle se sentait au bord d'un précipice et elle ne savait si elle devait rire ou pleurer.

Lorsque la barque fut amarrée, Miranda sauta à terre sans accepter la main du valet de pied. Imogène poussa un soupir excédé.

Première erreur ! s'agaça la jeune fille. Elle aurait dû faire attention. Elle rajusta sa jupe et se dissimula derrière son éventail en espérant que personne n'avait remarqué son manque de tenue.

– Laissons ma sœur et mon beau-frère nous précéder, murmura Gareth. Pour l'instant, le protocole les fait passer avant vous.

Miranda s'écarta poliment pour laisser passer Imogène au bras de son mari.

Quand elle sera mariée à Henri de France, cette jeune vagabonde passera devant tout le monde (excepté Elizabeth d'Angleterre), se dit Gareth. Il admirait la grâce innée de Miranda, l'élégance de sa posture, son regard déterminé.

Ils avançaient le long d'un chemin pavé de briques rouges. Bien qu'il fît encore jour, des valets tenaient des torches pour éclairer le sentier. Les Darcourt suivaient un laquais qui criait de temps à autre : « Place pour le comte Darcourt, lord et lady Dufort, lady Maude d'Albard ! »

Miranda remarqua que les courtisans se retournaient

à l'annonce de son nom. Elle entendait des murmures autour d'elle. Elle en eut les mains moites.

Le sentier déboucha sur un large emplacement dégagé qui menait jusqu'à une terrasse. Des petits groupes de musiciens jouaient des airs joyeux. La foule des courtisans conversait.

Imogène avançait, son mari accroché à elle comme à une bouée. Quand on la présentait, Miranda esquissait une révérence, prenait un air modeste, mais elle avait de la peine à dissimuler son excitation. Elle était fascinée par les visages, les manières et les toilettes chamarrées. Pourtant, quand le comte s'écarta d'elle un instant, elle en eut immédiatement conscience.

Lord Dufort la retint d'une main alors qu'elle s'apprêtait à suivre Gareth.

– Vous devez rester avec nous, lui murmura-t-il. Il va revenir. Il doit annoncer notre présence au grand chambellan.

Imogène était étonnée ; elle n'avait pas pensé que la petite acrobate ferait preuve d'autant de grâce. Elle semblait même plus à son aise que ne l'aurait été Maude.

Miranda commençait à se détendre, lorsqu'elle aperçut deux hommes qui venaient vers elle. C'étaient les deux gentilshommes de l'auberge de Rochester ! Ce jour-là, ils ne l'avaient pas vue, mais Gareth lui avait dit qu'ils connaissaient Maude. Comment devait-elle leur répondre ? Elle ne connaissait même pas leurs noms.

– Lady Dufort, salua Kip Rossiter en s'inclinant.

Brian, encore plus imposant que d'habitude dans son pourpoint semé de violettes et ses chausses cramoisies, s'inclina à son tour.

– Sir Christopher, sir Brian, dit Imogène en esquissant une révérence.

On devinait qu'elle n'était pas ravie de les voir. Elle les jugeait vulgaires et indignes de son frère.

– Lady Maude, continua Kip. C'est la première fois que je vous vois en société, milady.

– En effet, renchérit Brian dont l'haleine sentait la

bière. C'est cruel de nous avoir si longtemps privés de votre présence lumineuse. (Il lui baisa la main.) Je vais réprimander Darcourt qui a laissé grandir une pareille fleur dans l'ombre.

Ces compliments extravagants amusèrent Miranda. Elle baissa ses yeux rieurs pour leur faire une révérence.

– Ma cousine a une santé fragile, déclara froidement Imogène.

– Je suis soulagé de vous voir en forme désormais, dit Kip.

– Merci, milord, murmura Miranda.

Le regard de sir Christopher l'avait troublée. On aurait dit qu'il fouillait dans sa mémoire.

– Veuillez nous excuser, messieurs, intervint Imogène, nous attendons d'être appelés auprès de Sa Majesté. Voici justement revenir mon frère.

Gareth salua ses deux amis. Il n'était pas inquiet car ils n'avaient jamais vu la jeune saltimbanque.

– Nous étions en train de féliciter lady Imogène pour la beauté de sa cousine, déclara Brian en lui donnant une bourrade affectueuse.

– Vous allez la faire rougir, protesta Gareth.

– Mais non, elle s'en amuse... reprit Kip. Personne ne croit aux compliments excessifs de Brian, n'est-ce pas, chère lady Maude ?

– C'est vrai, sir Christopher, répondit-elle d'une voix mélodieuse qui cachait mal son amusement.

Kip fronça les sourcils. Il croyait se rappeler que Maude avait une voix plus fluette et il ne lui connaissait pas non plus ce sourire radieux.

– Comte Darcourt, Sa Majesté va vous recevoir, ainsi que lady Maude d'Albard, déclama le chambellan en s'approchant.

– Sa Majesté n'a pas encore demandé à recevoir lord et lady Dufort ? intervint Imogène.

Le chambellan secoua la tête. Agacée, Imogène se détourna. Miles ajusta la fraise de Miranda et les plis de sa traîne.

– La reine ne trouvera rien à redire, ma chère, lui dit-il en souriant.

– Je meurs de peur... murmura Miranda alors que Gareth lui donnait le bras. Il y a quelques jours, je faisais des pirouettes pour amuser la foule et voilà que je vais être reçue en audience par la reine d'Angleterre.

– Évitez de faire des pirouettes et tout se passera bien !

L'humour de Gareth rendit son courage à Miranda. Ils suivirent le chambellan devant lequel les courtisans s'écartaient avec respect. On jouait des coudes pour être reçu par Sa Majesté et les courtisans cherchaient toujours désespérément à attirer son attention. Mais l'auguste personnage avançait dignement, sans leur accorder un seul regard.

13

Un laquais ouvrit grandes les doubles portes. Le chambellan annonça d'une voix claire :

– Le comte Darcourt, lady Maude d'Albard.

Gareth avança de quelques pas, Miranda à son bras. Elle fut étonnée de trouver la chambre d'audience de la reine aussi petite et intime. Il s'inclina profondément tandis que la jeune fille faisait une révérence.

– Approchez, comte Darcourt, et amenez-nous l'enfant, ordonna une voix impérieuse.

Gareth avança d'un pas et s'inclina une nouvelle fois. Miranda fit une deuxième révérence. Encore trois pas et ils recommencèrent leurs salutations. Enfin, Gareth se redressa et ils s'approchèrent librement.

– Puis-je présenter à Votre Majesté ma pupille, lady Maude d'Albard ?

Il lâcha le bras de Miranda avant de s'écarter légèrement. Elle se sentit à la dérive, comme si elle avait perdu une partie d'elle-même.

Elle fit une profonde révérence, se demandant si elle aurait le courage de lever les yeux sur la reine. Pour l'instant, elle n'avait vu de la souveraine qu'un ourlet de gaze argentée et la pointe de souliers en satin. Une main lui saisit le menton. Miranda se retrouva nez à nez avec un long visage ridé où brillaient deux yeux noirs.

– Une jolie enfant. Est-ce que Sa Grâce le duc de Roissy a fait sa demande en mariage ? demanda la reine en lâchant Miranda.

– Oui, Madame. Il s'est même empressé de la faire.

– Cette alliance à la cour de France nous sera utile

quand le roi Henri aura écrasé ses sujets rebelles. Asseyez-vous à nos côtés, comte, et donnez-nous des nouvelles. La ville de Paris est-elle sur le point de capituler ?

Gareth s'assit près de la reine sans un regard pour Miranda qui resta debout. Elle comprit que la reine se désintéressait d'elle et que Gareth devait imiter sa souveraine. Elle était parfaitement heureuse d'être ainsi ignorée, car elle pouvait détailler la pièce et ses occupants, tout en essayant de soulager ses pieds endoloris.

Lady Mary d'Abernathy était assise avec quatre dames de compagnie non loin de la reine. Les femmes brodaient pendant que des petits chiens aux poils soyeux batifolaient à leurs pieds. La pièce en boiseries était meublée comme un salon privé ; les fenêtres à meneaux entrebâillées donnaient sur le fleuve d'où venait une brise humide.

Miranda se demanda pourquoi lady Mary ne la regardait pas. Après tout, elle aurait pu lui adresser un signe de bienvenue. Les autres dames lui avaient jeté un coup d'œil et l'une d'entre elles avait même esquissé un sourire.

Enfin, lady Mary leva la tête et la contempla froidement. Elle semblait mécontente. Miranda se demanda si elle avait commis une erreur. Sa coiffure était-elle de travers ? Sa jupe froissée ? Elle se déplaça légèrement et eut aussitôt mal aux pieds.

Puis, lady Mary baissa à nouveau les yeux. Miranda regretta cette indifférence. Elle se força à penser à autre chose qu'à ses pieds.

La reine était vêtue avec une telle magnificence qu'on en était presque aveuglé. La gaze argentée laissait transparaître l'éclat écarlate de la robe. Les manches à taillades dévoilaient un somptueux taffetas rouge. Une abondance de perles et de rubis soulignait la fraise importante. Autour de son cou ridé, la reine portait un lourd collier de rubis et d'autres rubis scintillaient encore dans sa perruque rousse.

La reine lui sembla très âgée. Elle parlait beaucoup avec les mains, agitant de longs doigts ornés de bagues.

Miranda se dit que la souveraine était terriblement bavarde. Dès qu'elle posait une question à Gareth, elle l'interrompait avant même d'écouter sa réponse.

De temps à autre, elle se dressait d'un mouvement impatient et Gareth l'imitait aussitôt. Sa Majesté arpentait la pièce, donnant son opinion, posant des questions, avant de se rasseoir et de faire signe à Gareth de s'asseoir comme elle. Mais elle ne restait pas longtemps en place.

– Alors, lady Maude, que pensez-vous de ce que vous voyez ?

La question prit Miranda de court. Elle dévisagea la reine avec stupeur.

– Nous sommes flattée par votre inspection, s'amusa Elizabeth.

Miranda était perdue. Comment devait-elle réagir ? Elle sentait peser les regards désapprobateurs des dames de compagnie. Pourquoi Gareth ne venait-il pas à son secours ? Mais il semblait fasciné par quelque chose au-delà de l'épaule de la jeune fille.

– Je ne voulais pas être insolente, Madame, dit-elle avec une révérence. C'est la première fois que je rencontre une reine, et comme Votre Majesté était occupée, je pensais qu'elle ne me remarquerait pas.

Tous retinrent leur souffle. Puis, la reine éclata de rire, dévoilant des dents noircies.

– Nous avons toujours aimé la franchise. C'est une qualité rare parmi les courtisans. Approche, mon enfant.

Miranda s'aperçut avec horreur que le pire était arrivé. Elle avait fait une révérence si profonde qu'elle était à quelques centimètres du sol. Aucune acrobatie ne lui permettrait de se relever sans poser une main par terre. Elle n'avait jamais été si maladroite ! Puis soudain, Gareth fut à ses côtés et l'aida à se relever avec grâce.

– Ma pupille est très impressionnée, Madame.

– Il nous semble au contraire qu'elle est parfaitement à l'aise, fit observer la reine avant de prendre la main de Miranda dans la sienne. Est-ce que le duc de Roissy te plaît ?

– Je ne sais pas, Madame. Je n'ai pas encore vu son portrait bien qu'il eût vu le mien.

– C'est une regrettable erreur, Darcourt, fit la reine en lui tapotant le bras avec son éventail fermé. Comment voulez-vous que la malheureuse enfant se réjouisse de ses fiançailles si elle ne connaît pas le visage de son soupirant ?

Par Lucifer ! Les choses allaient de mal en pis ! Pourquoi n'avait-elle pas acquiescé avec un sourire ? Gareth lui avait dit de parler le moins possible et voilà qu'elle bavardait avec la reine comme si elles étaient de vieilles connaissances !

– N'en voulez pas au comte, je vous en prie ! Il me décrira le duc de Roissy si je le lui demande.

– Je vais vous dessiner un portrait, ma pupille, dit Gareth. Je ne savais pas que vous y attachiez de l'importance. Votre soupirant est un bel homme.

– Certainement... bafouilla Miranda. Vous ne m'auriez pas demandé d'épouser quelqu'un de déplaisant.

– Comme elle vous défend ! s'amusa la reine. Si seulement toutes les pupilles étaient aussi respectueuses et attachées à leurs tuteurs... Il est vrai que celle-ci a de bonnes raisons de l'être.

Gareth s'inclina. Miranda priait pour que la terre s'ouvre et l'engloutisse.

– On nous avait dit que la jeune fille était de santé fragile, Darcourt, continua la reine. Elle nous semble pourtant robuste.

– Ma pupille s'est enfin débarrassée des indispositions de son enfance, Madame.

La reine remarqua le bracelet rutilant.

– Quel beau bijou ! s'exclama-t-elle.

– C'est un cadeau de fiançailles du duc de Roissy, Madame, expliqua Gareth. Il appartenait à la mère de lady Maude.

– Quelle bonne idée ! Nous serions ravie de posséder un bijou semblable.

Aussitôt, Miranda fit mine de retirer le bracelet.

– Si Votre Majesté désire...

– Bien sûr que non, mon enfant ! répliqua la reine, bien qu'elle fût flattée. Votre prétendant serait heurté si vous donniez son présent avec autant de légèreté. Et il aurait raison.

Elle lâcha le poignet de Miranda.

– Nous vous souhaitons une bonne journée, Darcourt. Amenez-nous votre pupille de temps en temps. Nous la trouvons divertissante.

Gareth s'inclina en reculant vers la porte. Miranda l'imita par une révérence. Puis, ils furent enfin libres.

– J'ai failli tomber, dit-elle en poussant un soupir soulagé. Et j'ai parlé à tort et à travers ! C'est horrible.

– Vous avez été plus franche que la plupart des jeunes filles lorsqu'elles sont présentées à la reine. Ah, voilà Imogène, ajouta-t-il en voyant approcher sa sœur.

– Alors, comment ça s'est passé ?

– Il n'y a pas eu de catastrophe, sourit Gareth. Nous pouvons nous féliciter : le pire est derrière nous.

– Lord et lady Ingles désirent vous saluer, Maude. Ils ne vous ont pas vue depuis que vous étiez enfant.

La soirée fut une torture pour Miranda. Elle enchaîna des révérences et des sourires béats. Les noms et les visages se mélangeaient...

Une heure plus tard, lady Mary vint les rejoindre.

– À quoi songiez-vous, ma chère Maude ? Quelle impertinence de parler ainsi à Sa Majesté ! J'ai été très choquée. Et vous, milord ?

– Pas le moins du monde, répliqua Gareth.

– Seigneur, qu'a-t-elle fait ? s'exclama Imogène. Mon frère m'a dit que tout s'était bien passé.

– C'est la vérité, persista Gareth.

– Votre pupille a manqué de retenue, insista lady Mary.

– La franchise et la candeur de Maude ont plu à Sa Majesté.

Mary ne comprenait plus son fiancé. Il avait raison de dire que l'attitude de Maude n'avait pas irrité la reine, bien qu'elle eût choqué les dames de la Cour.

Mais elle pensait que Gareth était aussi attaché aux convenances qu'elle-même.

– Racontez-moi immédiatement ce qui s'est passé, Mary ! ordonna Imogène.

Miranda écouta en silence tandis que lady Mary relatait l'entrevue avec la reine. Heureusement, elle n'avait pas remarqué que la jeune fille avait failli tomber.

Miranda mourait de soif mais il n'y avait rien à boire. Subrepticement, elle retira ses souliers afin de libérer ses pieds de ce tourment.

– Lady Maude, que pensez-vous de Greenwich ?

Miranda sursauta en entendant la question de Kip Rossiter.

– C'est un endroit superbe. Surtout les jardins.

– Aimeriez-vous vous promener ? Un joli chemin descend jusqu'au fleuve.

Il lui offrit le bras en souriant, mais son regard était perçant, et Miranda se sentit mal à l'aise. Comment refuser à un ami du comte Darcourt ?

Elle lui prit le bras et le suivit.

Derrière elle, lady Imogène poussa un petit cri. Les souliers de Miranda gisaient par terre ! Lady Mary n'en revenait pas non plus. En se retournant, Miranda comprit son erreur. Elle blêmit. Mais comme son cavalier ne semblait rien avoir remarqué, la jeune fille décida de continuer sa promenade. Elle traversa l'herbe pieds nus. Tant qu'elle gardait les pieds cachés sous sa robe, personne ne s'en apercevrait.

Gareth s'était retourné au léger cri de sa sœur. Son regard fut attiré par les souliers posés sagement l'un à côté de l'autre comme s'ils attendaient le retour de leur propriétaire. Miranda s'éloignait au bras de Kip, la tête haute, le dos droit. Gareth ne savait pas s'il devait éclater de rire ou s'émouvoir comme sa sœur. Miranda devait être consciente qu'elle n'avait pas de souliers. À moins qu'elle ne s'en fût pas aperçue. Après tout, n'avait-elle pas l'habitude d'aller pieds nus ?

– Qu'allons-nous faire ? susurra Imogène en faisant un pas de côté afin de dissimuler les souliers de Miranda sous sa propre jupe.

– Il faut l'ignorer, conseilla Gareth. Donnez un coup de pied dans ces souliers afin qu'ils disparaissent sous un buisson et faites comme s'il ne s'était rien passé.

– Gareth, où Maude a-t-elle la tête ? s'emporta lady Mary. Quelle idée de retirer ses souliers !

– Le médecin de Maude lui conseille toujours de marcher pieds nus afin de corriger un léger défaut dans sa colonne vertébrale, expliqua Gareth avec le plus grand sérieux.

– Mais nous sommes chez la reine, insista Mary, horrifiée par une attitude aussi relâchée.

– C'est inutile d'en discuter, madame. La petite n'a plus de souliers et nous ferions mieux de l'ignorer, conclut-il froidement.

Le feu aux joues, lady Mary recula de quelques pas.

– Veuillez m'excuser, milord. Je dois retourner auprès de Sa Majesté.

Gareth s'inclina devant sa fiancée qui s'éloigna d'un pas pressé.

– Comment avez-vous pu être aussi cassant avec lady Mary ? le réprimanda Imogène. Elle ne disait que la vérité et vous l'avez heurtée.

Exaspéré, Gareth déclara qu'il était l'heure de rentrer à la maison. Il se dirigea vers Kip et Miranda. Sa sœur et sa fiancée exagéraient, mais leur réaction s'expliquait par leur éducation rigide et l'étiquette de la Cour.

Mary est une prude, songea-t-il en hâtant le pas.

Kip bavardait gaiement mais Miranda était consciente des regards perçants qu'il lui lançait. Elle adopta une nouvelle fois un ton de voix un peu rauque, gardant les yeux baissés. Elle fut très soulagée de voir arriver Gareth.

– Ah, vous voilà, monsieur le... milord, fit-elle en se mordant aussitôt la langue. L'air frais me donne un peu mal à la gorge, ajouta-t-elle.

– Lady Imogène vous attend pour rentrer, déclara Gareth.

– Déjà ! protesta Kip. J'apprécie beaucoup la compagnie de ta pupille, Gareth.

– Vous vous reverrez, sourit Gareth. Maintenant que

Maude a été présentée à la reine, elle sortira plus souvent en société.

Cette promesse fit frémir Miranda.

Kip ne les raccompagna pas. Il se demandait ce qui l'intriguait chez lady Maude. Quelque chose avait changé chez la jeune fille.

Gareth et Miranda revinrent vers lady Imogène en silence.

Miranda se demandait comment remettre ses souliers sans attirer l'attention, mais ils avaient disparu et personne n'en parla alors qu'ils retournaient à la barque. Elle réussit à monter à bord sans montrer ses pieds et s'assit sagement, la jupe en corolle autour de ses jambes.

– Te voilà, Gareth ! s'écria Brian Rossiter alors qu'Imogène montait à bord. Warwick et Lenster ont envie de faire quelques parties de cartes. Es-tu des nôtres ?

Les trois compères étaient de bonne humeur. Ils l'encouragèrent à passer la soirée avec eux.

– Ne pouvez-vous pas jouer une autre fois, Gareth ? demanda Imogène qui voulait discuter des derniers événements avec son frère.

– Lord Dufort vous ramènera toutes les deux à la maison, Imogène, dit fermement Gareth. Vous n'avez pas besoin de moi.

Miles eut un regard envieux pour les jeunes gens qui s'éloignaient. Imogène pinça les lèvres tandis que Miranda se sentait triste.

Le retour s'effectua dans un silence tendu.

– Quelle épreuve ! s'exclama Imogène lorsqu'ils furent arrivés au palais. Heureusement, il n'y a pas eu de grande catastrophe. Miles, donnez-moi votre bras ! J'ai la migraine.

Miles avait été sur le point d'aider Miranda mais il l'abandonna pour se précipiter vers sa femme.

Le laquais les précéda le long du sentier qui remontait vers la maison, tenant haut une lanterne. Miranda marchait derrière lord et lady Dufort, heureuse de sentir l'herbe fraîche sous ses doigts de pied.

Les portes vitrées étaient ouvertes. Les Dufort entrèrent en ignorant le laquais ensommeillé qui leur avait ouvert. Miranda le gratifia d'un sourire, alors que le domestique contemplait d'un air effaré les traces de pieds mouillés sur le parquet.

Lady Imogène se retira sans lui souhaiter bonne nuit. Lord Dufort disparut dans les tréfonds de la demeure. Miranda revint vers les portes-fenêtres.

– J'éteindrai les chandelles, dit-elle au domestique.

– Je dois veiller à tout éteindre et à verrouiller les portes pour la nuit, milady, déclara-t-il, ennuyé.

– Mais le comte n'est pas encore rentré.

– Monsieur le comte utilise une porte dérobée où on laisse une lumière allumée, expliqua le valet.

Miranda se demanda ce que les domestiques pensaient d'elle. Ils devaient s'interroger sur la ressemblance entre les deux jeunes filles sans rien savoir des projets de leurs maîtres.

Elle n'avait pas le choix : il lui fallait retrouver sa maudite chambre. Au moins, elle aurait Chip pour lui tenir compagnie.

Elle frappa à la porte de Maude et l'entrouvrit. Aussitôt, Chip lui sauta dans les bras, tenant toujours la vieille robe orange. On entendait la respiration régulière de Maude.

Miranda regagna sa chambre. Le singe aperçut le bracelet et essaya de le lui retirer. Elle le lui donna volontiers pour jouer. Si ce bracelet avait appartenu à la mère de Maude, comment était-il arrivé entre les mains du duc de Roissy ? Avait-il été un ami du père de Maude ? Quelle signification avait cet étrange cadeau ?

Chip s'était approché de la chandelle. Il examinait le bijou à la lumière, s'exclamant avec bonheur devant le scintillement des pierres précieuses. Il l'enfila à son bras et se pavana devant Miranda.

– Il te va à ravir, sourit-elle, mais elle lui reprit le précieux jouet et l'attacha à son propre poignet.

Le lit ressemblait à un cercueil. Dépitée, elle se versa un verre d'eau. Un volet claqua dans le vent. Un pas souple se fit entendre dans le couloir. Chip leva la tête.

Miranda entrouvrit la porte. Un domestique s'approchait de la chambre du comte Darcourt. Il portait un plateau et une lampe à huile. Il entra dans la chambre sans frapper. Quelques minutes plus tard, il ressortit les mains vides. Il éteignit toutes les lumières du corridor excepté une bougie.

Miranda attendit qu'il eût disparu avant de s'approcher de la chambre de Gareth sur la pointe des pieds. Chip gambadait devant elle. Il savait quand il fallait être silencieux. Miranda ouvrit la porte et tous deux se glissèrent à l'intérieur.

La lampe à huile brûlait sur la coiffeuse, la mèche était basse pour conserver l'huile. Une robe de chambre doublée de fourrure était posée sur le lit. On avait tiré les épais rideaux et placé sur la table un plateau avec du vin, des tartelettes et une corbeille de fruits.

La chambre était plus accueillante que la sienne. Le cœur battant, Miranda regarda autour d'elle. La présence du comte était presque palpable. Pour la première fois de sa vie, elle éprouva le besoin de partager l'intimité de quelqu'un d'autre.

Elle ouvrit l'armoire et respira ses habits. Des sachets de lavande parfumaient l'air et chassaient les mites. Les chemises et les caleçons se trouvaient dans des tiroirs. Elle s'agenouilla pour toucher ses bottes et ses souliers en cuir ou en soie brodée.

Elle prit des flacons sur la coiffeuse, en respira les différents parfums et trempa un doigt dans les onguents et les huiles parfumées, sachant combien ces essences étaient chères mais ne résistant pas à la tentation. Elle en appliqua sur son cou, à la saignée de son coude et entre ses seins...

La pendule sonna deux heures. Effrayée, elle quitta la chambre en courant, Chip sur les talons.

À l'abri de sa propre chambre, elle s'appuya contre la porte, une main sur la bouche. La peau brûlante, elle tremblait de peur. Un sentiment de culpabilité et de confusion la submergeait.

– Je ne peux pas rester ici, dit-elle à voix haute tandis

que Chip avait sauté sur le rebord de la fenêtre d'où il la contemplait, la tête penchée sur le côté, l'air interrogateur. D'accord, je viens avec toi, mais je dois d'abord me changer. Je ne peux pas escalader le lierre dans cette tenue.

14

Le comte Darcourt était appuyé contre le mur de la taverne, en équilibre sur les deux pieds arrière de son tabouret. Il envoya un nuage de fumée vers les poutres noircies et prit une gorgée de bière. Il avait décidé de boire copieusement ce soir, mais cela ne semblait lui faire aucun effet.

– À toi de jouer, Gareth, dit Brian en poussant les dés vers son ami.

D'un geste nonchalant, Gareth ramassa les dés, les fit jouer dans sa main avant de les lancer sur la table.

– Tu as une chance diabolique, mon vieux ! s'écria Brian. Toi, le garçon, apporte le carafon par ici !

Gareth se redressa.

– J'ai assez bu et assez joué pour ce soir. J'ai le sentiment que la chance va tourner.

– Darcourt, tu ne peux pas nous laisser avant que nous ayons eu le temps de nous refaire ! se plaignit lord Lenster. Ce n'est pas convenable.

– D'ordinaire, je ne tolère pas qu'on mette mon honneur en doute, Lenster, mais j'ai vraiment envie d'aller retrouver mon lit, conclut Gareth en glissant une poignée de guinées dans sa bourse de cuir.

– J'espère que tu ne rentres pas à cause des remontrances de ta sœur, fit Brian en sauvant de la noyade un papillon de nuit qui se débattait dans sa chope. Tu lui laisses trop la bride sur le cou. C'était la même chose avec Charlotte, ajouta-t-il en examinant la bière à la recherche d'autres corps étrangers.

Le visage de Gareth se crispa ; un muscle tressaillit dans sa joue. Quand il leva les yeux vers son ami, Brian vira au rouge brique. Il avait parlé sans réfléchir. Affolé, il jeta un coup d'œil vers les autres, mais tous, même son frère Kip, détournèrent les yeux.

– Pardonne-moi, Gareth, j'ai manqué de tact, marmonna Brian.

Gareth quitta la taverne enfumée en direction de la rivière.

– C'est pourtant la vérité ! protesta Brian après son départ.

– Bien sûr. Et tu penses que Gareth l'ignore ? ajouta son frère Kip.

– Il semblait moins mélancolique ce soir, fit remarquer Lenster. Jusqu'à ce que tu dises le fond de ta pensée, Rossiter.

Brian grommela en tendant sa chope au garçon pour qu'il la remplisse.

– Il attache beaucoup d'importance au mariage de Maude, dit Kip. Tout dépend de la visite du duc de Roissy, bien sûr, mais il ne refusera sûrement pas Maude quand il l'aura vue.

– Elle est charmante, grogna Warwick qui avait beaucoup bu. Je croyais que c'était une invalide, mais elle était en pleine forme, chez la reine.

– On dirait qu'elle n'a jamais été souffrante de sa vie, renchérit Kip d'un air songeur.

– Grâce à cet illustre mariage, les Darcourt occuperont une place de choix à la cour de France.

– Et du même coup, Elizabeth traitera Gareth avec encore plus d'égards, continua Kip. Elle aime tous ceux qui peuvent lui apporter des informations sur l'étranger.

– J'ai souvent pensé que c'était étrange que Gareth se soit résigné à une vie aussi retirée après avoir joui d'un tel prestige, déclara Lenster.

– À l'époque, le pouvoir lui était aussi vital que la nourriture et la boisson, constata Brian. Mais c'était avant...

Tous réfléchirent un long moment.

– Espérons que son mariage avec lady d'Abernathy sera fructueux, dit Kip.

– Celle-là ne lui créera aucun ennui ! s'amusa Warwick. Elle est pure comme la neige fraîche et aussi dévouée à son devoir qu'une religieuse.

– Il faudra qu'elle ait plusieurs enfants pour éviter que la lignée de la sœur de Gareth n'hérite.

– De toute façon, lady Imogène n'a pas de descendants. Elle n'a jamais été enceinte. Je ne crois pas que Dufort soit à la hauteur, plaisanta Brian.

– Pour la monter ou lui faire un héritier ? s'enquit Lenster en riant.

– Probablement les deux, reprit Brian en jetant les dés. Qu'est-ce que tu as, Kip ? Tu sembles à moitié endormi !

Avec un haussement d'épaules, Kip se plaignit d'être fatigué. Il était surtout préoccupé.

Gareth se dirigea vers le fleuve, l'œil aux aguets au cas où des bandits s'aviseraient de l'agresser. Son épée était à moitié dégainée, mais seuls ses pas résonnaient sur les pavés. Une lumière tremblotante lui apparut au pied des marches de Lambeth. Il quitta la ruelle sombre et émergea dans la lumière dégagée par une lanterne accrochée à la proue d'un bac.

Gareth grimpa dans le petit esquif.

– Le palais Darcourt, derrière les marches du Strand, dit-il au marin.

– Oui, monseigneur.

L'homme tira sur ses rames. Ils rejoignirent lentement le milieu du fleuve où le courant était plus vigoureux. À quatre heures du matin, les eaux étaient noires comme de l'encre, le ciel encore plus sombre. Quelques lumières apparaissaient sur les rives. La petite barque heurta une embarcation. Quelqu'un poussa un juron.

– Bon sang ! grommela le marin en contournant les deux hommes qui pêchaient l'anguille. Vous pourriez au moins avoir une lumière !

– Va te faire voir !

Gareth s'était emmitouflé dans sa cape. Il regrettait de ne pas avoir emporté un vêtement plus chaud. Mais il n'avait pas pensé rentrer aussi tard ni dans un pareil état d'esprit.

Brian avait dit la vérité, mais son ami ignorait les raisons du flegme de Gareth. Comment aurait-il pu deviner que Gareth reconnaissait dans l'amour d'Imogène le même amour obsessionnel qu'il avait éprouvé pour Charlotte ? Chaque minute de la vie d'Imogène était consacrée au bien-être de son frère. Elle ne vivait que pour lui. Parce qu'il connaissait l'emprise d'un amour aussi exclusif, Gareth ne pouvait pas la rejeter comme lui l'avait été.

Le bac accosta aux marches du palais Darcourt. Gareth sauta à terre, paya le marin et frappa à la barrière. Le gardien sortit de sa cabane en bâillant. Il enfonça son chapeau d'une main tout en essayant d'allumer sa lanterne.

– Pardonnez-moi, monsieur le comte, j'ai dû m'assoupir.

– Reste ici. Je vais monter tout seul à la maison, dit Gareth en lui prenant la lanterne.

Les premières lueurs de l'aube éclaircissaient le ciel vers l'est. Quelques-unes des torches placées le long du chemin s'étaient éteintes. Gareth aperçut un éclair orangé devant lui. Miranda sautillait sur le sentier, Chip sur les talons.

– Milord ?

– Que faites-vous ici, Miranda ? demanda Gareth, tiré de ses pensées mélancoliques.

– Je n'arrivais pas à dormir et je me sentais seule dans cette chambre sinistre. Je suis mortifiée ! Je n'arrive pas à croire que j'ai pu retirer mes souliers. Lady Mary a été tellement choquée ! Comme vous n'avez rien dit sur le moment, j'ai pensé attendre votre retour pour vous en parler.

Le sourire de Miranda était hésitant. Un coup de vent fit flamber l'une des torches, éclairant leurs deux visages. Miranda cessa aussitôt de sourire.

– Oh, qu'y a-t-il ? s'inquiéta-t-elle en levant la main vers les lèvres de Gareth comme pour en effacer l'amertume. Qu'est-ce qui se passe ? C'est encore le cauchemar ?

Il fut ému par la compassion du regard bleu lumineux. Jamais il n'avait rencontré une personne aussi sincère.

Que savait-elle des tentacules affreux d'une obsession sexuelle ? Des flammes, plus terribles que celles de l'enfer, de la honte et la culpabilité ? Brusquement, Gareth fut saisi par le désir impérieux de purifier ses cauchemars dans cette âme limpide.

Il lui enserra la taille avec ses deux mains. Elle se dressa sur la pointe des pieds, un doigt toujours appuyé sur les lèvres de Gareth. Un appétit passionné enflamma le regard de Miranda. Elle retira son doigt, attira le visage de Gareth vers le sien et ouvrit les lèvres sous son baiser.

La flamme de la lanterne s'éteignit. Le jardin fut à nouveau plongé dans l'obscurité. Les nuages couraient devant la lune, la senteur délicate des rosiers parfumait l'air humide de la nuit. Dans la pénombre, Miranda devenait mystérieuse. La robe orange collait à son corps mince, sa petite tête avec son casque de cheveux auburn effleurait la joue de Gareth alors qu'ils s'embrassaient.

Elle était aussi fraîche et sucrée qu'un pain frais. Ses lèvres étaient chaudes, malléables, exigeantes, mais il savait que Miranda n'avait jamais embrassé un autre homme de cette manière. Une immense tendresse pour elle l'envahit. Il délaça le corselet avec des doigts tremblants.

Ses seins étaient petits mais parfaits ; ils tenaient dans les paumes de ses mains. Elle pressa ses lèvres plus fermement contre les siennes. Tandis qu'il effleurait les mamelons qui se tendaient, Miranda gémit.

Il se redressa pour l'admirer à la lumière de la lune. La tête en arrière, elle lui exposait son cou blanc. Il baisa le creux de son cou, sentit le pouls s'accélérer sous son baiser. Lentement, il laissa ses lèvres descendre vers son sein droit.

Il lécha le mamelon durci, l'aspira entre ses lèvres,

le suça, le mordilla. Elle gémit une nouvelle fois, mais à mi-voix, comme si elle craignait de faire du bruit.

C'était comme un rêve enchanté, parmi les ombres parfumées du jardin, et la gestuelle de l'amour se nimbait d'un voile éthéré. Ils ne parlaient pas car les mots étaient devenus superflus. La robe de Miranda glissa à ses pieds. Elle était nue.

Les mains de Gareth exploraient le corps frissonnant, la peau douce comme du satin. Il devinait qu'elle avait peur, tout comme il sentait l'excitation les envahir tous les deux.

Elle remonta les mains sous le pourpoint et la chemise de Gareth, palpant sa peau. Hésitantes, ses caresses s'affirmaient peu à peu.

Il s'émerveilla du torse mince de Miranda, du cœur qui battait sous ses doigts. Il s'agenouilla dans l'herbe, lui baisa le ventre. Elle frémit. Une rosée lui recouvrit le corps quand il appuya les mains sous ses hanches, dessinant des entrelacs sur son ventre avec sa langue.

La peau de Miranda était merveilleusement parfumée aux senteurs de vanille et de crème. Elle écarta les jambes tandis qu'il glissait une main entre ses cuisses pour en explorer les mystères. Personne n'avait encore jamais conquis cette féminité secrète. Quand les lèvres intimes s'ouvrirent sous les caresses de Gareth, la jeune fille fut parcourue d'un immense frisson.

Les mains posées sur la tête de Gareth, elle agrippait ses cheveux épais tandis qu'un orage se déchaînait dans son corps. Elle ne comprenait pas ce qui lui arrivait mais elle ne voulait surtout pas que cela cesse. Balayée par des vagues de sensations inconnues, elle ne pouvait plus respirer ni parler. Elle était emportée par un tourbillon. Quand l'élan sauvage se déchaîna, une lumière intense l'irradia tout entière. Et puis, lentement, très lentement, les vagues refluèrent.

À bout de souffle, Gareth la tint un moment serrée contre lui. Son propre désir était devenu une force incandescente qui exigeait d'être assouvie. Il l'attira doucement vers le sol. Miranda s'abandonna volontiers, consciente que tout n'était pas terminé, qu'elle devait partager ce plaisir inouï.

Elle défit son pourpoint, sa chemise, alors qu'il était allongé par terre. Maladroite, elle effleura un mamelon, lui griffa le cou. Elle hésitait comme si elle cherchait à deviner quelle caresse pouvait plaire à un homme. Cette fragilité émouvait Gareth parce que la jeune fille découvrait un nouvel univers. Il voyait renaître le désir de Miranda dans les tremblements de son corps, le regard langoureux, les lèvres offertes.

Elle défit les chausses, libéra le membre dur. Elle l'effleura d'un doigt.

Avec un sourire, Gareth l'attira à lui. Il lui écarta une nouvelle fois les cuisses. Quand elle frémit, il lui plaça une main sur son sexe et elle se tendit vers lui. Elle était brûlante, humide. Il glissa un doigt entre les pétales gorgés de sève. Elle se raidit. Si étroite, si petite... pensa-t-il en baisant la peau satinée de ses cuisses. Il glissa les mains sous les fesses de Miranda, et sourit de plaisir en voyant qu'elles tenaient dans ses deux mains réunies.

Il la tint soulevée tout en la pénétrant. Son gémissement fut presque un cri. Elle était si étroite qu'il craignait de lui faire mal, mais elle était prête à l'accueillir et les sucs de son corps l'aspiraient peu à peu. Alors qu'il s'enfonçait profondément, il restait à l'écoute du corps de la jeune femme. Il voulait la sentir réagir.

Miranda bougeait désormais à l'unisson avec Gareth. Elle laissait échapper des petits cris. Il pensa à une créature des bois surprise par un intrus.

Cette rencontre inattendue le combla d'un bonheur fou. Lorsqu'il jouit, Gareth éclata de rire, la serra fortement contre lui. Leurs corps pressés l'un contre l'autre, ils ne faisaient plus qu'un. Miranda fut emportée vers les sommets du plaisir. Bouleversée, elle laissa échapper quelques larmes tant l'incandescence était violente. Lorsqu'elle se détendit, Gareth la reposa tendrement sur l'herbe. Il ferma les yeux, épuisé.

Miranda resta inerte comme une pierre. Ses reins et son ventre lui semblaient à la fois vides et débordant d'une plénitude nouvelle. Elle ressentait encore les picotements du plaisir. Gareth dormait-il ? Il respirait lentement et son corps était lourd et détendu. Elle regarda le ciel où la lumière argentée de la lune perçait les nuages. Au-delà du mur qui bordait la propriété, le fleuve clapotait contre l'appontement. On n'entendait rien d'autre. Il n'y avait personne sur la rivière. Dans la maison, tous dormaient.

On aurait dit qu'ils étaient les seules personnes réveillées à Londres. Le monde entier leur appartenait, la clarté de la lune était à eux, tout comme les nuages furtifs, l'herbe humide, le parfum délicat des lauriers.

Puis, Miranda entendit Chip. Il babillait dans l'obscurité et il semblait effrayé. Roulant sur le côté, elle s'appuya sur un coude et l'appela. Il s'approcha avec méfiance, montrant les dents, les yeux rivés sur le corps inerte près de sa maîtresse.

– Tout va bien, murmura-t-elle. Il ne s'est rien passé de mal.

Brusquement, Gareth revint à lui. Il ferma les yeux tandis qu'un choc le bouleversait. Comment était-ce arrivé ? Comment avait-il pu encourager une chose pareille ?

Miranda lui toucha l'épaule. Elle lui souriait, le visage encore illuminé par la passion.

– Doux Seigneur, qu'ai-je fait ? marmonna Gareth.

Miranda prit sa robe froissée. Elle comprit qu'elle devait le laisser seul. Elle aussi devait se ressaisir après ce qui venait d'arriver. Toute sa vie avait basculé, toutes ses convictions avaient été transformées.

Elle enfila sa robe, mais ses mains tremblaient trop pour qu'elle pût lacer son corselet. Tant pis, elle n'en avait pas besoin pour escalader le lierre. Heureusement, personne ne la verrait aussi échevelée.

Debout, la tête en arrière, Gareth contemplait le ciel. Il avait attaché ses chausses mais sa chemise et son pourpoint étaient encore ouverts. Il ne bougea pas alors qu'elle partait en courant vers la maison. Chip, pour une fois silencieux, galopait à côté d'elle.

Gareth passa la main dans ses cheveux, ses doigts sur ses lèvres. Qu'avait-il fait ?

Hélas, il ne le savait que trop bien, tout comme il savait qu'on ne pouvait pas revenir en arrière.

Le roi Henri de France et de Navarre se tenait debout à la proue du navire tandis que le bateau entrait dans l'un des bassins profonds qui formaient le port du Paradis. De chaque côté de la ville se dressaient les hautes falaises blanches. Les murailles grises de la forteresse se découpaient contre le ciel bleu. Des moutons broutaient au loin.

La ville de Douvres était très animée. Les trois bassins étaient remplis de bateaux et le sien avait rejoint une file de navires qui attendaient pour jeter l'ancre.

– Allez-vous vous annoncer au commandant du château, Sire ?

– Prends garde à ta langue, Magret, murmura Henri en s'étirant.

L'homme rougit, avant de rectifier :

– Dois-je faire envoyer un coursier au château, Votre Grâce ?

Henri contemplait la scène animée mais paisible. C'était typique du pays entreprenant d'Elizabeth, songea-t-il avec envie. Tandis que son propre pays était enfermé dans une guerre civile et en subissait les misères économiques, les Anglais s'activaient à améliorer leur nid, développaient leur flotte, augmentaient leur empire. Il suffisait d'un regard pour comprendre qu'il s'agissait d'une nation d'armateurs et de marins.

– Il le faut bien, malheureusement, dit-il, car il n'aimait pas le protocole. Je préférerais me rendre incognito à Londres, mais l'on s'attend que le duc de Roissy demande l'hospitalité dès son arrivée, surtout lorsque la raison de sa visite est aussi joyeuse.

Magret chassa une mouette venue se poser sur le bastingage.

En dépit du soleil, le vent s'était levé et annonçait l'automne. Roissy saurait parfaitement diriger le siège de Paris, mais Henri n'aimait pas confier ses affaires à d'autres, si valeureux fussent-ils. Il devait absolument retourner en France avant que le temps ne se gâte et n'empêche les traversées. Il n'allait pas perdre de temps à courtiser lady Maude.

Il retira la miniature de la poche de son pourpoint et l'examina pour la première fois depuis qu'il avait pris sa décision, une décision jugée hâtive par ses conseillers qui ignoraient que le roi attendait une pareille occasion depuis des mois.

Le visage pâle et sérieux le contemplait de ses magnifiques yeux bleus. La lèvre inférieure ourlée promettait une nature sensuelle, les cheveux noirs rayonnaient d'éclats auburn. Cette huguenote d'impeccable lignée était parfaite pour succéder à Marguerite de Valois. Et plus encore... Il effleura le visage de Maude d'Albard. Cela le changerait, d'avoir une ingénue dans son lit ! Marguerite avait perdu sa vertu bien avant leur nuit de noces, certains disaient par la faute de ses propres frères. Henri n'en avait pas été troublé. Leur mariage avait été l'aboutissement de la raison d'État, destiné à réussir l'impossible, mais l'union avait échoué, lui infligeant la pire des humiliations.

En épousant Marguerite, il avait espéré unir les protestants et les catholiques mais il avait été trahi, entraînant ses propres gens dans la mort et la destruction. Désormais, il allait donner à la France catholique une reine huguenote, dont la mère avait été assassinée la nuit du massacre de la Saint-Barthélemy. Ainsi, le cercle serait clos, la dette serait payée.

Sa bouche s'étira en une ligne mince, son nez d'aigle se rétracta. Henri n'avait pas pardonné, et le pays allait bientôt s'en rendre compte, lorsque la couronne de France lui ceindrait le front et que son fils reposerait dans son berceau.

Il plaça la miniature dans sa poche. Les marins baissaient les voiles et se préparaient à jeter l'ancre. Ses domestiques apparurent avec les malles et les portemanteaux. On ne pouvait pas rendre visite à la cour d'Elizabeth sans des tenues appropriées. Mais pour le moment, un observateur en aurait douté : le prétendu duc de Roissy semblait arriver tout droit du siège de Paris. Il portait encore sa veste en cuir élimée, ses chausses qui lui arrivaient aux genoux et ses hautes bottes. Il était tête nue. Ni son épée ni sa dague n'avaient de bijoux. C'étaient les armes d'un soldat.

Henri était moins intéressé par les malles que par les chevaux que l'on faisait sortir des soutes. Sa propre monture avait été confiée au palefrenier en chef.

– A-t-il bien supporté le voyage ? s'inquiéta Henri.

– Oui, Si... Votre Grâce, répondit l'homme.

Henri caressa les naseaux de Valoir et le cheval hennit doucement.

– Il a toujours bien voyagé.

– Allez-vous débarquer, Votre Grâce ? demanda le capitaine anglais à son passager.

C'était un homme à la peau burinée par les embruns. Il n'appréciait guère les Français ni les nobles, mais il avait trouvé son passager attentionné, sans prétention, et plutôt connaisseur en choses maritimes. Par ailleurs, ils avaient partagé de bonnes bouteilles. Il était attristé de le voir partir.

– La chaloupe est prête pour vous emmener à terre. Les chevaux vous suivront rapidement.

– Je vous remercie pour cet agréable voyage, capitaine Hall, dit Henri en lui tendant la main.

– Nous avons eu un vent vif et un temps clément, sourit le capitaine. Ce fut un honneur, Votre Grâce. Quand vous retournerez en France, j'espère pouvoir vous servir une nouvelle fois.

– Si vous êtes encore à Douvres dans une quinzaine de jours, je serai ravi de retourner avec vous, dit Henri en enfilant de longs gants de cuir souple.

Le capitaine s'inclina. Le roi et ses hommes utilisèrent la corde pour descendre dans la chaloupe avec l'agilité de soldats endurcis.

Dès qu'Henri posa le pied sur la terre ferme, il fit envoyer un messager au château. En attendant la réponse, il décida de rendre une petite visite à la taverne de l'*Ancre Noire*.

Dans l'auberge sombre, le roi de France fit signe au patron d'apporter de la bière. Pour fêter la bonne traversée, il offrit une tournée générale. Aussitôt, les clients poussèrent des cris de joie.

Magret eut un soupir résigné. Henri buvait toujours avec ses compatriotes et ses soldats de manière aussi détendue. Il était d'une nature soupçonneuse, presque jusqu'à l'obsession, mais personne ne l'aurait deviné en le voyant plaisanter avec des inconnus. Henri avait confiance en l'homme du peuple. Ce n'étaient que ses pairs qu'il soupçonnait de trahison, et il avait de bonnes raisons pour cela !

Le commandant de Douvres vint lui-même souhaiter la bienvenue au prétendu duc de Roissy et à son entourage. Il fut surpris de découvrir l'illustre personnage dans l'auberge de la ville avec les pêcheurs et les métayers, mais la prestance intimidante de l'invité l'empêcha de faire une remarque.

Il raccompagna les nouveaux arrivants au château et dépêcha un messager à Londres. Sa Grâce le duc de Roissy présentait ses hommages respectueux à Sa Majesté la reine Elizabeth et lui demandait l'honneur d'une audience. Un second courrier fut expédié chez le comte Darcourt, demandant implicitement l'hospitalité.

15

Miranda se promenait seule dans la galerie de tableaux des ancêtres et se sentait transportée par un émerveillement nouveau. Elle évitait Gareth depuis qu'elle s'était levée, voulant savourer en solitaire le délicieux sentiment qui découlait non seulement de leur nuit passionnée mais de la découverte de son amour. Jusqu'à présent, elle n'avait connu que l'amour qu'elle portait à sa famille. Mais ce n'était rien de comparable. Elle était certaine d'aimer Gareth. Il n'y avait là rien de calculé ou d'imposé. En conséquence, sa vie ne serait jamais plus la même.

Pour l'instant, elle marchait de long en large, alors que Chip l'observait, assis sur un manteau de cheminée, son petit corps tendu exprimant le désarroi.

Miranda n'avait pas rendu visite à Maude à son réveil. Elle chérissait l'instant, devinant que lorsque ses sentiments seraient révélés, tout serait différent. Cette passion pour Gareth, elle la voulait pure et secrète tant que cela était possible.

Dans la galerie, l'air était étouffant. Des nuages bas annonçaient l'orage. Miranda essuya une goutte de sueur qui perlait entre ses seins. Elle ouvrit l'une des fenêtres qui donnaient sur la cour principale.

C'est alors qu'elle vit une petite silhouette derrière les grilles du palais, de l'autre côté de la route. Son cœur fit un bond. Comment était-ce possible ? La troupe aurait dû être saine et sauve en France. Une joie folle s'empara d'elle : c'était bien Robbie ! Sa famille n'était pas en France mais ici, à Londres.

Relevant sa jupe d'une main, elle quitta la galerie en courant. Chip s'empressa de la suivre.

Imogène sortait du salon alors que Miranda se hâtait vers la porte d'entrée.

– Où allez-vous ? Vous ne pouvez pas sortir sans être accompagnée !

Miranda l'ignora. Elle lutta quelques instants avec la lourde porte, puis réussit à l'ouvrir et elle courut demander au portier de déverrouiller la grille.

L'homme la dévisagea d'un air abasourdi. C'était bien lady Maude, malgré d'étranges cheveux courts et un singe à ses pieds. Elle parlait avec autorité et ses yeux lançaient des éclairs. Il s'empressa de lui obéir et elle se glissa par la porte entrebâillée. Stupéfait, il la vit franchir la route, évitant de justesse une charrette et un maraîcher qui transportait un panier sur la tête. Puis, il la perdit de vue.

Robbie, tête penchée, contemplait la belle dame qui était Miranda sans l'être. Elle le prit dans ses bras, sans prêter attention à ses menottes sales sur la dentelle empesée de sa robe, ni aux pieds nus qui s'agrippaient à sa jupe en damas brodé.

– Robbie... Robbie... D'où sors-tu ? s'écria-t-elle en le couvrant de baisers.

– On est venus te chercher. À Douvres, ils nous ont dit que tu avais été emmenée par un monsieur et on a suivi ta piste.

– Tout le monde est là ?

– Oui. On habite au-dessus d'un cordonnier à Ludgate. Oh, voilà Chip.

Robbie s'agita pour qu'elle le lâche. Dès qu'il fut sur ses pieds, il embrassa le singe qui sauta au cou de l'enfant, visiblement enchanté de le retrouver.

– Je dois aller voir les autres. J'ai tellement de choses à vous raconter, dit Miranda.

Elle détailla Robbie tandis qu'il parlait à Chip. L'enfant était pâle, le visage marqué par la fatigue et la souffrance.

– Est-ce que personne ne s'est occupé de toi, Robbie ?

– Si. Luke.

Miranda savait que Luke avait fait de son mieux mais que cela ne suffisait pas.

– Viens, je vais te donner un bon petit déjeuner.

– Là-bas ? s'exclama-t-il, les yeux écarquillés. Dans le palais ? Mais on ne peut pas rentrer là-dedans, Miranda !

– J'en viens bien, rit-elle. Il n'y a pas de raison pour ne pas y retourner.

– Il me fera jeter en prison, et ensuite y me pendront, se lamenta Robbie, au bord des larmes.

– Qui cela ?

– Le comte Darcourt. Jebediah nous l'a dit.

– Bah ! Qu'est-ce qu'il en sait, ce vieux grognon ?

Elle traversa la route et se retrouva dans la cour tranquille avec Chip et Robbie dans les bras. Le gardien n'en revenait pas de la voir à présent avec un mendiant...

Imogène attendait toujours dans le vestibule. En voyant Robbie, elle leva les mains au ciel.

– Dieu du ciel ! Qu'avez-vous trouvé là ? cria-t-elle.

Robbie éclata en sanglots et cacha son visage dans le cou de Miranda. Avant qu'elle ait pu répondre, Gareth descendait l'escalier.

– Regardez qui j'ai retrouvé, milord ! C'est Robbie. Ma famille est ici. Ils ne sont pas repartis en France. Ils sont venus à ma recherche.

Ses yeux pétillaient de joie et Gareth devina qu'elle ne pensait plus qu'à sa famille. Puis, soudain, Miranda se rappela la nuit passée, et elle lui sourit avec tant de bonheur et d'innocence qu'il en fut bouleversé.

– Que se passe-t-il, Gareth ? s'époumona Imogène. Que fait ici ce vagabond si sale ?

– Je vais l'emmener voir Maude, déclara Miranda. Puis-je lui faire monter un petit déjeuner, milord ? Je pense qu'il n'a guère mangé ces derniers temps...

Gareth y consentit et Miranda s'empressa de monter au premier.

Le projet échafaudé avec tant de soin par Gareth se fissurait encore davantage. Il n'avait pas fermé l'œil de la nuit, restant dans le jardin jusqu'à l'aube à se débattre mentalement avec les conséquences d'un geste de folie.

Les yeux endormis, les muscles endoloris et la tête trop lourde pour continuer à lutter... il ne lui manquait plus que ça : la famille de Miranda qui se rappelait à elle alors qu'il était d'une importance cruciale qu'elle se comportât comme une d'Albard ! Qu'elle devînt une d'Albard, oubliant son passé pour se consacrer à l'avenir. Mais Gareth la connaissait assez bien pour savoir qu'elle ne renierait jamais ses amis maintenant qu'elle les avait retrouvés.

– Gareth ! (Imogène était désespérée.) Qui est ce garçon ? D'où vient-il ?

– C'est quelqu'un qui appartient au passé de Miranda. Laissez-moi m'en occuper. Ne vous inquiétez pas.

Il se dirigea vers la pièce où il aimait se retirer pour être seul et, s'affalant derrière une petite table recouverte de papiers et de documents, il se prit la tête entre les mains.

Il avait défloré la jeune fille destinée à devenir l'épouse d'Henri de France. Mais ce n'était pas forcément un désastre. Henri était un pragmatique, un bon vivant qui ne s'offusquerait pas s'il découvrait que sa femme n'était pas vierge. Il comprendrait vite que Miranda n'était pas une femme expérimentée et, si l'affaire n'était pas ébruitée, il n'en parlerait pas non plus.

Tant qu'il n'y a pas d'enfant... Gareth repoussa la terrifiante pensée.

La partie rationnelle de son esprit lui suggérait que la situation n'était pas désespérée. Mais il savait qu'il avait pris davantage que la virginité de Miranda lors de cette rencontre magique dans le jardin. Il lui avait pris son âme. Il l'avait compris au regard lumineux qu'elle lui avait lancé avant de le quitter la veille, et puis au sourire de ce matin, alors qu'elle tenait Robbie dans ses bras. Elle ne savait pas dissimuler ses émotions. Il avait profité de sa candeur et de son honnêteté : c'était impardonnable.

Et pourtant, il ne regrettait rien. Lorsqu'il repensait à ces instants féeriques, c'était avec une joie profonde. Miranda lui avait offert quelque chose qu'il avait cru perdu à jamais : elle avait réussi à toucher son âme. Leur union physique n'avait été que l'expression d'une union beaucoup plus profonde, quasi mystique. Et tout son être voulait recommencer.

Gareth repoussa sa chaise et saisit un flacon de vin. Il but au goulot, espérant éclaircir ses pensées. Il avait aussi trahi Mary, non pas par l'acte charnel – qu'elle ne considérerait pas comme une trahison, même après leur mariage – mais parce qu'il avait découvert chez Miranda une chose si précieuse qu'il ne pouvait plus envisager de la perdre.

Or, le devoir exigeait qu'il renonçât à elle.

On frappa à la porte. Imogène était rouge d'excitation. Elle brandissait un parchemin.

– Un courrier, Gareth. Il porte le sceau du commandant du château de Douvres. C'est probablement pour annoncer l'arrivée d'Henri.

Maude tournait autour de Robbie, l'air préoccupé.

– Il faut lui trouver des vêtements. Le pauvre malheureux n'a que des haillons. Berthe, va voir ce que tu peux dénicher chez les domestiques. Je vais les leur racheter.

Berthe obéit à contrecœur.

Maude s'assit à côté de Robbie et mit un peu de confiture sur une cuillère en argent.

– Goûte encore cette confiture, Robbie. Elle va te donner des forces.

Robbie secoua la tête.

– J'peux plus rien avaler, dit-il, fasciné par cette jolie dame qui ressemblait comme deux gouttes d'eau à Miranda.

Maude sembla attristée mais elle reposa la cuillère.

– Nous allons le garder ici, tu ne penses pas, Miranda ?

– J'aimerais bien, répondit-elle d'un air sceptique.

Jusqu'à l'épisode de la veille, elle avait considéré son séjour chez les Darcourt comme un bref interlude qui devait lui apporter une sécurité financière. Désormais, les choses avaient changé. Elle ne pouvait plus partir. Gareth l'avait-il senti, lui aussi ?

Elle pensa à lady Mary d'Abernathy. La parfaite dame de la Cour. La parfaite épouse pour le comte Darcourt. Mais les hommes mariés prenaient souvent des maîtresses. Elle ne pourrait pas être sa femme, mais elle pourrait être sa maîtresse.

– Miranda ! Qu'est-ce qui t'arrive ? On dirait que tu es dans la lune, ce matin, dit Maude.

– J'ai mal dormi. C'est probablement ma rencontre avec la reine.

– Tu as vu la reine, Miranda ? s'écria Robbie.

– Et je lui ai même parlé, sourit-elle.

C'était trop pour l'enfant. Il essayait d'imaginer *sa* Miranda à lui, l'acrobate qui suçait des citrons pour agacer Bert et se chamaillait avec Luke, chez la reine d'Angleterre.

– Puisque tu as fini de déjeuner, Robbie, allons voir les autres, dit Miranda en le soulevant. Te souviens-tu du chemin ?

– Comment y allez-vous ? demanda Maude.

– À pied, bien sûr.

– *À pied !*

– Qu'est-ce qu'il y a de mal ?

– Mais tu ne peux pas y aller à pied, reprit Maude lentement comme si elle parlait à une demeurée.

Miranda réfléchit. Dans sa belle robe, c'était en effet impossible. Lady Maude d'Albard n'irait nulle part à pied et certainement pas en ville.

– Tu peux prendre la litière, proposa Maude.

– Pourquoi ne viendrais-tu pas avec nous ? J'aimerais bien te présenter ma famille.

– Quoi ? Des saltimbanques ?

– Ce sont des gens aussi bien que toi, tu sais ! affirma Miranda, vexée.

– Je sais, mais...

– Tu ne connais rien à la vraie vie, insista Miranda. Je vais te montrer les rues de la ville et la foule. On achètera des tourtes et du pain d'épice. Mama Gertrude va avoir une attaque en nous voyant ! Tu m'as montré ton univers, Maude, laisse-moi te faire découvrir le mien.

Maude regarda le visage animé de Miranda et celui perplexe du petit garçon. À vrai dire, Robbie ne comprenait pas grand-chose, tout au plaisir d'être enfin rassasié.

– Très bien, décida soudain Maude. Mais il faut nous dépêcher avant le retour de Berthe. On va sortir par la porte de côté et nous rendre aux écuries où ils nous prépareront la litière. Comme ça, personne ne pourra nous arrêter.

Elle prit une cape dans l'armoire, émerveillée par son audace.

– Il faut le dire à quelqu'un, déclara Miranda. Ils seront affolés de voir que tu as disparu. Berthe deviendra folle.

Maude gribouilla un mot pour sa nourrice. Miranda prit Robbie dans ses bras et siffla Chip qui fouillait dans les assiettes à la recherche de quelque douceur.

Les porteurs eurent des regards circonspects pour les compagnons de lady Maude. Mais la jeune fille savait se montrer autoritaire quand c'était nécessaire et ils lui obéirent. Robbie n'en revenait pas de se trouver dans une litière semblable à celle qu'il avait vue quitter la demeure la veille. Il ouvrit les rideaux et tira la langue aux passants. Chip l'imita aussitôt. Les porteurs revêtus de la livrée noir et or de la famille Darcourt ne comprenaient pas pourquoi on les insultait au passage...

Ils franchirent les portes de la cité. À un carrefour, Miranda demanda aux porteurs de les déposer et de les attendre. Maude dut confirmer l'ordre de Miranda car les domestiques hésitaient à lui obéir.

Descendue de la litière, Maude fut assaillie par les odeurs et les bruits de la ville. Elle hésita un court instant. Mais Miranda, malgré ses beaux habits, semblait parfaitement à son aise.

C'est ma première aventure, et probablement la dernière, alors autant en profiter, songea Maude.

Miranda lui prit gentiment le bras. Robbie les précéda en boitant, les guidant à travers un dédale de ruelles pavées.

Maude était importunée par les regards sans gêne des passants. Ses seules excursions en ville, elle les avait vécues à l'abri d'une litière ou d'un carrosse, escortée par des valets. Comme c'était différent de marcher à pied ! Elle était impressionnée par les effluves et le chahut de la foule. Sous ses souliers fins, elle sentait la forme de chaque pavé.

Elle se promenait si rarement, même dans les jardins, qu'elle eut bientôt mal aux pieds. Pourtant, autour d'elle, une multitude de pieds nus se heurtaient aux cailloux et des sabots résonnaient sur les pavés. Elle se sentait gauche, comme arrivée d'un autre univers.

Chip, en revanche, était aux anges. Assis sur l'épaule de Miranda, il jouait avec son chapeau en babillant gaiement. À un croisement où poussait un carré d'herbe, il sauta à terre et s'approcha d'un ours que faisait danser un petit groupe d'hommes.

– Je n'aime pas travailler avec des ours, dit Miranda. Ils sont toujours malheureux et maltraités.

Puis ils gravirent la colline vers Saint-Paul, s'arrêtant pour regarder les marchandises dans les échoppes et acheter du pain d'épice.

Quand soudain elles entendirent une musique dans une ruelle, Miranda s'en approcha, comme aimantée. Trois musiciens chantaient une ballade dans l'embrasure d'une porte. Un bonnet retourné était posé à leurs pieds.

Chip se mit à parader devant eux, prenant une mine défaite comme pour souligner la tristesse de la chanson. L'homme qui jouait de la viole éclata de rire.

– Voyons s'il sait aussi danser, dit-il, et les trois compères entamèrent une gigue irlandaise endiablée.

Dès que Chip se mit à se trémousser, un attroupement se forma autour d'eux.

– Je ne vais jamais arriver à le récupérer, maintenant, soupira Miranda.

– On est presque arrivés de toute façon, dit Robbie en frottant son pied endolori.

À la fin de la chanson, la foule applaudit les cabrioles du singe qui passa parmi les gens avec son chapeau.

– Hé, on veut notre part, nous aussi ! s'exclama l'un des musiciens en voyant le succès du singe.

Il voulut saisir l'animal mais Chip revint fièrement vers Miranda avec son chapeau.

– C'est à nous ! ajouta l'homme d'un air agacé, tandis que Maude reculait, persuadée qu'on allait les égorger.

– Vous pouvez tout garder, dit tranquillement Miranda en versant le contenu du chapeau dans le bonnet.

– Je ne voulais pas vous offenser, m'dame, s'excusa le luthier en se grattant la tête.

– Ce n'est rien, dit-elle, souriante, en prenant le bras de Maude. Montre-nous le chemin, Robbie.

Ils étaient à mi-parcours d'une ruelle moins étroite quand une voix retentit :

– Miranda ! Miranda !

Un jeune homme galopait vers eux comme un poulain dégingandé.

– Luke ! s'écria Miranda en courant à sa rencontre.

– On était si inquiets pour toi ! fit-il en la serrant contre lui tandis que Chip lui sautait au cou. Mais je t'aurais jamais reconnue dans cette robe sans Chip et Robbie. (Il l'admirait sans retenue.) Je regardais par la fenêtre et j'ai tout de suite reconnu Chip avec son gilet et son chapeau. Puis, j'ai vu Robbie et le temps de descendre... Enfin, me voilà ! Mama Gertrude et Bert vont être si heureux !

– C'est moi qui l'ai trouvée, lança Robbie. J'suis allé à la belle maison et je l'ai ramenée. C'est pas toi qui l'as trouvée, Luke, conclut-il d'un air fâché.

– Je sais, rouspéta Luke avant d'apercevoir Maude qui s'était approchée en silence.

Il resta bouche bée à la regarder.

– Voici lady Maude, la présenta Miranda. C'est la

pupille du comte Darcourt. Mais allons retrouver les autres.

– On habite la maison avec les volets gris, dit Luke, considérant Maude comme une nouvelle protégée de Miranda. C'est tout petit, mais c'est pas cher. On peut travailler par ici, mais il y a beaucoup de concurrence et depuis que Chip et toi, vous n'êtes plus là, on gagne beaucoup moins. Puis on a passé une nuit en prison et on a dû payer une guinée à un pêcheur pour garder nos affaires...

– En prison ?

– Oui, on nous a accusés de vagabondage après ta mésaventure avec Chip.

– Mais c'est affreux ! Et moi qui vous croyais partis avec la marée sans m'attendre...

– Ça n'a plus d'importance puisque tu es revenue ! s'écria-t-il, tout joyeux, en traversant l'échoppe du cordonnier.

Au premier étage, une chambre était remplie de leurs affaires ; et pourtant les douze membres de la troupe y étaient entassés.

Miranda se tint sur le pas de la porte, alors que Luke souriait d'un air béat derrière elle. Quand Chip sautilla au milieu de la pièce, les visages se tournèrent vers eux et ils poussèrent tous des exclamations de joie. Miranda fut étouffée sous les embrassades. Mama Gertrude alternait reproches et baisers sonores. D'autres exigeaient des explications. Bert se plaignit de tous les problèmes qu'elle leur avait causés, tout en lui tapotant la tête avec affection.

Miranda eut le sentiment qu'elle ne les avait jamais quittés. Elle se laissa bercer par les voix et les odeurs familières, le réconfort des visages aimés. Puis, soudain, elle se rappela Maude.

Elle se dégagea et se tourna vers la porte. Maude semblait un peu inquiète, mais elle sourit lorsque Miranda s'excusa :

– Pardonne-moi, je ne voulais pas te délaisser. Viens rencontrer ma famille.

– Vierge Marie ! s'exclama Mama Gertrude en les voyant côte à côte. C'est pas naturel !

Maude ne savait vraiment pas quoi dire dans cette minuscule pièce où les baladins semblaient déborder de vitalité.

– Qui es-tu, mon enfant ? demanda Mama Gertrude en élevant la voix pour se faire entendre. Regardez-moi ces vêtements ! ajouta-t-elle dans un éclat de rire qui fit trembler sa grosse poitrine.

– J'aimerais qu'on m'explique ce qui se passe, maugréa Bert.

Miranda s'assit sur le bord d'une table branlante et leur résuma ses aventures. Ils l'écoutèrent en silence.

– Le comte Darcourt m'a promis cinquante couronnes à la fin de mon travail.

– C'est une fortune ! s'écria Jebediah.

– Qu'est-ce qu'il veut d'autre, ce comte ? se méfia Bert.

– Rien, dit fermement Miranda.

Ce qui se passait entre Gareth et elle n'avait rien à voir avec la tâche qu'elle exécutait pour lui.

– Ne sois pas naïve ! gronda Bert. Tu n'as aucune expérience des gens de la haute ! Il va prendre du bon temps et te laisser tomber quand il se sera lassé de toi.

Pour marquer son propos, il lui donna une claque. Maude poussa un cri outragé, mais Miranda se contenta de se frotter l'oreille. Bert avait l'habitude d'agir sans réfléchir.

– Il t'a frappée... murmura Maude. Il t'a frappée, Miranda.

– Ce n'est rien, il est comme ça, soupira Miranda.

– Je crois que j'aimerais mieux rentrer, dit Maude inquiète, en reculant vers la porte comme si les occupants de la chambre étaient soudain devenus des bêtes sauvages.

– Quand est-ce que tu reviendras, Miranda ? s'inquiéta Luke.

– Je ne sais pas, dit-elle à mi-voix.

– Tu sais pas combien de temps va durer ce travail ?

demanda Raoul en avançant, les bras immenses croisés sur son torse couvert de sueur.

Maude se recroquevilla sur elle-même. Elle n'avait jamais vu un géant pareil.

– Non, se désola Miranda. Mais si vous restez à Londres, je viendrai vous voir souvent.

– C'est pas facile sans toi, dit Bert. Ça nous aidera pas de rester en ville. Y a trop de concurrence.

– Oui, mais elle a trouvé un bon travail, la petite, déclara Mama Gertrude. Miranda ne nous a jamais menti. (Elle saisit le visage de Miranda entre ses mains.) Termine ce que tu as à faire, mon enfant. Gagne ton argent et puis reviens vers nous.

Maude toussota.

– Maude, que dirais-tu de voir comment on gagne notre vie ? dit soudain Miranda. Tu pourrais même nous aider.

– Comment ça ?

– En jouant du tambourin pendant que Bert réunit les spectateurs. Tu attireras plein de monde ! Il est temps que tu découvres la vie. Si tu dois finir tes jours dans un couvent, autant que tu emportes quelques souvenirs.

Maude regarda les visages qui l'entouraient. Ils ne lui semblaient plus aussi effrayants. Chacun avait ses particularités qu'elle devinait derrière leurs traits. Ils lui souriaient gentiment, excepté le vieux Jebediah qui affichait un air sombre comme si le ciel allait lui tomber sur la tête.

– Si tu joues du tambourin, je prendrai les castagnettes, s'enthousiasma Robbie. Je suis assez doué, mais le son n'est pas joli quand on joue tout seul, et d'habitude tout le monde est trop occupé pour m'accompagner.

En regardant le petit visage illuminé de bonheur, Maude ressentit une forte émotion. Elle pouvait aider cet enfant, lui donner du réconfort. Miranda la regardait avec un étrange sourire, comme si elle lisait dans ses pensées. Maude acquiesça.

– Tu ferais bien de te changer, Miranda, fit remarquer Raoul. Tu pourras pas faire des pirouettes dans cette robe-là.

– Tes habits sont dans ce panier, renchérit Mama Gertrude. Tu n'as qu'à mettre les pantalons. Le public les aime bien.

Quelques minutes plus tard, Maude riait en voyant son amie transformée en jeune garçon.

– C'est indécent, Miranda !

– Ça attire les hommes, fit-elle en haussant les épaules. Quand ils s'aperçoivent que je suis une femme, ils en sont tout excités. Oublie que tu es une lady pendant une heure ou deux, sinon tu ne t'amuseras pas.

À son grand étonnement, Maude l'oublia facilement. Tandis que Bert haranguait les passants debout sur une caisse, elle jouait du tambourin avec Robbie qui agitait ses castagnettes. Les membres de la troupe exécutèrent quelques-uns de leurs numéros, et Maude ressentit une grande fierté en voyant que les gens s'arrêtaient pour les admirer. Chip dansait devant eux, imitant si parfaitement Bert que les spectateurs riaient et s'attardaient.

Miranda attendit le bon moment et puis elle commença son numéro. Elle était consciente qu'elle n'était pas au mieux de sa forme ; mais sans ses exercices d'assouplissement quotidiens, elle aurait été encore moins performante. C'était merveilleux de retrouver les gestes habituels, de sentir son sang bouillonner dans ses veines, de courber son corps souple de gymnaste sous les applaudissements de la foule.

Alors qu'elle marchait sur les mains, aguichant les hommes placés au premier rang avec ses jambes et ses fesses moulées dans ses pantalons, une main lui saisit brusquement la cheville. La tête à l'envers, Miranda vit une paire de bottes cirées et l'ourlet d'un manteau d'équitation.

– Milord ? murmura-t-elle.

– Lui-même, acquiesça sèchement le comte Darcourt.

16

Après avoir découvert le mot gribouillé à l'intention du comte Darcourt, Berthe s'était précipitée chez lui. Gareth avait écouté la nourrice affolée : « Depuis l'arrivée de la bohémienne, lady Maude n'est plus la même... Jamais elle n'aurait fait une chose pareille... Quitter la maison sans escorte, sans même dire où elle partait... La perfide a dû la convaincre de l'accompagner, à moins qu'elle ne l'ait forcée... Lady Maude n'aurait jamais agi ainsi de son plein gré... »

Gareth parcourut la courte lettre. Sa pupille ne donnait pas d'explications précises, mais il devinait que Robbie avait emmené Miranda voir sa famille en ville et que Maude les avait accompagnés.

Il demanda à Berthe de garder le secret sur cette escapade, puis il revêtit ses habits d'équitation. Aux écuries, on lui apprit que les jeunes filles avaient pris la litière pour se rendre en ville.

Ses domestiques en livrée se prélassaient devant une auberge au pied de la colline de Ludgate. Ils indiquèrent à leur maître dans quelle direction les filles avaient disparu. La musique, les applaudissements et les rires attirèrent Gareth vers l'espace libre derrière l'église.

Du haut de son cheval, il pouvait voir toutes les têtes de l'attroupement. Il reconnut Gertrude, Bert, Luke et son petit chien, mais il fut surtout frappé par sa pupille. Riant aux éclats, les joues roses, quelques cheveux s'échappant de son chignon, Maude agitait un tabourin et dansait comme une bohémienne !

Pendant un instant, il ne vit pas Miranda. Un acrobate enchaînait des roues... Mais ce n'était pas un garçon, non, c'était Miranda ! Même de loin, il vit qu'elle provoquait les hommes situés au premier rang. Elle les défiait avec son corps moulé dans une tenue indécente, s'écartant au dernier moment avant qu'ils ne la touchent...

Gareth mit pied à terre, donna son cheval à tenir à un gamin, et se fraya un passage parmi la foule. Miranda marchait sur les mains, exhibant son charmant petit derrière devant tout le monde. Gareth lui saisit une cheville.

Il y eut un éclat de rire général.

– Milord ?

– Lui-même.

Il la relâcha. Elle se redressa d'un coup de reins, lui décocha ce sourire enchanteur qui lui donnait des frissons et le transportait de joie en même temps. La foule se mit à applaudir en cadence, attristée que le spectacle se fût interrompu de manière aussi abrupte. La joueuse de tambourin s'arrêta, ainsi que les acrobates stupéfaits.

Puis, Gertrude poussa Luke du bout de son ombrelle. Aussitôt, le jeune homme bondit en avant avec son chien Fred et ils entamèrent leur numéro. Chip passa dans la foule avec son chapeau, ramassant les sous pour Miranda, et le spectacle reprit son cours.

– Venez rencontrer ma famille, dit-elle. Je les aidais un peu car depuis mon absence ils n'ont pas gagné grand-chose. Avez-vous vu Maude jouer du tambourin ? On aurait dit qu'elle avait fait ça toute sa vie ! s'amusa Miranda en l'entraînant par la main.

Gareth comprit qu'elle ne craignait pas d'être grondée. Mais Maude, elle, sembla affolée en le voyant.

– Ma chère Maude, vous avez des talents musicaux insoupçonnés. Ne vous interrompez pas.

Stupéfaite, Maude regarda Miranda qui souriait, de même que son tuteur. Il lui indiqua de reprendre son instrument.

– Ça va ? demanda Bert d'une voix forte.

Il ne regarda pas Gareth dans les yeux. Les saltimbanques ne parlaient pas aux hommes du monde sans y avoir été invités.

– Voici le comte Darcourt. Milord, je vous présente Bert. Vous vous souvenez peut-être de l'avoir vu à Douvres ? Eh bien, les pauvres, on les a mis en prison à cause de moi.

– Honoré de vous connaître, monseigneur, fit Bertrand en s'inclinant.

– Qu'est-ce qui se passe ici ? grommela Gertrude qui s'approchait. On ne s'en prend pas aux artistes, monsieur.

– C'est le comte Darcourt, Mama Gertrude, précisa Miranda.

Elle était un peu inquiète, car Mama Gertrude ne faisait de concessions à personne. Si elle jugeait que Gareth était dans son tort, elle le réprimanderait sans hésiter.

– Ah, c'est vous ! J'espère que vous serez honnête avec Miranda...

– Mama Gertrude ! s'affola Miranda, mais Gareth ne sembla pas intimidé par cette montagne de bonne femme.

– Bien entendu, madame. Miranda vous a-t-elle expliqué notre arrangement ?

– Oui, monseigneur, intervint Bert. Vous lui avez promis cinquante couronnes.

– C'est exact.

– N'avez-vous pas mis de conditions qui feraient rougir une famille digne de ce nom ? reprit Mama Gertrude d'un air sévère.

Miranda eut le feu aux joues.

– Absolument aucune, insista Gareth.

– J'espère qu'on vous a pas offensé, monseigneur, dit Bert.

– Au contraire. Miranda a de la chance d'avoir une famille aussi vigilante.

Gertrude et Bert se rengorgèrent d'un air satisfait.

Maude, le tambourin à la main, n'en revenait pas de la conversation. Son cousin ne semblait pas s'offusquer des nouveaux amis de sa pupille ni même d'avoir vu lady Maude d'Albard jouer du tambourin en pleine rue ! Elle découvrait une autre facette de sa personnalité. Il semblait transformé : ses traits s'étaient adoucis et son air cynique avait disparu.

– Cependant, il faudra vous passer de Miranda pour le moment, car elle a encore beaucoup à faire auprès de nous, précisa Gareth.

– Absolument, monseigneur, acquiesça Bert. Retourne chercher ta belle robe, Miranda. Si monsieur le comte veut bien accepter une pinte d'un travailleur honnête, je serai heureux de lui offrir une bière en attendant.

– Tout le plaisir sera pour moi, mais c'est moi qui invite, dit Gareth.

Les deux hommes se dirigèrent vers la taverne de l'autre côté de la rue.

– Mon cousin va boire avec lui ! murmura Maude, ébahie.

– Bert est quelqu'un de très sympathique, ajouta Miranda.

Gareth se retrouva aussi en compagnie de Raoul et de Jebediah. Tout en sachant que c'était Mama Gertrude qu'il fallait convaincre, il mit les hommes à leur aise. Il avait besoin de leur confiance et de leur amitié s'il voulait voir aboutir son projet. Avec leur soutien, il arriverait plus facilement à persuader Mama Gertrude le moment venu.

À leur retour, les jeunes filles trouvèrent le comte affalé sur un banc, devant une chope, écoutant une histoire leste de Raoul.

Miranda était troublée. Pourquoi Gareth se montrait-il aussi amical envers la troupe ? Peut-être qu'il les trouvait divertissants ? Un peu humiliée à cette pensée, elle se souvint que Gareth était trop généreux et trop tolérant, pour se moquer d'autrui.

Il laissa une poignée de pièces sur la table.

– Buvez à ma santé, messieurs. Je dois raccompagner ces dames avant qu'on ne remarque leur absence, dit-il en offrant un bras à chacune.

– Je reviendrai bientôt, promit Miranda. J'apporterai

des nouveaux habits pour Robbie. Luke, veille bien sur lui, je t'en prie. Il se fatigue vite, le petit.

Alors qu'elle disait au revoir aux siens, Gareth ne montra aucun signe d'impatience. Il savait pourtant qu'il fallait la séparer rapidement de sa famille. Miranda allait devoir se forger de nouveaux liens dans un autre monde.

Elle rejoignit Maude et le comte qui patientaient près du cheval de Gareth. Chip gambadait autour d'eux.

Miranda était songeuse. Heureuse d'avoir retrouvé sa famille, elle avait pourtant le sentiment étrange de ne plus vraiment appartenir à leur univers. Elle se sentait différente, étrangère, et pourtant ils avaient été séparés si peu de temps ! Comme si la nuit dans le jardin l'avait transformée... Or, elle se devait d'être loyale à cette famille qu'elle aimait. Mais comment oublier Gareth, le contact de sa peau, l'empreinte de son corps, qui semblaient désormais faire partie de son âme même ? Comment concilier ces deux fidélités à deux mondes si opposés ?

Miranda, Maude et Chip se retrouvèrent bientôt dans la litière.

– Je suis étonnée par la gentillesse de mon cousin, déclara Maude. Au lieu d'être furieux, il semblait plutôt amusé. Je ne l'aurais jamais cru aussi tolérant...

Miranda hocha la tête. Elle s'étonnait aussi que Gareth n'eût pas violemment réagi à la vue de lady Maude d'Albard, se donnant en spectacle dans la rue. Il y avait pourtant de quoi être en colère !

Lorsqu'elles arrivèrent à la maison, Gareth les y attendait.

– Maude, vous allez passer par une porte dérobée pour ne pas risquer de croiser des invités de ma sœur. Et vous, Miranda, vous allez entrer avec moi.

Il lui donna le bras pour traverser la cour.

– Je sais que vous vouliez seulement divertir Maude, fit-il aussitôt, mais si quelqu'un vous avait vues ensemble, tout mon plan aurait été anéanti !

– J'étais certaine que vous seriez fâché, répondit-elle, presque avec soulagement.

– Non, c'était drôle aussi de voir Maude jouer du tambourin, essayez juste de comprendre...

– Je suis désolée, je n'arrive plus à réfléchir clairement depuis...

– Miranda, il faut oublier ce qui s'est passé hier soir, insista Gareth à voix basse. Nous devons tous les deux l'oublier. J'avais beaucoup bu et...

– C'est impossible... C'était la chose la plus belle de ma vie. Je ne pourrai jamais l'oublier et je ne le veux pas.

Gareth lui posa une main ferme sur la nuque.

– Écoutez-moi, Miranda. C'était un rêve. Rien de plus. Un rêve merveilleux, mais la lumière du jour chasse tous les rêves. Celui-ci s'évanouira aussi.

– Non, dit-elle en appuyant un instant sa tête contre la main de Gareth.

Puis, elle s'écarta d'un bond et courut vers la maison.

– Bonté divine ! jura Gareth.

– C'est surprenant que cette fille soit aussi douée pour la danse, murmura Imogène. Où est-ce qu'une vagabonde a pu apprendre à effectuer des pas aussi compliqués avec une pareille facilité ?

– C'est une danseuse professionnelle, fit remarquer Miles.

– C'est plutôt une catin ! Avez-vous remarqué comme elle charme les hommes ? Elle traite Gareth avec une familiarité inadmissible, et il ne proteste pas ! C'est incompréhensible.

Miles regardait Miranda danser avec une grâce innée. Elle attirait tous les regards. Son sourire radieux et sa voix mélodieuse envoûtaient ses cavaliers.

– Parfois, je me dis que Gareth est vraiment aveugle quand il s'agit des femmes ! poursuivit Imogène. On aurait pu penser qu'après Charlotte il reconnaîtrait une femme légère à cent pas...

– Vous êtes un peu injuste, ma chère. Miranda est extravertie et sympathique, mais elle n'a rien de comparable avec Charlotte.

Imogène semblait sur le point de mordre. Heureusement pour Miles, lady Mary approchait. Elle les salua d'une révérence, sa robe gris perle soulignait l'éclat de son regard.

– J'observais lady Maude, chers amis. Je ne savais pas que c'était une aussi bonne danseuse. L'année dernière, à Noël, elle avait semblé tellement empotée.

– Depuis qu'elle a retrouvé la santé, elle a bien changé, dit Miles.

– Son rétablissement semble miraculeux, persifla lady Mary.

Sans qu'ils s'en aperçoivent, Kip Rossiter s'était approché.

– Parlez-vous de lady Maude ? J'avoue être moi-même surpris de voir cette jeune fille souffreteuse émerger tel un papillon de sa chrysalide. Vous devez me donner le nom de votre médecin, lady Dufort. C'est un homme de talent.

Imogène rougit. Kip la taquinait, et elle ne savait pas comment le remettre à sa place. Brusquement, il y avait péril en la demeure.

– Quel entrain ! insista lady Mary. Vous ne trouvez pas, sir Christopher ?

– Vraiment, sa grâce m'enchante !

– Vous devriez lui dire de se comporter avec plus de retenue, Imogène, reprit lady Mary. Pour une débutante, elle est plutôt délurée. Je ne comprends pas comment le comte Darcourt tolère cette attitude.

– Elle doit être excitée par l'arrivée de son soupirant, fit Kip. N'est-ce pas demain que le duc doit vous rejoindre, madame ?

– Nous l'attendons en fin de journée, marmonna Imogène en agitant son éventail.

Agacé par ces médisances, Miles intervint pour défendre la jeune fille :

– Maude n'a commis aucun faux pas. Elle est jeune, pleine d'allant et elle découvre les joies de la vie en société. Personne ne s'est encore plaint de son comportement et la reine la trouve très amusante.

– Bravo ! s'exclama Kip. Je ne voulais pas la critiquer, lord Dufort. Je m'étonnais seulement qu'elle eût autant changé.

Il s'inclina et les quitta.

– Je me demande où est passé Darcourt, se lamenta Mary. Ces derniers temps, j'ai l'impression de ne plus le voir. Il passe son temps à discuter de politique.

Elle rit, mais du bout des dents...

– Soyez heureuse que votre futur époux songe à son avenir, rétorqua Imogène. Une femme a de la chance quand son mari s'occupe lui-même de sa carrière.

Ignorant le sous-entendu railleur de son épouse, Miles se tourna vers une femme vêtue de velours safran, dont la tête ronde dodelinait au-dessus d'une fraise proéminente.

– Lady Avermouth, comme vous êtes élégante ! Ce jaune vous va à ravir !

Imogène esquissa un sourire ironique. Cette couleur rehaussait le teint blafard de la malheureuse, mais quand il le fallait, Miles savait être un parfait hypocrite, et il ne fallait pas se mettre lady Avermouth à dos. Après avoir débité son compliment, il fila en direction de la pièce où l'on jouait aux cartes.

– Votre jeune cousine attire tous les regards, susurra la nouvelle arrivée. Elle danse avec beaucoup de grâce.

– Elle a eu de très bons professeurs, dit Imogène.

– Même les meilleurs professeurs ne peuvent inculquer la grâce si celle-ci n'est pas innée. J'ai appris que le duc de Roissy arrivait demain pour la courtiser...

– Il restera chez nous quelque temps afin de rédiger le contrat de mariage.

– Quelle alliance, ma chère ! Il faut vous féliciter. Si le mariage a lieu, bien entendu.

Avec une révérence, lady Avermouth s'éloigna.

– Quelle femme odieuse ! maugréa Imogène.

– Elle est jalouse, dit Mary. Cela va être épuisant de recevoir le duc pendant deux semaines sous votre toit. J'espère que Maude est reconnaissante à ses tuteurs de ce qu'ils font pour elle !

Sur la piste de danse, Maude souriait à son partenaire, mais soudain elle tourna la tête. Mary suivit son regard. Le comte Darcourt, accompagné de quelques amis, venait de pénétrer dans la salle. Maude marqua une légère pause avant de se consacrer à nouveau à son cavalier.

Agacée, Mary s'aperçut qu'Imogène avait aussi remarqué le comportement de la jeune fille.

– Est-ce que votre cousine a toujours été aussi proche de son tuteur, Imogène ?

– Maude a toujours eu beaucoup de respect pour lui, comme il se doit. Mais Gareth n'aime pas la solennité en famille, comme vous allez le découvrir vous aussi, insista-t-elle en voyant le scepticisme de Mary.

Lorsque la danse fut terminée, Miranda fit une révérence et demanda à son partenaire de bien vouloir la raccompagner aux côtés de son tuteur. Le gentilhomme sembla désolé de devoir se séparer d'elle, mais il lui obéit.

Gareth sentit Miranda approcher avant même de la voir. Un frisson lui parcourut l'échine. Lentement, il se retourna. Elle portait une ravissante robe couleur abricot, dont la fraise était semée de saphirs qui rehaussaient l'éclat de son regard bleu. Ses lèvres sensuelles étaient naturellement roses. Son cou, gracieux comme celui d'un cygne, s'élevait de la dentelle.

Une nouvelle fois, il eut l'étrange sentiment d'avoir perdu quelque chose de précieux. La petite acrobate avait disparu ; il ne restait que cette jeune femme du monde, aussi à l'aise à la Cour que si elle y était née. Alors qu'il aurait dû se réjouir qu'elle jouât son rôle à la perfection et que les regards ne la quittassent plus, Gareth en fut irrité. Que savaient ces courtisans obséquieux de la vraie Miranda ? Il se retint d'effacer d'un soufflet le sourire béat du jeune homme qui l'escortait.

Miranda lui fit une révérence. Ils ne s'étaient pas parlé en privé depuis leur retour de la ville le matin même. Gareth lui prit la main et la baisa, le regard impassible. Le cygne d'émeraude accroché au bracelet oscilla légèrement.

– Vous connaissez Sa Grâce le duc de Suffolk, Maude ?

– Oui, milord, fit Miranda avec une nouvelle révérence. Mais Sa Grâce ne se souvient peut-être pas de moi ?

– Si c'était le cas, je mériterais d'être cloué au pilori, lady Maude, s'amusa le duc.

– Votre Grâce, mon frère... intervint Imogène. Je désire rentrer à la maison. Ma cousine a besoin de repos.

– Mais, madame, je ne suis pas fatiguée ! protesta Miranda.

Imogène l'ignora et jeta un regard réprobateur à Gareth.

– Vous nous accompagnez, milord ?

– Je ne crois pas, répondit-il en fuyant le regard attristé de Miranda afin de ne pas lui céder.

– Je vous souhaite une bonne nuit, Votre Grâce, poursuivit Imogène. Venez, cousine.

Imogène envoya un laquais chercher son mari qui jouait aux cartes. Elles patientèrent dans un long corridor qui menait à la salle de bal. Miranda détaillait une tapisserie accrochée à un panneau quand des murmures lui parvinrent d'une pièce voisine. Elle tendit l'oreille. Alertée, Imogène s'approcha à son tour.

Miranda reconnut la voix grave de Brian Rossiter qui discutait avec son frère.

– Tu ne trouves rien d'étrange chez lady Maude, Brian ? demanda Kip.

– Non, pourquoi ? Elle est charmante, enjouée...

– Justement. Elle est drôle, pleine de vivacité et a le sens de la repartie. Ce n'est pas la lady Maude que j'ai connue. Observe comme Gareth apprécie sa compagnie à présent, lui qui se plaignait tant de ses migraines et de ses pleurnicheries incessantes...

– Tu as raison. Mais si elle va mieux, elle retrouve peut-être son vrai caractère. C'est terrible d'être toujours malade, tu sais.

Imogène avait l'oreille collée à la tapisserie. Elle était nerveuse.

– Ah, mon épouse... fit Miles en s'approchant.

– Chut ! Écoutez ! Ils parlent d'elle, ordonna Imogène d'un signe impérieux de la main.

Avec une expression presque comique, Miles se plaça à côté de sa femme.

– La petite est probablement ravie à l'idée de son mariage imminent, poursuivit Brian.

– C'est absurde, mais j'ai le sentiment que ce n'est pas la même fille...

Imogène laissa échapper un sifflement. Même Miles sembla déconcerté.

– C'est drôle que tu dises ça, continua Brian. Lady Mary d'Abernathy m'a laissé entendre la même chose. Elle s'interroge sur ce qui a pu provoquer un aussi grand changement chez la pupille de Gareth. « Un caractère totalement différent », a-t-elle dit. Mais je pensais que c'était parce qu'elle s'inquiétait de la sollicitude de Gareth envers sa cousine.

Furieuse, Imogène s'écarta de la tapisserie en entraînant son mari.

– Je vous l'avais dit, n'est-ce pas, Miles ? Je savais que ça ne marcherait jamais. Toute la Cour en parle... Et son prétendant arrive demain ! Qu'allons-nous faire ?

Miranda les suivit, indifférente. Le carrosse orné du blason des Darcourt les attendait dehors.

Sir Christopher était perspicace et c'était ennuyeux que lady Mary fît de pareilles remarques, mais Miranda ne s'inquiétait pas trop. Si elle continuait à bien jouer son rôle, les gens s'habitueraient vite à la nouvelle lady Maude.

Or, sur le chemin du retour, Imogène prouva qu'elle ne partageait pas cette opinion.

– Gareth ne sait pas où il s'aventure, grommela-t-elle. Cette fille ne parviendra jamais à se faire passer pour Maude.

– Mais elle a déjà prouvé son talent, protesta Miles. Rossiter se taira dans quelque temps.

– Vous vous trompez ! Comment réagiront les gens en retrouvant la vraie Maude ? La différence sera criante. Rossiter et les siens recommenceront à s'interroger... Et si le Français les rencontre l'une après l'autre, il ne s'y trompera pas non plus. Regardez-la ! Comment peut-on confondre une vagabonde avec une jeune fille aussi bien née que Maude ?

– Maude est juste un peu plus pâle...

– Pâle ! Est-ce ainsi que vous nommez son teint maladif et ses airs d'invalide ?

– Mais je croyais que c'étaient là les attributs d'une femme du monde, ma chère, fit Miles d'un air faussement surpris.

Miranda se retenait de rire.

– Tous nos efforts n'auront servi à rien ! se lamenta Imogène. Le contrat de mariage sera déclaré nul. Pourquoi Gareth insiste-t-il ?

Le carrosse franchit la grille du palais et s'arrêta dans un crissement de roues.

– Je vais prendre les choses en main, déclara Imogène. Gareth est trop mou. Je ne le laisserai pas faire les mêmes erreurs qu'avec Charlotte. S'il avait pris position à l'époque, il n'y aurait pas eu... (Elle s'interrompit net avant de reprendre :) Je dois le sauver de son aveuglement. Il ne m'en sera pas reconnaissant mais, si nous voulons réussir, nous devons agir avant qu'il ne soit trop tard.

Elle descendit du carrosse et pénétra dans la maison éclairée. Miles eut un regard désolé pour Miranda.

– Je crois que je vais retourner à Westminster, ma chère. Il est encore tôt.

Préoccupée, Miranda lui souhaita une bonne nuit, avant de gravir l'escalier d'un pas lent.

17

Miranda entra chez Maude sans frapper. Chip lui fit un accueil délirant, avant de se percher sur son épaule et de lui murmurer des douceurs à l'oreille.

– Tu rentres tôt, non ? s'étonna Maude.

– Lady Imogène a voulu partir, expliqua Miranda en s'asseyant sur le rebord de la table, à l'écart du feu de bois. Elle prétend devoir préparer l'arrivée du duc de Roissy demain. Je me demande ce qu'elle a en tête.

– Comment cela ? demanda Maude en se penchant vers elle.

– Elle pense que notre mascarade ne marchera pas. Certaines personnes ont remarqué que j'avais beaucoup changé. (Elle raconta à Maude la conversation des frères Rossiter.) Je crois qu'elle veut obtenir ta soumission d'une manière ou d'une autre.

– Elle m'a souvent menacée, mais je n'abjurerai pas, s'obstina Maude. Et si je ne me convertis pas, je ne peux pas épouser un Français protestant.

– Sais-tu quel genre de pression elle est capable d'exercer sur toi pour te faire céder ? s'impatienta Miranda. Elle est déterminée, et le comte n'est pas présent pour te défendre. Lady Imogène ne va pas laisser passer cette occasion.

Maude semblait soudain moins sûre d'elle.

– On verra bien, fit-elle en essayant d'être courageuse. Les saints se sont aussi révélés dans l'épreuve.

– Certes, mais je ne crois pas que tu sois prête à être canonisée. Nous devrions changer de place ce soir, au cas où ta cousine aurait une idée diabolique en tête. Tu dormiras dans ma chambre et moi, je dormirai ici.

– Mais pourquoi te proposes-tu pour affronter les représailles qu'Imogène me réserve ?

– Ne t'inquiète pas, sourit Miranda. Lady Dufort n'est pas de taille à me faire plier, moi.

Maude n'était pas convaincue, mais déjà Berthe ramassait ses pantoufles et sa robe de chambre.

– Viens, ma petite. Cette fille a été envoyée ici pour une raison précise. Nous ne devons pas contrarier les arrangements du Seigneur. Tu sais que tu es trop fragile pour supporter la violence de lady Dufort. Tu seras en sécurité dans la chambre verte et j'allumerai du feu. Ce sera très douillet, tu verras.

– Je ne veux pas laisser Miranda se sacrifier pour moi !

– Je te répète qu'il ne m'arrivera rien, la rassura Miranda en l'entraînant vers la porte. Si quelqu'un doit souffrir ici, ce sera lady Imogène.

– Et Chip ?

– Tu as raison. En restant avec moi, il risquerait de me trahir. (Elle prit le singe dans ses bras.) Va avec Maude, Chip. Juste pour cette nuit.

En adressant à sa maîtresse un regard de reproche, l'animal se blottit dans un pli de la robe de chambre de Maude. Miranda lui gratta le cou en l'assurant qu'elle ne tarderait pas.

Berthe vérifia que le couloir était libre et entraîna Maude et Chip vers la chambre verte.

Miranda se déshabilla et cacha sa robe sous le lit. Elle moucha la chandelle et se glissa sous les draps, vêtue de sa seule chemise. Elle laissa les rideaux ouverts pour voir la porte. Le bonnet en dentelle de Maude était posé sur l'oreiller, elle l'ajusta sur ses cheveux courts.

La pendule sonna onze heures, puis minuit. Miranda s'assoupissait dans le lit douillet. S'était-elle trompée ? Gareth avait-il quitté la Cour ? Elle était convaincue qu'elle saurait d'instinct s'il était déjà revenu...

Le tintement des derniers coups de minuit venait de s'évanouir quand la porte s'ouvrit avec fracas. Lady Dufort entra comme un vent de malheur, à la tête d'une armée de servantes.

Sans sa robe luxueuse de dessus, et les manches retroussées, elle brandissait une grosse branche de prunellier chargée d'épines. Ses petits yeux méchants luisaient.

Miranda essayait d'évaluer la force des agresseurs lorsque Imogène arracha la courtepointe qui la couvrait.

– Attachez-la aux colonnes du lit ! ordonna-t-elle.

Les femmes de chambre empoignèrent Miranda. La jeune femme poussa un cri mais n'opposa pas de résistance, feignant d'être sous le choc de la surprise. La porte était fermée mais il ne lui semblait pas qu'on l'avait verrouillée.

– Attachez-lui les bras et les jambes, continua Imogène.

La plus âgée des servantes, une face de rat toute dévouée à sa maîtresse, s'empressa d'avancer, des bandelettes à la main.

Les femmes obligèrent Miranda à se tenir debout au pied du lit. Celle-ci comprit qu'elle allait être attachée afin que lady Dufort puisse la fouetter en toute liberté.

La pauvre Maude, elle, aurait été anéantie.

Avec une brusque détente du corps, Miranda arracha ses bras à l'étreinte de ses agresseurs. Deux coups de pied bien alignés envoyèrent deux servantes au sol. Puis elle se tourna vers la face de rat, et d'un coup à l'estomac fit tomber la vieille mégère à la renverse.

Miranda sauta aussitôt sur le lit d'où elle contempla le champ de bataille.

Imogène fut si surprise par cette réaction tellement inattendue qu'elle poussa un terrible cri de rage. Les domestiques effrayées hurlaient aussi.

Des pas retentirent dans le couloir. Les serviteurs quittaient les mansardes où ils dormaient, alertés par un tapage qui laissait supposer que des intrus étaient en train de massacrer les habitants du palais.

Le majordome n'hésita pas devant la porte de lady Maude qu'il ouvrit d'un seul coup, prêt à affronter l'ennemi. Derrière lui se pressaient des hommes et des femmes, ahuris à la vue de lady Dufort qui, l'air égaré, montrait du doigt la jeune femme debout sur le lit, en position de défense.

Rentrant chez lui par une porte dérobée, Gareth pensait trouver la maison endormie. Il avait quitté la cour royale plus tôt que prévu. Tous ses efforts pour se divertir en compagnie de ses amis, avec une bonne bouteille de bourgogne et autour d'une table de jeu, avaient été vains. Une migraine lui martelait les tempes, il avait un goût amer dans la bouche. La nuit sans sommeil de la veille expliquait sans doute son état de fatigue. Le remède était simple : regagner sa chambre, véritable havre de paix au milieu de la maisonnée profondément endormie.

Mais alors qu'il entrait dans le vestibule, un étrange vacarme lui parvint du premier étage. Il entendit les cris hystériques de sa sœur. Ces derniers temps, Imogène n'avait pas perdu la tête, mais là, il comprit qu'elle était hors d'elle.

Il gravit les marches deux par deux. Les domestiques rassemblés devant la porte de Maude s'écartèrent pour le laisser entrer.

– Ventrebleu, que se passe-t-il ?

– C'est... c'est l'autre ! bégaya Imogène en désignant le lit d'un doigt tremblant. Ce n'est pas Maude ! Comment est-elle entrée ici ? C'est l'instrument du diable, cette fille ! Une sorcière !

En entendant l'accusation, les domestiques effrayés reculèrent d'un pas, regardant Miranda avec horreur.

– Ne soyez pas absurde, Imogène, déclara froidement Gareth. On n'accuse pas n'importe qui de sorcellerie.

Lentement, Imogène recouvrait la raison. Elle se mit à trembler et croisa les bras sur sa poitrine. En voyant les visages blêmes de ses servantes et l'attroupement derrière la porte, elle comprit qu'elle avait créé un véritable esclandre.

– Que chacun retourne se coucher, Garrison ! ordonna Gareth à son majordome.

Aussitôt, celui-ci donna l'ordre à tous de se disperser. Il les repoussa comme de la volaille échappée d'un poulailler, et ils obéirent comme à regret, continuant leurs commentaires à voix basse.

– Que se passe-t-il ici ? cria Maude en entrant dans la chambre. Je ne veux pas que tu souffres à ma place, Miranda !

Avec un cri, Chip quitta les bras de Maude pour se réfugier sur l'épaule de sa maîtresse d'où il lança des regards furibonds sur l'entourage.

Imogène se cacha le visage dans les mains en gémissant.

– Lady Dufort, c'est moi que vous vouliez voir, dit Maude d'un ton héroïque.

– Vous arrivez un peu tard, cousine, s'irrita Gareth. Miranda, veuillez descendre du lit, je vous prie.

– Pas avant que vous ayez désarmé votre sœur, milord. Elle voulait forcer Maude à lui obéir en la fouettant.

– Quoi ? s'exclama Gareth en apercevant l'arme d'Imogène pour la première fois.

– Elle aurait été capable de lui briser les os, persista Miranda. Et elle voulait attacher Maude au lit pour pouvoir mieux la battre ; regardez les bandelettes...

La servante qui les tenait à la main était toujours par terre, l'air abasourdi. Effrayée par le regard de braise du comte Darcourt, elle se releva précipitamment en déchirant son jupon.

– Elle m'a agressée, monsieur le comte. Elle m'a frappée. Je suis tombée, fit-elle d'une voix geignarde.

– Quand on va vous attacher pour vous torturer, il est normal de se défendre, lui lança Miranda.

Maude n'en pouvait plus. Elle s'assit sur le sofa et enfouit son visage dans un coussin.

D'un geste agacé, Gareth renvoya les servantes de sa sœur. Comment leur en vouloir d'avoir obéi à ses ordres ?

Les mains tremblantes, le regard vide, Imogène leva le visage vers son frère.

– Je l'ai fait pour vous, Gareth... Seulement pour vous... Tout a toujours été pour vous.

– Je sais, Imogène, répondit-il.

On décelait dans sa voix une grande tristesse et une profonde lassitude. Il lui prit les mains.

– Quand comprendrez-vous que je n'ai pas besoin... Oh, et puis tant pis. Allez vous coucher maintenant.

Il lui effleura la joue et la raccompagna à la porte.

– Dormiez-vous dans la chambre de Miranda, Maude ?

– Je ne dormais pas, répondit Maude en reposant le coussin. Je redoutais qu'il ne se passe quelque chose de terrible.

– Je vous conseille d'y retourner désormais.

– Mais pourquoi ? Pensez-vous que lady Imogène va tenter autre chose ?

– Non, mais je désire parler en privé à Miranda. Allez, partez !

Un peu inquiète, Maude fut obligée de lui obéir.

Gareth s'approcha du lit. Il souleva Miranda par la taille et la tint suspendue en l'air, contemplant son visage. Elle essayait de deviner ses pensées, en vain.

– Que Dieu me vienne en aide ! soupira-t-il. Si j'avais su que vous alliez mettre ma vie sens dessus dessous, feu follet, je me serais enfui de Douvres aussi vite que possible !

– Vous n'auriez tout de même pas voulu que je laisse votre sœur s'en prendre à Maude ? rétorqua Miranda.

– Telle que je vous connais, vous n'auriez pas pu le supporter. Et comment espérer que vous seriez simplement restée avec elle jusqu'à mon retour ? C'eût été trop simple...

Miranda se demandait s'il allait un jour la reposer par terre. Les mains de Gareth étaient fermes et chaudes, son regard déterminé.

Assis sur les oreillers, Chip se mit à lisser ses poils sans quitter les deux personnages des yeux. Une bûche craqua dans la cheminée. La pendule sonna la demi-heure.

Miranda toucha d'un doigt la bouche de Gareth. Il attrapa ce doigt et le prit dans sa bouche. Elle rit doucement, lui caressa la joue avec son autre main et lui baisa les paupières. Le souffle de Miranda était doux contre sa peau. Elle lui embrassa le menton où la barbe commençait à poindre.

Lentement, il la laissa glisser entre ses mains jusqu'à ce qu'elle touche terre. Lui tenant le visage, il lui embrassa les lèvres. Soupirant de joie, Miranda ferma les yeux, captivée par sa bouche.

Gareth releva la tête. Ses pupilles dilatées trahissaient le débat intérieur entre son devoir et sa passion. Il respira les cheveux de Miranda, sa peau, le parfum puissant de son désir de femme mêlé à des effluves de jasmin et d'eau de rose. La passion l'emporta sur la raison. Il la prit dans ses bras et traversa le couloir.

Gareth souleva le loquet de sa chambre, entra et referma la porte avec son pied. Chip s'énervait de l'autre côté.

– Pardonnez-moi, grommela Gareth en ouvrant la porte à nouveau.

Le singe bondit à l'intérieur, se réfugia sur le chambranle de la cheminée où il continua de se peigner.

Gareth lâcha Miranda sur le matelas où elle rebondit.

– Ma sœur n'a peut-être pas tort de parler de sorcellerie, dit-il en grimaçant. C'est la seule explication possible pour cette folie.

Miranda lui sourit. L'atmosphère était différente de la veille où tout s'était déroulé dans un enchantement féerique. Ici, dans la chambre de Gareth, il n'y avait ni magie ni mystère. Il était devenu un homme de chair et de sang, ardent et impatient, et elle était très consciente des exigences de son propre corps. La veille, elle n'avait pas eu les mots pour décrire ce qui lui arrivait, mais ce soir, tout lui semblait cristallin.

Le souffle court, Gareth se dévêtit rapidement.

Miranda retira sa chemise. Elle s'agenouilla sur le lit, sans le quitter des yeux. Sa langue lécha sa lèvre quand il défit ses chausses. Gareth rit, amusé par cette mimique aussi leste qu'innocente. Il posa un pied sur le lit pour retirer ses bas. Miranda détaillait chacun de ses gestes. Elle avait souvent vu des hommes nus, mais celui-ci était magnifique.

Elle saisit les hanches minces de Gareth, approcha

son visage du membre en érection. Elle respirait l'odeur musquée alors que sa langue le caressait, ses dents le taquinaient, comme si elle savait depuis toujours comment le satisfaire.

Elle planta les doigts dans les fesses fermes de Gareth. Les mains de son amant fouillaient ses cheveux, son membre tressaillait dans sa bouche et elle sentait les frissons qui lui parcouraient le ventre.

– Pas si vite, chérie... murmura-t-il en l'obligeant à lever la tête.

– Pourquoi pas ?

Elle fit courir ses mains sur le torse musclé, se blottit contre lui. Puis, elle écarta les cuisses et lui enserra les reins entre ses jambes.

La tête en arrière, elle ferma les yeux. Il se pencha pour lui prendre la bouche, goûtant à ses lèvres pulpeuses.

Puis, glissant ses mains sous ses fesses, il la souleva. Il était prisonnier des bras et des jambes de Miranda. Le corps souple s'offrait à lui.

Elle exulta de bonheur quand il la pénétra. Ils étaient si parfaitement unis que rien ne pouvait les séparer. Elle le chevaucha en riant.

Gareth sourit, ne pouvant détacher les yeux du visage de sa bien-aimée. Il était rempli de joie, de tendresse, et d'étonnement qu'une ingénue pût aussi bien deviner les jeux de l'amour. Elle mordilla sa lèvre inférieure, et son regard fonça, tel un ciel au crépuscule.

Il était enfoui profondément en elle, conscient de chacun de ses tressaillements. Le monde était réduit à leur union charnelle. Il se sentit entraîné par un tourbillon, et alors qu'il se retenait, un frisson saisit Miranda, puis son corps se convulsa.

Il retint sa respiration jusqu'à ce qu'elle eût la plénitude de sa jouissance, puis il s'abandonna à son tour avec un cri de joie et d'étonnement.

La tête de Miranda retomba sur l'épaule de Gareth. Elle s'agrippa à son cou tandis qu'il retenait son corps épuisé.

– Où donc as-tu appris ces tours de magie, ma chérie ? murmura-t-il.

– Je ne sais pas, mais c'était merveilleux, n'est-ce pas ?

Elle rejeta la tête en arrière et lui lança un regard si satisfait et triomphant qu'il se mit à rire. Il repoussa quelques mèches de son visage et l'embrassa.

Une ombre passa dans les yeux de Gareth.

– J'ai très faim, s'empressa-t-elle de déclarer comme pour éviter un moment dangereux. On n'a rien eu à manger à la Cour. Pourquoi est-ce qu'on n'y offre pas de rafraîchissements ?

– La reine est très économe. Certains diraient même avare. Mais il y a de la nourriture là-bas sur le plateau, indiqua-t-il.

Alors qu'elle y allait, il admira sa chute de reins, ses hanches, ses cuisses longues et musclées... Il sentit poindre à nouveau le désir, ce qui chassa momentanément les sombres pressentiments qui l'avaient un instant assailli. Elle se tourna vers lui, mordillant une cuisse de poulet.

Elle lui en offrit un morceau. Gareth accepta, puis il lécha chacun des doigts de Miranda. Il remplit un verre de vin rouge capiteux et en prit une gorgée. Mais au lieu d'avaler, il se pencha vers les lèvres de sa maîtresse et entrouvrit les siennes. Elle savoura le vin parfumé par la bouche de Gareth.

– Encore, dit-elle.

Il recommença, l'attirant sur ses genoux, alors qu'elle le nourrissait avec des bouchées qu'elle choisissait sur le plateau.

Le coq chanta avant qu'ils ne se lassent de ces jeux sensuels. Miranda s'appuya sur son épaule, tandis qu'il jouait avec le bourgeon de sa féminité, effleurant ses lèvres secrètes. La main de Gareth lui apporta une satisfaction langoureuse et elle le gratifia d'un sourire ensommeillé. Il la prit dans ses bras et la coucha sur le lit avant de s'allonger à côté d'elle.

– J'espère que nous nous réveillerons avant l'arrivée

du duc, murmura Miranda en se retournant et collant son petit derrière contre Gareth.

Longtemps, il contempla le ciel de lit brodé, suivant des yeux les motifs familiers, tandis que la chambre s'éclaircissait peu à peu et que Miranda dormait.

Ses appréhensions revinrent en force, le remplissant de honte et de colère. Quel genre d'homme était-il ? Pourquoi ne pouvait-il pas résister à la tentation ?

Furieux, il resta éveillé un long moment avant de sombrer dans un sommeil agité de rêves qui avaient le goût amer du désespoir.

18

Il était presque huit heures quand Gareth quitta la demeure. Miranda était retournée dans sa chambre où son absence était passée inaperçue. Désormais, Gareth avait une dernière tâche à exécuter avant l'arrivée d'Henri de France.

Il retrouva sans difficulté l'échoppe du cordonnier non loin de l'endroit où la troupe avait organisé son spectacle. Le cordonnier travaillait déjà. Il se leva d'un bond en voyant le gentilhomme.

– Que puis-je pour vous, monseigneur ? demanda-t-il en s'inclinant si bas que son nez frôla son tablier en cuir.

– Je dois voir vos locataires. Sont-ils chez eux ?

– Je vais les appeler, dit le cordonnier, un peu déçu.

– Non... Je vais monter.

Gareth grimpa l'étroit escalier. Le cordonnier le suivit discrètement et patienta, aux aguets.

Gareth frappa à la porte mais on ne lui répondit pas. Il entendait des voix, des sons étranges et des jurons colorés. Il poussa la porte.

La chambre débordait d'activité. Les saltimbanques rangeaient leurs paillasses, réparaient certains ustensiles. Mama Gertrude, sa chemise baissée à la taille, lavait sa poitrine imposante. Elle lâcha tout en poussant un cri.

– Seigneur, c'est le comte Darcourt ! Il est arrivé malheur à Miranda, milord ?

– Pas du tout, répondit Gareth en détournant pudiquement les yeux. Pardonnez-moi de vous déranger, mais je dois vous parler d'une chose de première importance.

Raoul reposa un gobelet en cuir sur une malle et s'essuya la bouche avec la main.

– Où est Miranda ? demanda le petit Robbie qui brossait le chien de Luke. Elle a dit qu'elle reviendrait. Elle va revenir, hein, milord ? s'affola-t-il en essayant de se lever.

Gareth comprit que la situation serait plus difficile que prévu. Luke le dévisageait d'un air mécontent.

– Je dois avoir une discussion avec Bert et Gertrude, dit-il, soulagé de voir que Gertrude avait remis sa chemise. J'ai une proposition à vous faire...

– Nous n'allons pas la vendre pour qu'elle devienne une catin... Pardonnez-moi, milord, mais Miranda est comme ma fille...

– Madame ! protesta Gareth en levant la main. Il ne s'agit pas du tout de cela.

Bert reposa la flûte qu'il nettoyait et proposa de descendre à la taverne. Gertrude termina de lacer son corset.

– On ne parlera pas de Miranda hors de ma présence. C'est ma fille, insista-t-elle.

Gareth ouvrit la porte pour la laisser passer.

– Hé, toi ! s'exclama-t-elle en voyant le cordonnier détaler. Qu'est-ce qui te prend d'écouter aux portes ?

Dépité, le cordonnier retourna derrière son établi. De toute façon, il n'avait rien appris d'intéressant.

L'auberge était tranquille en cette heure matinale. Gareth commanda une bouteille de vin frais des Canaries. Gertrude examina son verre d'un air soupçonneux.

– Qu'est-ce qu'on fête, milord ?

Gareth prit une bourse en cuir dans sa poche. Il la posa sur la table.

– Qu'est-ce que c'est ? demanda Bert.

– Cinquante couronnes.

Il y eut un silence. Bert passa la langue sur ses lèvres soudain desséchées. Mama Gertrude dévisagea Gareth avec hostilité.

– Qu'est-ce que vous voulez de nous ?

– Je veux que vous quittiez Londres aujourd'hui et que vous retourniez en France.

– Sans Miranda ? s'offusqua Mama Gertrude alors que Bert avait déjà posé la main sur la bourse. Lâche ça, Bert !

Bert obéit, cracha par terre, et avala une rasade de vin.

Gareth déclara qu'il devait leur raconter une histoire.

Alors, ils écoutèrent, ébahis, le récit dramatique de la Saint-Barthélemy, une nuit qui s'était déroulée vingt ans auparavant.

– Maintenant vous comprenez que c'est dans l'intérêt de Miranda que vous partiez.

– Alors, l'autre fille, c'est sa sœur jumelle, fit Gertrude d'un air songeur. Mais pourquoi n'avez-vous pas dit la vérité à Miranda ?

– Parce que je ne sais pas comment elle va réagir, avoua Gareth. Et j'ai besoin de son aide. Quand mes projets pour son avenir seront décidés, je le lui dirai. J'espère que le jour venu, elle se sera habituée à sa nouvelle vie et que le bouleversement sera moins profond. Mais elle ne pourra pas s'adapter à notre monde, tant qu'elle peut retourner à son ancienne existence.

– Ce qu'il dit est raisonnable, Mama, dit Bert, la main revenant vers la bourse.

– Mais on ne peut pas partir sans dire un mot à Miranda, s'énerva Gertrude.

– Elle avait cru que vous l'aviez abandonnée à Douvres, lui rappela Gareth. Elle en avait été très attristée mais elle l'avait bien accepté... Elle se fera une raison encore une fois.

– C'est pas juste, insista Gertrude.

– Cinquante couronnes ! Penses-y ! grommela Bertrand.

– Je ne suis pas idiote !

– Pensez surtout à Miranda, persista Gareth. Si vous l'aimez, vous ne pouvez pas lui gâcher son avenir.

– C'est pas bien de partir sans lui en parler, persista Gertrude.

– Je vous jure que je lui dirai la vérité le moment venu. Et elle saura que vous ne l'avez pas abandonnée.

– Voilà qui est juste ! déclara Bert. En ce qui me concerne, c'est d'accord, milord. Les bons sentiments, ça ne mange pas de pain. Miranda a un bel avenir qui l'attend, et nous aussi, on a eu un peu de chance pour une fois !

Impassible, Gareth attendait. L'acquiescement de Bert ne valait rien sans l'assentiment de Mama Gertrude.

– Vous lui direz la vérité, milord. J'ai votre parole d'honneur ?

Elle le scrutait comme si elle pouvait lire dans son âme.

– Vous avez ma parole, madame, jura Gareth, la main sur son épée.

Gertrude soupira et vida son vin d'une traite.

– Puisque c'est pour le bien de la petite...

La bourse en cuir glissa dans la main de Bert et disparut dans sa poche. Il sourit à Gareth, se leva et lui tendit la main. Gareth la serra avant de s'incliner devant Gertrude.

– Dites-lui bien qu'on est ses amis, et surtout qu'on ne l'a pas abandonnée, insista Gertrude.

Elle quitta la salle d'un pas majestueux, Bert sur les talons.

Gareth se rassit et commanda une autre bouteille de vin. Cette conversation avait été pénible. Même s'il croyait avoir agi pour le mieux, il ne se sentait pas soulagé pour autant.

Le duc de Roissy est un homme très attirant, songea Miranda du haut de la galerie qui dominait le grand hall de Westminster. Leur première rencontre une heure auparavant avait été si formelle qu'elle avait à peine osé le regarder. Désormais, elle se voyait bien, sous le dais, avec la reine, discutant d'un air animé. Il avait un visage fin, un menton volontaire, un nez d'aigle proéminent. Elle trouva son visage austère, mais séduisant.

Puis son regard s'arrêta longuement sur le comte Darcourt. Son pourpoint sobre et ses chausses gris perle contrastaient avec les tenues chamarrées des courtisans. Une courte cape écarlate retenue sur l'épaule par une broche sertie de diamants mettait un point d'orgue à l'élégance de sa tenue.

Miranda lissa d'une main sa toilette en tissu argent, brodée de perles. Pour la première fois, elle portait une grande robe de dessus réalisée dans une étoffe de prix – dans son cas un velours blanc – et qui s'ouvrait sur la robe de dessous. Un bandeau de perles retenait la coiffe en dentelle qui dissimulait ses cheveux courts. Elle se dit que c'était une coiffure idéale pour une jeune fiancée. L'image même de la pureté virginale. Elle aurait été parfaite pour Maude...

Elle sourit en descendant l'escalier d'un pas rapide.

Les deux hommes s'éloignaient à reculons de la reine, avant de pouvoir se détourner après une dernière salutation.

– Lady Maude est à la hauteur de son portrait, murmura Henri. Et plus encore ! Je ne m'attendais pas à autant d'allant. L'artiste l'avait représentée plus grave...

– Quelques coups de pinceau suffisent rarement à saisir la vraie nature d'un être, répondit Gareth en se demandant ce qui amusait Miranda.

Les yeux de la jeune fille brillaient, ses joues étaient roses, son sourire séducteur. Ce n'était pas étonnant qu'Henri fût sous le charme ! Alors qu'ils l'observaient l'un et l'autre, Miranda fut entourée par trois jeunes gens qui rivalisèrent pour attirer son attention. Visiblement elle s'amusait de leur badinage, riant et agitant son éventail d'un air espiègle.

– Espérons qu'elle ne trouvera pas trop désagréable la cour d'un vieux soldat, dit Henri d'un ton sérieux. Je suis un piètre séducteur, Darcourt, et votre pupille semble habituée à beaucoup d'égards.

Comme vous vous trompez, Sire ! Mais Gareth ne pouvait pas révéler la vérité. À vrai dire, il était aussi surpris que les autres de voir Miranda évoluer avec autant d'aisance. Elle commettait parfois des erreurs, mais elle avait choisi de les ignorer, comme elle l'avait fait le soir où elle avait abandonné ses souliers ; et cette tactique avait tourné en sa faveur. La Cour trouvait que la cousine du comte Darcourt était une délicieuse excentrique.

Ce n'était pas, loin de là, l'avis de lady Mary. Depuis peu, elle était toujours contrariée. Elle ne ratait pas une occasion de critiquer la cousine de son fiancé et n'appréciait guère l'indulgence de Gareth envers la jeune fille.

Mary s'éloigna de la reine et, un sourire figé aux lèvres, elle fit une profonde révérence au prétendu duc de Roissy.

– Votre Grâce, Sa Majesté vous demande de lui faire l'honneur de venir dîner demain au palais. Avec le comte Darcourt, bien entendu.

– Veuillez adresser nos remerciements à Sa Majesté. Nous sommes très honorés, dit Henri. Pourrait-on la persuader d'inviter également lady Maude ? J'ai si peu de temps pour la courtiser que je n'aimerais pas perdre un instant.

Lady Mary sembla stupéfaite : on ne répondait pas à une demande royale en proposant ses propres invités.

– N'ayez pas l'air aussi choquée, madame. Le duc plaisantait, dit Gareth en posant la main sur l'épaule d'Henri.

Henri comprit son faux pas.

– Ce n'était qu'une plaisanterie, en effet, mais ma fiancée semble briser bien des cœurs et je dois m'occuper d'elle !

– Lady Maude est pleine d'entrain, Votre Grâce, déclara Mary non sans ruse. Il faut excuser sa jeunesse. Espérons que la pupille du comte Darcourt connaît ses obligations.

– Vous en doutez, madame ? répondit froidement Gareth.

Lady Mary sembla chagrinée d'avoir été rabrouée.

La jeune fille, en revanche, rayonnait sous les

regards. Lady Imogène vint la retirer à ses admirateurs. Miranda était resplendissante dans sa toilette argent et blanc, avec ses yeux vifs comme un ciel d'été, ses joues crémeuses toutes roses et ses lèvres sensuelles. Mary savait qu'elle était jalouse et que cette jalousie la rendait méchante, ce qui agaçait Gareth. Pourtant, elle n'arrivait pas à se corriger. Elle se força à sourire en voyant approcher Miranda et lady Imogène.

Imogène était plus pâle que d'habitude, et deux rides sur son front indiquèrent à Gareth qu'elle souffrait de l'une de ses fameuses migraines consécutives à la crise de nerfs de la nuit précédente.

– Lady Dufort, je dois vous féliciter pour votre protégée, dit Henri. Ce joyau vous fait honneur.

Henri de France voyait l'éclat radieux de la jeune fille, la fraîcheur, la tendresse de la jeunesse, ce qui le faisait sourire, mais il se sentait un peu maladroit en dépit de sa tenue élégante de courtisan.

Imogène le gratifia d'un sourire.

Miranda fit une révérence. Elle jeta une œillade à Henri par-dessus son éventail : une affectation qu'elle expérimentait depuis le début de la soirée et que le roi remarqua, amusé. Il caressa sa barbe. Ses mains étaient carrées, ses ongles courts. Miranda contempla les longues mains élégantes de Gareth. Elle frissonna en se rappelant les caresses de ces mains blanches qui avaient joué avec son corps tel un musicien avec son instrument.

– Voulez-vous vous promener avec moi, mademoiselle ? demanda Henri. J'ai votre permission, Darcourt ? ajouta-t-il en arquant l'un de ses sourcils broussailleux.

Gareth prit la main de Miranda pour la placer sur le bras d'Henri de France.

– Je vois que vous portez mon bracelet, ma chère, fit remarquer Henri. Il vous sied à merveille.

– Merci, Votre Grâce. C'est un magnifique présent.

– Il avait appartenu à votre mère. Il retrouve ainsi son véritable propriétaire.

– C'est mon père qui vous l'a donné ? s'enquit Miranda alors que la breloque scintillait à la lumière.

– Oui, répondit Henri d'un air sombre. Votre père était l'un de mes meilleurs amis. Après le meurtre de votre mère, il a conservé précieusement ce bracelet. Sur son lit de mort, il me l'a donné en souvenir de cette nuit tragique, comme un symbole de tout ce que nous avons perdu... (Il ajouta à mi-voix, comme pour lui-même :) et de tout ce que nous devons venger.

Il y eut un silence et Henri secoua la tête comme pour en chasser ses sinistres souvenirs.

– Venez, très chère. Vous allez me parler un peu de vous.

Miranda jeta un coup d'œil à Gareth, mais il l'ignora.

– Si vous le préférez, Votre Grâce, nous pouvons parler français, dit Miranda alors qu'Henri la guidait vers l'autre côté de la pièce où une tapisserie semblait cacher une porte de sortie.

– Vous parlez ma langue ? s'étonna Henri, enchanté.

– Assez bien, fit-elle en français. Comment s'est passé votre voyage ? La Manche est parfois agitée en cette saison.

– Vous êtes déjà allée en France ? Votre tuteur ne m'a pas dit que vous étiez retournée dans le pays de votre naissance.

– Non... En effet, Votre Grâce, bafouilla Miranda. Mais on m'a souvent parlé des mers agitées.

– Vous habitez l'Angleterre depuis votre petite enfance et pourtant vous parlez comme une Française, reprit-il, encore plus surpris.

– J'ai eu un excellent professeur. Nous parlions français tous les jours pendant plusieurs heures. Le comte Darcourt tenait à ce que je parle les deux langues couramment.

Henri était satisfait. Sa jeune épouse serait d'autant mieux accueillie dans son pays.

– Tant que nous sommes ici, nous parlerons anglais. C'est plus poli vis-à-vis de nos hôtes, et cela me fera du bien de m'entraîner, sourit-il d'un air modeste.

Miranda songea que ce sourire était ce qu'il avait de

plus attirant. Elle comprit qu'il n'en abusait pas et qu'une force contenue chez lui rendait ce sourire encore plus attachant. Maude le trouverait-elle séduisant ? C'était encore impossible à savoir.

– Voyons ce qui se cache derrière cette tapisserie, fit Henri. Ah, une alcôve où nous serons tranquilles.

– Mais, Votre Grâce, est-ce que cela n'est pas inconvenant de ma part ? s'inquiéta-t-elle.

– Sa Majesté a donné sa bénédiction à nos fiançailles. J'apprécie la modestie, mais ne craignez rien, on ne vous critiquera pas tant que la reine et votre tuteur nous sourient.

C'était une alcôve avec une fenêtre. La tapisserie protégeait la pièce des courants d'air. On avait placé un banc en bois sous la fenêtre. Henri l'ouvrit toute grande.

– J'étouffais ! s'exclama-t-il. Je ne supporte pas d'être trop longtemps enfermé. Je suis un soldat, lady Maude. Je ne suis pas très raffiné. Je préfère ma tente militaire à un toit de tuiles ou de chaume.

– Moi-même, je préfère le plein air. Il n'y a rien de plus... (Miranda s'interrompit brusquement. Elle avait été sur le point de lui décrire les délices de dormir à la belle étoile en plein été.) Il n'y a rien de plus agréable qu'une promenade dans les bois, bredouilla-t-elle. Mais à vos yeux, cela doit être bien ennuyeux.

– C'est un passe-temps digne d'une jeune fille de bonne famille. Asseyez-vous près de moi et dites-moi franchement : notre mariage vous convient-il ?

Il lui releva le menton et la scruta avec attention.

– Votre Grâce, je suis obéissante, murmura-t-elle en baissant les yeux.

– Vous ne répondez pas à ma question, petite. Je ne veux pas d'un mariage avec une jeune fille réticente. Cette fois-ci, je veux une épouse qui vienne vers moi de son plein gré, et non pour des raisons politiques.

Il était en colère. Que Dieu leur vienne en aide si jamais cet homme apprenait la mystification ! songea Miranda, effrayée.

– J'ignorais que vous aviez déjà été marié, Votre Grâce.

– Un homme de trente-neuf ans a forcément un passé, ma chère, lâcha-t-il d'un air irrité.

Son pourpoint le serrait aux épaules et sa chemise en soie lui semblait aussi molle qu'une mue de serpent. Il pensa avec nostalgie à sa chemise en lin rêche et à sa tenue de cavalier.

– Êtes-vous mal à l'aise, Votre Grâce ? s'étonna Miranda alors qu'il s'agitait comme un buisson d'orties.

– Ce fichu pourpoint est trop serré ! grommela-t-il avant de s'apercevoir que ce sujet de conversation était indécent. Ma femme est morte, ajouta-t-il.

Ce mensonge lui échappa facilement. En ce moment même, Marguerite se prélassait probablement dans les bras de l'un de ses nombreux amants. Mais elle lui avait donné sa bénédiction pour cette entreprise. À l'époque, bien que Marguerite eût été révoltée par le mariage arrangé par sa mère et son frère, elle n'avait pas su qu'elle était l'appât du piège qui devait entraîner le massacre. En dépit de sa réticence envers leur union, elle avait sauvé la vie de son mari et, depuis lors, ils étaient restés amis. Mais elle serait aussi soulagée que lui d'être débarrassée du fardeau de ce mariage. Henri songea que Marguerite trouverait sûrement cette jeune fille attachante...

Il était convaincu que la modestie de sa fiancée était une simulation. Elle avait un caractère beaucoup plus affirmé que celui qu'elle affichait. Il l'avait dévisagée alors qu'elle se croyait à l'abri des regards et il avait noté la sagacité de son regard azur. Une véritable ingénue n'aurait pas su jouer la coquette avec autant de talent. Sans aucun doute, elle plairait à Marguerite.

Il lui prit la main. Aussitôt, elle se raidit.

– N'ayez pas peur, murmura-t-il en portant la main à ses lèvres.

Miranda essaya de retirer sa main. Il n'y avait qu'un seul homme à qui elle pouvait répondre comme le désirait son prétendant.

Henri s'impatienta. Il lui serra le poignet plus fortement alors qu'il lui caressait le cou. Elle essaya de protester. Le décolleté de sa robe était profond, accentué par le col élevé de la fraise. Ignorant la résistance de sa fiancée, il glissa ses doigts dans la vallée entre ses seins.

– Votre Grâce, il ne faut pas ! dit Miranda en s'écartant.

– Est-ce trop tôt pour les jeux de l'amour, ma chère ? Mais je sais que vous aimez jouer les coquettes, s'amusa-t-il.

Aussitôt, Henri sentit le pouls de la jeune fille s'accélérer. Il fut enchanté par cette réaction qui dénotait une nature passionnée.

– Nous venons seulement de nous rencontrer.

– Je comprends, vous désirez être courtisée comme une jeune fille bien élevée.

Henri était soucieux. Il n'avait pas de temps à perdre. Il devait rentrer en France avant la fin du mois et il voulait s'assurer des sentiments de sa fiancée avant son retour.

– Voulez-vous me raccompagner auprès de lady Dufort, Votre Grâce ?

– Auparavant, je désire une petite marque de votre affection.

D'une main ferme, il l'obligea à relever la tête. Elle vit le regard perçant comme celui d'un aigle se pencher vers elle, la bouche aux lèvres minces se rapprocher. Miranda se raidit, mais elle se rappela que tout cela n'était qu'un artifice. Elle jouait à être Maude, une ingénue timide qui obéissait à son tuteur, mais qui n'était pas rebutée par son prétendant et qui ne reculait pas devant ce mariage.

Lorsqu'il effleura ses lèvres dans un baiser, elle sursauta.

– Veuillez m'excuser, Votre Grâce... Je ne suis pas habituée.

Henri se sentit frustré. Il savait qu'il poussait un peu loin le jeu de la séduction, mais la réaction paniquée de sa fiancée avait été sincère.

Dépité, il se leva et lui offrit le bras. Il la ramena auprès de son chaperon, sachant qu'il aurait d'autres occasions dans les jours à venir pour mieux la connaître.

Gareth les avait vus s'éclipser derrière la tapisserie. En dépit des conversations de ses voisins, il n'avait cessé de penser à Miranda et à Henri.

– Tu es trop distrait ! s'exclama Brian Rossiter. Viens donc jouer aux cartes.

– Ta cousine semble plaire au duc de Roissy, fit remarquer Kip. Que pense Sa Majesté de cette alliance ?

– Elle en est enchantée, dit Gareth, les yeux rivés sur la tapisserie.

– Alors, pourquoi est-ce que tu t'inquiètes, mon ami ? reprit Brian. La fille est consentante, Roissy aussi. La reine a donné son accord. Tout va pour le mieux dans le meilleur des mondes !

– Maude n'a pas l'habitude de la vie à la Cour, grommela Gareth.

Miranda et Henri émergèrent de l'alcôve. Gareth retint son souffle : qu'avaient-ils fait derrière la tapisserie ? Henri l'avait-il caressée, lui avait-il murmuré des mots doux ? L'avait-il embrassée ? Et pourquoi lui, Gareth, en était-il aussi préoccupé ?

Miranda restait immobile, cherchant Gareth des yeux. Lorsque leurs regards se croisèrent, il y eut entre eux un élan vibrant et palpable, tel un filin d'or.

Gareth tourna les talons et quitta la salle.

19

Perturbée par sa migraine, lady Dufort montait avec difficulté les marches de l'escalier, soutenue par Miranda.

La jeune fille la confia aux soins de la servante à face de rat avant de rejoindre la chambre de Maude. Comme d'habitude, Chip l'accueillit comme si elle venait de ressusciter. Bien qu'il soit habitué à Maude à qui sa maîtresse le confiait souvent, il acceptait mal ses absences, et chaque fois son accueil était délirant d'enthousiasme.

Maude posa sa broderie et lui demanda de tout lui raconter. Elle était assise sur le sofa, mais depuis quelques jours elle avait abandonné ses châles et ses couvertures. Au lieu de rester allongée avec des compresses d'eau de lavande sur le front, elle cherchait à s'occuper. Elle lisait, dessinait ou brodait au petit point.

– Tu avances ! la taquina Miranda en examinant le canevas où des bergères gambadaient dans un pré avec des moutons.

– Je l'ai commencé il y a cinq ans ! fit Maude avec une moue. Mais je n'ai avancé vraiment que ces dernières semaines.

– C'est un peu ennuyeux comme motif...

– Tu as raison. Je devrais peut-être en commencer un autre. Une bataille ou une chasse à courre, quelque chose de plus animé...

– Il faut toujours finir ce que l'on a commencé, l'avertit Miranda. Sinon, on prend vite l'habitude de laisser les choses à moitié terminées.

Maude accepta le conseil comme elle acceptait presque tout ce que disait Miranda. Quelqu'un qui avait vécu une vie aussi rude était digne de confiance !

– Regarde les vêtements que j'ai trouvés pour Robbie, dit Maude. Tu crois qu'il les aimera ?

Elle montra un petit pantalon, une chemise en lin, des caleçons et des chaussettes rayées.

– Je ne savais pas quoi faire pour les souliers à cause de son pauvre pied.

– Je vais lui faire fabriquer des chaussures spéciales dès que le comte m'aura payé mes cinquante couronnes, dit Miranda. Ces habits sont merveilleux !

– Il y a aussi ce veston qui lui tiendra bien chaud. Il est pratiquement neuf. Ce sont les vêtements du dimanche du neveu de la cuisinière, mais elle a été très heureuse de me les vendre pour cinq shillings.

– Je te rembourserai dès que j'aurai reçu mon argent, promit Miranda en pliant les vêtements.

– Non, c'est mon cadeau pour Robbie et j'aimerais bien pouvoir l'aider davantage. Mais parle-moi du duc de Roissy. Comment est-il ?

Miranda s'assit sur un tabouret à distance respectueuse du feu de la cheminée.

– C'est un homme charmant. Je crois que tu l'aimerais beaucoup. Il n'a pas de manières très raffinées, il est même un peu fruste. Il reconnaît lui-même qu'il a été soldat toute sa vie.

En parlant, elle chatouillait la nuque de Chip qui était aux anges.

– J'ai aussi le sentiment que c'est quelqu'un qu'il ne faut pas contrarier, ajouta-t-elle.

– Mais il t'a plu ?

– Oui, la plupart du temps, je l'ai trouvé très plaisant, dit Miranda en rougissant. Malheureusement, il a essayé de m'embrasser. Je vais devoir trouver un moyen pour le convaincre de garder ses distances.

– Je croyais que les baisers appartenaient au rituel de l'amour. Dans leurs récits, les troubadours parlent souvent de baisers et de mots tendres.

– Évidemment, mais ce n'est pas vraiment moi qu'il courtise. Ce serait différent pour toi. Tu apprécierais ces marques d'affection. Je suis certaine que tu l'aimerais...

– Je ne vais pas l'épouser ! s'exclama Maude. Je ne sais pas ce qu'espère Gareth, mais je n'épouserai pas le duc. Je ne me marierai jamais ! (Elle se leva pour arpenter la chambre.) Je vais entrer au couvent avec Berthe.

Tout en l'affirmant bien fort, Maude éprouva un doute pour la première fois. Troublée, elle se rassit. Comme tout devenait compliqué ! Pourtant, elle voulait entrer au couvent et consacrer sa vie à Dieu, non ?

– Qu'est-ce qui te préoccupe ? demanda Miranda.

– Je ne sais pas. Depuis ton arrivée, tout me semble moins clair. Ce n'est peut-être pas une mauvaise chose d'ailleurs. Je suis un peu trop jeune pour avoir décidé de mon avenir. Qu'en penses-tu ?

– Tu n'as plus envie d'entrer au couvent ?

– Je ne sais pas, s'affola Maude. Mais je sais que je ne veux pas épouser le duc de Roissy.

– Tu devrais peut-être le rencontrer avant de prendre ta décision.

– Ça servirait à quoi ? lança Maude, agacée, en prenant une bouchée à la frangipane dans une corbeille de friandises.

– Je crois que tu as peur. Et si tu manges trop de bonbons, tes dents se gâteront, dit Miranda en prenant un raisin au miel.

Chip babilla en tendant la main. Elle lui donna une sucrerie.

– Pourquoi aurais-je peur de rencontrer le duc ? s'agaça Maude.

– Tu as peut-être peur de le trouver à ton goût, dit Miranda en se levant d'un bond. Y a-t-il autre chose à manger ? Je meurs de faim ! Je vais descendre à la cuisine. Tu veux quelque chose ?

– Tu ne dois pas aller à la cuisine, s'indigna Maude. Tire sur le cordon. Un domestique va venir.

Avec un léger rire, Miranda s'échappa.

Restée seule, Maude croqua des amandes au sucre en contemplant le feu. Miranda avait peut-être raison.

Craignait-elle de rencontrer le duc et de mettre ses convictions à l'épreuve ? Et si elle le trouvait sympathique ? Elle s'imagina duchesse de Roissy. Elle aurait sa propre maisonnée, un rang à la Cour, personne pour lui donner des ordres. Elle serait soumise à l'autorité de son mari, bien entendu, mais tant qu'il ne se comporterait pas en tyran, ce serait supportable.

Miranda revint avec un lourd plateau, interrompant les rêveries de sa jeune amie :

– Tourte au gibier, aspic de langoustines, une compote de champignons. J'ai aussi pris la liberté d'emprunter une bouteille de vin à l'office.

Miranda posa le plateau et déboucha la bouteille.

– Je n'ai pas pu trouver des verres en cristal. J'espère que vous accepterez ce gobelet en étain, Votre Altesse, plaisanta Miranda.

Maude éclata de rire. Miranda était irrésistible. Maude avait oublié ce qu'était la mélancolie, et par moments, elle oubliait même d'être pieuse. Elle confessait ces manquements au père Damian qui ne semblait pas s'en offusquer outre mesure et lui ordonnait quelques prières de contrition.

Ce fut leurs joyeux éclats de rire qui attirèrent l'attention d'Henri de France une demi-heure plus tard.

– On dirait lady Maude, fit-il en s'arrêtant devant la porte.

– Mais oui, répondit Gareth qui parvenait à distinguer les deux rires.

– Elle semble bien s'amuser. Je ne pensais pas qu'elle se couchait si tard. A-t-elle une amie auprès d'elle ?

– Oui, une parente éloignée qui partage l'éducation de Maude. Votre chambre est par ici, Votre Grâce.

Henri suivit son hôte.

Derrière lui, la porte s'entrouvrit et un regard bleu scruta le corridor. Henri se retourna. Les regards se croisèrent un bref instant, puis la jeune fille claqua la porte.

– Je crois qu'il m'a vue ! s'exclama Maude, une main à la gorge. Il s'est retourné pendant que je le regardais.

– Alors, il t'a plu ? bafouilla Miranda, la bouche pleine.
– Je n'ai pas eu assez de temps pour me faire une idée. De toute façon, ça ne m'intéresse pas.
– Bien sûr que non ! ajouta Miranda. Tu n'avais aucune raison de l'espionner !

Miranda quitta la demeure à l'aube, les nouveaux vêtements de Robbie sous le bras. Ravi d'être dehors par une matinée fraîche et ensoleillée, Chip caracolait devant elle, retirant son chapeau pour saluer les passants.

Miranda portait sa vieille robe, un fichu sur la tête, des sabots aux pieds. Elle était redevenue une bohémienne vagabonde et elle se mêlait à la foule bruissante de la ville.

Elle avait mal dormi, tendant l'oreille en espérant entendre le loquet se soulever, mais rien n'était venu troubler sa nuit. Gareth était resté dans sa chambre et elle s'était retournée dans son lit pendant des heures, le corps fébrile.

Elle emprunta la ruelle où logeait la troupe. Chip pénétra en premier dans l'échoppe du cordonnier. Miranda salua l'artisan qui ouvrait ses volets. Il la regarda d'un air fatigué sans la reconnaître.

– Je viens voir vos locataires, expliqua-t-elle.
– Ils sont partis, fit-il en se curant les dents d'un ongle sale.
– C'est impossible, voyons, dit Miranda.
– Je vous dis qu'ils sont partis, insista-t-il alors qu'elle se dirigeait vers le petit escalier.

Le cœur battant, elle monta au premier. Au bout du corridor, c'était le silence total. Elle souleva le loquet et ouvrit la porte : la petite pièce était vide, les volets fermés. Chip lui sauta dans les bras en criaillant d'un air affolé. Il se couvrit les yeux avec les mains et regarda entre ses doigts l'espace désert.

Miranda n'arrivait pas à y croire.

Elle ouvrit les volets et le soleil inonda la pièce. Dans

un coin gisait la toupie de Robbie. Un jour, dans un rare élan de générosité, Jebediah la lui avait taillée dans un morceau de bois.

Elle eut les larmes aux yeux, des larmes dues à la trahison, à l'incompréhension, à la solitude...

– Où sont-ils partis ? demanda-t-elle d'une voix rauque au cordonnier.

– Comment je peux le savoir ? Ils ont payé et ils sont partis hier matin.

– Mais ils ne seraient pas partis sans me le dire ! cria-t-elle.

– Ne soyez pas triste, s'apitoya le vieil homme. P't-être que le gentilhomme qui est venu les voir les a obligés à partir sans attendre.

– Quel gentilhomme ?

– Je ne sais pas son nom, mais c'était un vrai seigneur. Il semblait les connaître. Il est allé à la taverne avec deux d'entre eux. La grosse dame et l'un des hommes... C'est tout ce que j'ai vu. Quand ils sont revenus, ils m'ont payé et ils sont partis. Le petit pleurait beaucoup.

– Robbie, murmura Miranda, effondrée. Cet homme, avait-il des cheveux noirs, des yeux bruns ?

Elle devinait la réponse, mais c'était difficile à croire !

– Il avait des cheveux noirs et pas de barbe, ça j'en suis sûr.

Mais pourquoi ? Pourquoi ?

Le cœur serré, Miranda repoussa l'artisan et descendit l'escalier en courant. Chip s'accrochait à son cou. Pourquoi Gareth aurait-il renvoyé les siens ? Il savait combien elle tenait à eux ! Il l'avait entendue leur dire qu'elle allait revenir avec des habits pour Robbie.

Elle courut vers Ludgate. Sa douleur augmentait sans cesse. Elle avait l'impression d'étouffer. Cette trahison était aussi terrible qu'un coup de poignard. Tellement injuste, tellement inutile...

Elle franchit les portes de la ville et courut encore sur la route, vers le Strand, ignorant les regards étonnés. Elle sanglotait de colère et de stupeur.

La grille du palais était ouverte afin de laisser passer

la charrette d'un marchand qui livrait des barriques de vin. Miranda traversa la cour en hâte, gravit le grand escalier, et ouvrit brutalement la porte du comte.

Gareth était pieds nus, vêtu seulement de ses chausses. Le visage couvert de savon, il se retourna.

– Dieu du ciel ! Que faites-vous ici ? Pourquoi portez-vous cette robe ? Sortez d'ici, Miranda ! ordonna-t-il en s'essuyant le visage.

– Pourquoi les avez-vous renvoyés ? C'est vous le responsable, n'est-ce pas ?

Gareth referma la porte derrière elle.

– Écoutez-moi, vous allez tout gâcher ! lança-t-il d'un ton ferme. Retournez à votre chambre. Habillez-vous convenablement et nous en discuterons.

Les yeux brillants de larmes de colère, Miranda secoua la tête.

– Je m'en fiche de gâcher quoi que ce soit. Je veux savoir ce que vous avez dit... ce que vous avez fait... pourquoi vous les avez fait partir. J'exige de le savoir !

Sa voix mélodieuse était rauque de désespoir. Gareth la prit par les épaules et la secoua.

– Silence ! Hen... Le duc est dans la chambre attenante. Toute la maisonnée est debout et vous allez les alerter avec vos cris.

– Ça m'est égal ! fit-elle en essayant de lui échapper. Je m'en fiche, vous m'entendez !

Des larmes coulèrent sur ses joues. Il l'avait trahie. Elle l'aimait et il l'avait poignardée dans le dos. Désormais, il craignait seulement qu'elle ne gâchât son projet à cause de son désarroi.

Furieuse, elle saisit la serviette qu'il tenait à la main et essuya son visage où les larmes coulaient à flots. La serviette était humide et parfumée du savon dont il s'était servi pour se raser. Elle sanglota de plus belle.

Gareth aurait su comment réagir à la colère, mais cette détresse était si surprenante chez Miranda, si douloureuse à voir, qu'il en était bouleversé. La prenant dans ses bras, il s'assit sur le lit et la berça comme une enfant.

– Doucement, ma chérie. Ne pleurez pas. Je vous en prie, ne pleurez pas.

Il écarta les mèches humides qui lui collaient au front, lui caressa la joue.

– C'est ma famille ! s'exclama Miranda en le repoussant. Que leur avez-vous dit pour qu'ils m'abandonnent ?

– Ils ont compris que c'était dans votre intérêt.

Gareth se sentait désespéré mais il devait reprendre la situation en main. Il devait prouver à Miranda qu'il avait eu raison. Il la serra contre lui alors qu'elle se débattait.

– Écoutez-moi ! Comment puis-je vous expliquer quoi que ce soit si vous bougez sans arrêt ?

Miranda s'apaisa. Sa gorge était brûlante, elle avait mal à la poitrine et ses yeux lui piquaient.

Gareth effleura ses douces lèvres d'un doigt, mais elle refusa de le regarder.

– J'ai dit à vos amis que je ne pensais pas que vous pourriez prendre la place de Maude avec assez de conviction s'ils restaient à Londres, parce que vous auriez envie de les rejoindre à la première occasion. Je leur ai expliqué que c'était difficile pour vous d'être partagée entre deux engagements, et que vous vouliez les aider, mais que vous aviez de la peine à vous concentrer sur votre nouveau rôle.

Miranda écouta son ton serein, sentit le souffle de Gareth sur le dessus de sa tête. Il continuait à lui caresser la bouche et la joue. À travers l'étoffe légère de sa robe, elle percevait la peau tiède de son amant.

– Mama Gertrude et Bert ont pensé que ce serait plus facile pour vous s'ils quittaient la ville.

– Ils ont décidé ça tout seuls ?

– J'ai dû d'abord leur expliquer la situation, dit-il en lui caressant les paupières.

– Mais pourquoi est-ce qu'ils ne m'ont pas dit au revoir ? Où sont-ils partis ? Comment vais-je les retrouver ?

Quand elle ouvrit la bouche pour poser une autre question, il lui embrassa les lèvres.

– Ayez confiance en moi, feu follet. Je vous promets que tout va s'arranger, murmura-t-il.

Les yeux de Miranda se fermèrent alors qu'elle essayait de lutter contre l'abandon de son corps. Elle trouvait les explications de Gareth raisonnables, mais quelque chose la chiffonnait. Elle voulait lui faire confiance, elle voulait s'abandonner aux mains qui délaçaient son corselet et aux lèvres insistantes qui fouillaient les siennes. Mais au fond d'elle, la douleur continuait à irradier.

Elle essaya de le repousser, posant les mains sur son torse nu, mais Gareth avait libéré son sein droit dont le mamelon se tendait sous sa paume. Elle ressentit l'élan désormais familier du désir. Pourtant, elle continua de résister, gardant ses lèvres fermées comme pour se protéger de l'assaut langoureux qui venait à bout de sa méfiance et de sa détresse. Il explora sa bouche avec la pointe de sa langue, sans la forcer, goûtant ses lèvres tout en lui tenant fermement le menton.

Pendant les longues heures solitaires de la nuit, Miranda avait rêvé de ces caresses. Peu à peu, son corps la trahissait et, bientôt, les protestations de son esprit n'étaient plus qu'un lointain écho.

Comme s'il le devinait, le baiser de Gareth devint plus exigeant, cherchant à pénétrer son intimité. Ses seins plaqués contre son torse, elle sentait battre le cœur de son amant à l'unisson avec le sien. Il la souleva, la plaça de travers sur ses genoux. Elle sentit sa virilité contre sa hanche et voulut le repousser dans un dernier effort ; mais il lui avait saisi les fesses, l'attirant à lui tandis que sa langue fouillait sa bouche.

Miranda fut consciente de la terrible douceur de cette étreinte. Instinctivement, elle savait que la force contre laquelle elle luttait lui apporterait la sérénité, chassant au loin l'intensité de son chagrin.

Gareth devinait qu'elle lâchait prise. Plus que tout, Miranda avait besoin de son ardeur et de son amour. La peau de la jeune femme était chaude, presque fiévreuse, et ses yeux immenses, lumineux de désir. Il défit sa robe et appuya ses lèvres sur le creux de son cou avant de descendre vers ses seins. Sa langue en lécha les rondeurs et taquina les mamelons. Elle gémit.

Il lui retira sa robe et entoura sa taille fine avec ses mains.

– Vous me faites confiance, feu follet ?

Comme seule réponse, elle lui caressa le visage, effleurant la mâchoire tendue, la nuque solide. L'urgence de la passion de Gareth était évidente dans son regard sombre, et pourtant Miranda savait qu'il maîtrisait parfaitement la situation. Gareth ne profitait pas d'un instant de faiblesse. En l'aimant avec son corps, il voulait partager un sentiment de sérénité et de bonheur absolus. En cela, elle pouvait lui faire confiance.

En la caressant à la découverte de promesses sensuelles, il l'incitait à réagir, et elle lui offrit l'intimité de ses secrets qu'il explora avec délices. Elle fut emportée sur une vague de plaisir, oubliant son désarroi et sa peine, et elle salua la mutation de son corps, de son âme et de son esprit, avec un cri d'allégresse.

Encore perdue sur les rivages du plaisir, Gareth la posa sur le lit. Il se dévêtit rapidement et s'allongea auprès d'elle. Agenouillé entre ses cuisses, il posa les jambes de Miranda sur ses épaules, glissa ses mains sous ses fesses pour la soulever. Elle fut pénétrée jusqu'à son essence.

Cette fois-ci, ils partagèrent la sauvage montée de gloire, la tornade qui les entraînait vers le néant. Quand tout fut terminé, Miranda resta allongée, jambes et bras écartés, savourant pleinement le bonheur éphémère de cette fusion. Le corps de Gareth était lourd, sa tête reposait sur son épaule.

Un rayon de soleil tomba sur le dos de Gareth.

– Vous m'empêchez de m'occuper de mes invités, sourit-il en posant une main sur le ventre de Miranda. Comment allez-vous sortir d'ici sans qu'on vous voie ?

Miranda s'assit. Le moment magique était passé. Après ces instants glorieux, Gareth ne pensait qu'à la faire sortir en cachette de sa chambre. Rien n'avait changé. Gareth était possédé par l'ambition. Comment en avait-elle douté ?

Elle se rappela l'instant sur la barque lorsqu'il lui avait parlé de cette ambition. Ses lèvres avaient pris cette expression cynique et amère qu'elle détestait. Elle aurait dû s'en souvenir. À l'époque, il n'avait fait aucune promesse, il avait admis qu'il voulait se servir d'elle. Et elle avait donné son âme en échange de quelques instants de plaisir physique.

Cette souffrance, elle ne la devait qu'à elle-même.

– Ne vous inquiétez pas, personne ne me verra partir, dit-elle en enfilant sa robe.

– Où allez-vous ? s'affola-t-il.

– Je vais sortir par la fenêtre.

– Ne soyez pas absurde, ma chérie, fit-il en riant. Je vais vérifier que le couloir est vide et vous sortirez par la porte.

– C'est plus sûr comme ça, affirma-t-elle d'un air buté, la jambe déjà passée par-dessus bord.

Chip, enchanté, sauta auprès d'elle.

– Miranda, revenez tout de suite.

Mais elle avait disparu. Gareth se précipita à la fenêtre. Chip se faufilait le long du lierre en direction de la chambre de sa maîtresse. Miranda, collée au mur comme un lézard, avançait prudemment. Lorsqu'elle agrippa le rebord de sa fenêtre, elle se hissa d'un seul coup à l'intérieur.

Soulagé, Gareth termina de s'habiller. Il ne s'était pas attendu à une réaction aussi extrême de Miranda. Elle qui était si rationnelle et pragmatique. Elle savait rire des petits inconvénients de la vie, voir toujours le bon côté des choses. Il avait bien imaginé qu'elle serait attristée par le départ des siens, ainsi qu'elle l'avait été à Douvres, mais il croyait qu'elle se ferait vite une raison. Il lui semblait que son erreur était de ne pas avoir deviné que le cordonnier le trahirait...

Gareth espérait que l'affaire était terminée et qu'il avait regagné sa confiance. Il ne supporterait pas de la voir malheureuse ni de croiser son regard accusateur.

Mais pour le moment, il devait s'occuper d'Henri de France. Il descendit en affichant un sourire serein.

En parfaite maîtresse de maison, Imogène présidait la table du petit déjeuner avec leurs invités.

Henri le salua en brandissant une cuisse de poulet.

– Bonjour, Darcourt. Vous m'aviez parlé d'une chasse à courre dans la forêt de Richmond aujourd'hui, il me semble ?

– Si vous le désirez, Votre Grâce.

– Nous partirons quand vous serez prêt, dit Henri alors que Gareth remplissait son assiette. Est-ce que votre pupille chasse aussi ?

– Maude n'est pas une cavalière émérite, s'excusa Gareth.

– Et elle ne prend pas de petit déjeuner non plus ?

– Elle aurait dû déjà nous rejoindre, s'inquiéta Imogène. Je vais aller la chercher.

Miranda s'était habillée, mais elle était perplexe. Elle avait dit à Gareth qu'elle lui faisait confiance, mais elle n'en était plus si sûre. Elle voulait surtout savoir où étaient les siens. Gareth n'avait pas semblé comprendre l'attachement qu'elle avait pour sa famille.

Ce serait plus facile de suivre la troupe tant que leurs traces étaient récentes. Ils devaient se diriger vers l'un des ports de la Manche, Douvres ou Folkestone. Quand elle aurait découvert leur destination, elle leur enverrait un messager leur demandant de l'attendre, et précisant qu'elle apporterait cinquante couronnes afin de régler leurs dépenses.

Quand Imogène entra sans frapper, Miranda était si absorbée par son projet qu'elle la regarda un instant sans la reconnaître.

– Il faut descendre. Le duc vous réclame.

Miranda ajusta sa coiffure. Elle était comédienne : le spectacle devait continuer.

Dans la salle du petit déjeuner, elle sourit aux hôtes avant de s'asseoir. N'ayant aucun appétit, elle mordilla une tranche de pain grillé.

– Vous n'avez pas faim, lady Maude ? demanda Henri en se resservant. Pourtant votre tuteur a une excellente table.

Miranda esquissa un sourire. Les lèvres du Français luisaient de gras, mais curieusement, ce n'était pas repoussant. Il semblait éclater dans son pourpoint ajusté. Sans aucun doute, ce soldat préférait les champs de bataille aux affectations des courtisans.

– J'ai rarement faim le matin, Votre Grâce, dit-elle.

– Allez-vous nous accompagner à la chasse ?

– Je n'aime pas la chasse à courre, fit-elle en secouant la tête.

Henri fronça les sourcils. Il était venu la courtiser mais il n'aimait pas rester enfermé dans une maison. Or, s'il passait la journée à chasser sans sa fiancée, ce serait du temps perdu.

– Nous serons de retour bien avant le repas, dit Gareth.

– Mais nous sommes invités chez la reine, bougonna Henri.

– J'avais l'intention de demander à Sa Majesté d'honorer ma demeure de sa présence.

– Et elle acceptera ?

– Probablement, sourit Gareth, sachant que la reine serait ravie de faire cette économie. Je vais lui envoyer un messager avec mon invitation.

Henri reprit espoir. Il contempla sa fiancée. On pourrait lui apprendre à monter à cheval, elle ne semblait pas fragile. Ses mains fines reposaient de chaque côté de son assiette. Le bracelet accrocha un rayon de soleil et, lorsqu'elle tourna la tête pour répondre à une interrogation de son voisin, Henri fut saisi par l'envie de déposer un baiser sur ce cou de cygne.

Il se rappela son rire joyeux de la veille. Il voulait entendre à nouveau ce rire cristallin.

– Oublions la chasse, j'ai une meilleure idée, dit-il en

prenant sa chope de bière. Nous allons nous promener sur la rivière, tous les deux. Il fait si beau aujourd'hui. Qu'en dites-vous, Darcourt ? Avons-nous votre permission ?

– Bien sûr, Votre Grâce, répondit Gareth.

20

– Tu veux que je prenne ta place, mais pourquoi ? s'écria Maude. Es-tu souffrante ?

– J'ai autre chose à faire, répliqua Miranda. Je suis allée en ville ce matin. Le cordonnier m'a dit que ma famille a dû partir en toute hâte. J'ai peur qu'ils n'aient eu des problèmes et je veux les retrouver. Tu comprends, n'est-ce pas ?

– Bien sûr, mais je ne peux pas prendre ta place auprès du duc.

– Ce n'est qu'une promenade sur la rivière. Si on fait dire que je suis malade, tout le monde va poser des questions... Tu peux y arriver, Maude.

Soudain, le visage de la jeune fille s'éclaira et elle rit de bon cœur.

– Tu veux que je fasse semblant d'être moi-même !

– Ça ne devrait pas être trop difficile... sourit Miranda. Évite simplement de parler français, à moins que tu ne le parles couramment, comme si c'était ta langue maternelle.

– Je parle plutôt bien, mais on devine que je n'ai pas été élevée en France.

– Dans ce cas, contente-toi de bavarder en anglais. Il faut aussi nous assurer qu'il ne verra pas tes cheveux longs.

Maude hésitait. Elle n'avait pas encore donné son accord, mais Miranda était en train de tout planifier.

– De quoi va-t-il parler ?

– De tout et de rien. Reste naturelle. J'étais très silencieuse au petit déjeuner. Il ne s'attendra pas que tu danses la farandole.

– Je n'ai jamais été seule avec un homme !

– Il y aura les rameurs, et tu auras une servante pour chaperon. Tu en es capable, insista Miranda en lui prenant les mains. Et par la même occasion, tu pourras satisfaire ta curiosité !

Maude se mordilla la lèvre. L'idée la terrifiait et l'excitait tout à la fois. Depuis peu, sa chambre ne lui semblait plus douillette mais oppressante. Elle ne courait aucun risque et elle n'allait pas mettre sa réputation en danger. C'était aussi une manière de rendre service à Miranda et d'en apprendre davantage sur la vie ! Autant savoir à quoi elle renonçait en entrant au couvent...

– Je n'arriverai jamais à le duper, s'inquiéta-t-elle.

– Tu ne le dupes pas, s'irrita Miranda. C'est moi, la mystificatrice, pas toi.

Maude contempla ses pieds puis elle releva brusquement la tête.

– Très bien ! Je n'ai encore rien fait de vraiment palpitant dans ma vie et je suis heureuse de pouvoir t'aider. Que dois-je mettre ? ajouta-t-elle en ouvrant grande son armoire. Ma robe à rayures !

– Elle est idéale, dit Miranda en se forçant à partager l'enthousiasme de Maude, alors qu'un grand poids de tristesse et de larmes retenues l'oppressait.

Un peu plus tard, vêtue d'une robe de soie rose rayée et les cheveux attachés sous une coiffe en dentelle, Maude s'examinait dans le miroir.

– Incroyable... soupira-t-elle. Si nous portions la même robe, personne ne pourrait nous différencier l'une de l'autre.

Miranda frémit : cette ressemblance était presque inquiétante. Elle rappela à Maude que le rendez-vous avec le duc était à dix heures. Puis, elle enleva le précieux bracelet et l'attacha au poignet de son amie.

– C'est étrange, mais je ne l'aime pas, dit Maude en fronçant les sourcils.

– C'est peut-être parce qu'il a appartenu à ta mère. Moi non plus, je n'aime pas le porter. La breloque est magnifique, mais le bracelet est sinistre, n'est-ce pas ?

– J'ai même l'impression de l'avoir déjà vu ; mais comment est-ce possible ?

– C'est curieux, j'ai eu la même sensation moi aussi en le voyant la première fois, s'étonna Miranda.

Elle secoua la tête. Après tout, ce n'était qu'un bijou...

– Le duc de Roissy m'a dit qu'il allait emmener sa fiancée sur la rivière ce matin. Tout semble parfaitement se dérouler.

Gareth fut agacé par le ton mielleux de Mary. Elle venait l'importuner alors qu'il se trouvait dans ses appartements, un acte que même Imogène ne se permettait que rarement.

– Que me vaut ce plaisir, madame ?

– Est-ce que je vous dérange, milord ? s'enquit lady Mary sur le pas de la porte. Pardonnez-moi, j'avais tellement envie de vous parler. Depuis votre retour, nous nous sommes à peine vus, ajouta-t-elle avec un léger rire.

Gareth se leva.

– Quel désordre sur votre bureau ! Vous avez besoin d'une épouse pour ranger vos affaires. Quand nous serons mariés, je veillerai à ce que vos documents soient toujours bien à leur place. Ce fouillis doit vous agacer.

– Pas du tout ! Et au contraire, si vous les rangez, j'en serai très irrité.

Le visage de Mary se crispa. Elle sembla hésiter.

– Vous devez être satisfait de voir que le duc est sous le charme de votre cousine, dit-elle en entrant dans la pièce. J'espère qu'elle saura se comporter dignement.

Mary ferma les yeux quand il envoya un nuage de fumée vers le plafond.

– Quelle habitude détestable, milord !

– Je ne fume que dans mes appartements...

– Je vois bien que je vous dérange, mais il y a tant de choses dont nous devons discuter. Vous n'avez pas encore fixé la date de notre mariage. J'espérais que ce serait avant le printemps prochain, peut-être même dès janvier ? Si nous étions mariés avant Maude, je pourrais aider Imogène aux préparatifs et donner quelques conseils à votre jeune cousine...

Gareth n'écoutait pas Mary. Il pensait à Henri et à Miranda. L'idée de leur promenade en tête à tête sur le fleuve le troublait.

– Dois-je demander à Sa Majesté la permission de nous marier à Noël ?

– Pardon ? fit-il en sursautant.

– Nous avons décidé de nous marier à Noël, reprit Mary.

Quatre mois. Il ne lui restait que quatre mois !

En voyant le regard de Gareth, Mary recula d'un pas. On aurait dit qu'il venait d'apercevoir un revenant.

– Je veux attendre d'avoir rédigé le contrat de mariage du duc de Roissy avec ma cousine, dit fermement Gareth. Je souhaite avant tout veiller à l'avenir de Maude.

– Mais notre mariage ne dépend pas de celui de Maude, insista Mary d'un air pincé.

– Elle est sous ma responsabilité. Ne l'oubliez pas.

– Je vous laisse, milord, fit Mary avec une révérence. Nous en reparlerons quand le contrat de Maude sera signé.

Elle partit à la recherche de lady Imogène, dans l'espoir que la sœur du comte pourrait atténuer le mauvais pressentiment qui l'agitait depuis peu. Elle jeta un regard haineux en direction de lady Maude qui traversait le hall au bras de son fiancé pour aller rejoindre la barque qui les attendait.

Lorsque la pendule avait sonné six heures, Maude s'était sentie défaillir en descendant dans le hall. Elle savait bien qu'elle était identique à Miranda, mais ses jambes tremblaient. Seuls ses longs cheveux pouvaient la trahir, or Miranda les avait si fermement attachés sous la coiffe qu'ils résisteraient à une tornade !

Instinctivement, elle toucha le bracelet à son poignet, comme s'il pouvait lui donner du courage en dépit de son aura maléfique. On l'attendait au pied de l'escalier :

Imogène et Miles, deux seigneurs français, et le duc que Maude reconnut aussitôt pour l'avoir épié la veille. Il avait une telle prestance qu'il dominait les autres alors qu'il n'était pas beaucoup plus grand que ses compagnons. Il tapait ses gants dans une main d'un air impatient qui fit palpiter le cœur de la jeune fille.

– Ah, vous voilà, ma chère. Je m'impatientais de vous voir.

Il lui tendit la main. Elle posa sa main fine dans sa large paume.

– Pardonnez-moi de vous avoir fait attendre, Votre Grâce.

– Ce n'est rien. Hélas, je suis quelqu'un d'impatient, sourit-il d'un air désolé. J'espère que vous ne m'en voudrez pas si je suis un peu nerveux... Mais comme vous êtes belle ! Vous me sembliez un peu pâle ce matin, mais vous avez retrouvé vos couleurs.

Le compliment sincère enchanta la jeune fille. Elle devinait que ce soldat aguerri n'était pas un flatteur ni un hypocrite.

– La perspective de passer une matinée avec Votre Grâce remettrait toute jeune fille d'aplomb, commenta Imogène d'un ton obséquieux.

Henri arqua un sourcil d'un air si comique que Maude eut de la peine à garder son sérieux. Ce n'était pas étonnant que Miranda eût apprécié cet homme.

Sa main posée sur l'avant-bras d'Henri, ils se dirigèrent vers la rivière. Lorsqu'ils franchirent la barrière, Maude réalisa qu'ils étaient seuls.

– Quelque chose ne va pas ? s'enquit son fiancé en la sentant hésiter.

– Je me demandais où était mon chaperon.

– Je pensais que nous pourrions nous en passer cette fois-ci. J'ai trop peu de temps pour le gaspiller en formalités. J'ai la permission de votre tuteur d'être seul avec vous... bien que nous ne soyons pas tout à fait seuls, s'amusa-t-il en montrant les marins qui tenaient les rames de la grande barque.

Le cœur de Maude battait la chamade. Quoi qu'il arrivât, les rameurs ignoreraient leurs passagers avec superbe, Maude ne le savait que trop bien. Alors qu'elle hésitait, le Français la souleva par la taille et la déposa sur le pont.

– Votre Grâce ! protesta-t-elle.

– Vous êtes adorable, murmura-t-il. Je suis certain que vous êtes aussi vertueuse que la Vierge Marie, mais vous n'êtes pas aussi timide et réservée que vous le prétendez.

Abasourdie, Maude s'agrippa à la rambarde. Quand le prétendu duc posa une main sur la sienne, elle la retira aussitôt. Amusé, il se contenta de placer sa main à côté de celle de sa fiancée.

Maude s'était rarement promenée sur le fleuve. Sa vie de recluse l'avait privée de beaucoup d'activités et elle oublia son compagnon en admirant les palais et la ville de Londres qui défilaient sous ses yeux. La coupole de Saint-Paul, le palais de Westminster, la haute tour grise avec ses marches effrayantes, recouvertes d'algues verdâtres qui menaient à la Porte des Traîtres. Elle savait que peu de gens qui franchissaient cette grille austère en ressortaient vivants.

La brise était fraîche, presque automnale, en dépit du soleil. Elle était émerveillée par le tintamarre de la rivière – les cris et les jurons, les commentaires lancés d'une embarcation à l'autre, le claquement des voiles, le clapotement des rames qui frappaient l'eau. Ils croisaient des barques qui arboraient les fanions des familles nobles ou le drapeau de la reine tandis qu'ils allaient d'un palais royal à un autre, de Westminster à Greenwich et Hampton Court. Il y avait aussi les bateaux à fond plat des pêcheurs, les bacs qui transportaient les gens d'une rive à l'autre, les péniches chargées de poissons et de viande.

Accoudé à la rambarde, Henri contemplait le profil de la jeune fille. Elle avait des joues roses, des yeux qui pétillaient. Son air enchanté le ravissait.

– Vous êtes très silencieuse, lady Maude.

– C'est tellement vivant ! confia-t-elle. Je n'avais pas réalisé comme les gens étaient nombreux et combien il y avait de choses à faire dans le monde.

Il fut étonné par une remarque aussi naïve.

– Mais vous avez été sur la rivière de nombreuses fois. C'est toujours ainsi pendant la journée.

– Oui, je le sais bien... Mais chaque fois, c'est comme la première fois, se rattrapa-t-elle.

Henri sourit. Elle était délicieuse. Il lui saisit la main.

– Vous êtes charmante, ma chère. Allons nous asseoir pour bavarder.

Elle fut obligée d'accepter. Il garda sa main dans la sienne et Maude se dit que ce n'était pas désagréable. Ce compagnon lui plaisait. Elle appuya la tête sur le coussin placé derrière elle et ferma les yeux, sentant le soleil lui caresser les joues, bercée par le clapotis des rames, la rumeur du fleuve.

Henri souriait, étonné de se sentir aussi apaisé. La douceur de cette jeune fille l'émouvait. Marguerite avait été sensuelle, puissante, manipulatrice, magnifique. Ses nombreuses maîtresses avaient comblé ses besoins physiques, elles avaient parfois été des confidentes, mais son cœur n'avait jamais été pris. C'était la première fois qu'il éprouvait un sentiment protecteur envers quelqu'un.

Dormait-elle ? Doucement, il posa la tête de Maude sur son épaule. Elle ne réagit pas. Ses cils noirs ombraient ses joues crémeuses, le vent taquinait une mèche de cheveux qui s'était échappée de la coiffe. Il ajusta la cape autour de son cou nacré. Elle continuait à dormir. Il lui caressa la joue. Ses yeux s'ouvrirent d'un seul coup, leur bleu limpide comme un ciel d'été. Elle se redressa, lui retira sa main.

– Que faites-vous ? s'exclama-t-elle.

– Rien. Je vous contemplais pendant votre sommeil.

Maude vérifia que sa coiffe était encore en place. C'était effrayant de penser qu'elle s'était endormie et qu'il l'avait contemplée alors qu'elle était sans défense.

– Pardonnez-moi, Votre Grâce, je ne voulais pas être discourtoise. Mais le soleil est si chaud.

S'était-elle trahie pendant son sommeil ? Avait-il remarqué quelque chose de différent ?

– Maintenant que vous êtes réveillée, je voudrais terminer la discussion que nous avons eue hier soir, sourit-il.

Maude s'affola : Miranda ne lui avait pas parlé de leur conversation de la veille.

– Je veux être certain que vous n'avez rien contre notre mariage. Comprenez-vous ce que cela signifie de devenir membre de la cour de France ?

– Je sais que seul quelqu'un de confession protestante peut y accéder.

– C'est exact. Mais dans certaines circonstances, il faut savoir adapter ses convictions religieuses pour atteindre un but.

Henri pensait à cette terrible nuit quand, pour accéder à la demande pressante de Marguerite, il avait abjuré sa foi protestante et s'était converti au catholicisme. Il avait l'épée du frère de Marguerite sous la gorge... Cette conversion, facile à renier quand les circonstances l'avaient à nouveau permis, lui avait sauvé la vie. Plus tard, elle lui avait même apporté la couronne de France.

– Je ne vois pas ce qui m'inciterait à changer de religion, Votre Grâce, dit Maude.

– C'est une chance, soupira-t-il.

– Pourriez-vous imaginer de devenir catholique, Votre Grâce ?

– Paris vaudrait bien une messe ! s'exclama-t-il en riant d'un air cynique.

– Je ne comprends pas, monsieur le duc.

C'était Henri de France qui avait parlé et non pas le duc de Roissy. Henri était prêt à tout pour s'assurer le trône de France. Il se racla la gorge.

– Ce n'est qu'une boutade, mais je suis heureux d'apprendre que vous êtes attachée à nos convictions protestantes.

Maude se mit à toussoter. C'était une ruse qu'elle pratiquait depuis longtemps quand elle voulait changer de conversation. Mais ce fut une toux profonde, et elle enfouit son visage dans sa cape.

– Ma pauvre enfant, vous êtes souffrante. Je n'aurais

jamais dû vous imposer l'air de la rivière. On peut attraper mal. Marins, nous rentrons à Darcourt !

Maude cessa de tousser quand la barque eut fait demi-tour. Elle expliqua au duc que ce n'était rien de grave et, songeant que Miranda n'avait probablement jamais toussé de sa vie, elle assura son fiancé que cela ne lui arrivait que très rarement.

Sur le chemin du retour, il garda sa main dans la sienne et Maude ne lui répondit que par monosyllabes. À la maison, elle s'excusa avec une révérence.

– À ce soir, ma chère.

– Oui, Votre Grâce, dit Maude en s'enfuyant dans sa chambre.

21

Miranda traversa à pied le pont de Londres. Les petites maisons étroites se penchaient les unes vers les autres. Les échoppes étaient pleines de monde. Des femmes discutaient le prix des étoffes et des rubans ; des marchands en pelisse fourrée examinaient des bijoux et des articles en or et en argent ; des hommes marchandaient des poulets, des oies, des canards qui cancanaient dans leurs cages ; un bateleur tenait en laisse un ours au nez percé par un anneau.

Chip voyageait sur l'épaule de sa maîtresse. Cette foule volubile l'intimidait. Les voix étaient trop fortes, trop violentes, et quand une bagarre éclata non loin d'eux, il sauta dans les bras de Miranda et lui agrippa le cou.

Elle le caressa en hâtant le pas. Si la troupe se dirigeait vers la Manche, ils avaient dû emprunter ce pont qui menait vers le sud de Londres. Elle espérait obtenir de leurs nouvelles dans l'une des tavernes qu'elle croisait où ils s'étaient sûrement arrêtés pour déjeuner et où ils avaient dû bavarder avec l'aubergiste. Quand elle connaîtrait leur destination, elle leur ferait porter un courrier. On trouvait des messagers à chaque porte de Londres. Si elle payait bien, on découvrirait la troupe sans difficulté. Maude lui prêterait l'argent nécessaire.

Sa détermination l'empêchait de sombrer dans la tristesse, mais pour Miranda le souvenir de la matinée la troublait. Pendant qu'elle s'était donnée à Gareth et qu'il l'avait comblée, elle avait perdu toute méfiance, mais dès que leur amour s'était envolé, elle s'était remise à douter.

Elle s'en voulait d'avoir été si naïve, d'avoir cru qu'un gentilhomme pouvait éprouver un sentiment profond pour une malheureuse saltimbanque. Le comte Darcourt avait acheté ses services. C'était simple. Seule une idiote aurait imaginé autre chose. Et cette idiote s'était même permis de tomber amoureuse !

Miranda se mit à rire en fendant la foule dans les ruelles de Southwark. C'était si absurde d'imaginer une fille comme elle amoureuse d'un courtisan de la reine Elizabeth...

Les hommes qui attendaient l'ouverture des bordels la regardaient passer. Ils l'interpellaient mais aucun n'essaya de l'accoster. Une fille dans une vieille robe orange, qui riait toute seule, devait être folle.

Non, idiote... idiote... Mais pas folle !

Elle obtint des nouvelles de la troupe dans une taverne de la rue des Pèlerins. Ils s'y étaient arrêtés pour prendre leur repas mais, au grand étonnement de Miranda, ils n'avaient pas donné de spectacle pour divertir les clients et payer leur pitance. Ils avaient réglé en monnaie sonnante et trébuchante. L'aubergiste se rappelait le petit chien, l'enfant estropié et la grosse dame. Ils avaient parlé de Folkestone...

Satisfaite, Miranda rebroussa chemin. Mais d'où tenaient-ils cet argent ? La seule explication était si terrible qu'elle n'osait l'envisager. Sa famille l'aurait-elle vendue pour trente pièces d'argent, comme Judas ? Darcourt leur avait-il menti en prétendant qu'elle souhaitait leur départ ? Qu'elle ne voulait plus les voir ? Qu'elle s'élevait dans le monde et qu'elle les reniait ?... Aurait-il osé faire une chose aussi odieuse ?

À moins qu'il ne les eût menacés de les faire arrêter pour vagabondage ! Le pouvoir d'un gentilhomme était immense, comparé à celui d'une troupe de baladins. Il aurait pu les menacer, puis les corrompre avec de l'argent. Même Mama Gertrude n'aurait pas pu résister à la carotte et au bâton.

Alors qu'elle retournait au palais des Darcourt, sa colère augmentait de plus en plus.

Elle arriva en même temps qu'accostaient Sa Majesté

Elizabeth et une partie de sa cour. La jeune fille avait oublié que la reine devait dîner au palais. Elle se faufila par une porte dérobée, alors que les invités patientaient dans le hall pour accueillir leur souveraine et que les musiciens jouaient dans la galerie. Elle prit un escalier de service et déboucha dans le corridor au moment où Maude sortait de sa chambre, vêtue d'une robe de damas bleu brodée de pâquerettes dorées.

– Où étais-tu passée, Miranda ? Je n'ai dit à personne que tu n'étais pas là. La reine vient d'arriver et j'allais te remplacer au dîner. Je ne savais pas quoi faire.

– Tu es magnifique, la complimenta Miranda en regardant le visage enjoué et les yeux brillants de Maude. Je n'ai pas le temps de me préparer. Tu dois continuer à me remplacer, s'empressa-t-elle d'ajouter, pressentant que c'était une bonne occasion.

Maude remarqua la pâleur de son amie, les cernes sous ses yeux.

– Qu'est-ce qui ne va pas, Miranda ? As-tu des mauvaises nouvelles de ta famille ?

– Je ne sais pas. Ils sont partis pour Folkestone. Dépêche-toi, la reine est sur le point d'entrer dans la maison, dit-elle en entendant les rumeurs dans le vestibule.

Maude hésita. Depuis une heure, elle était partagée entre l'inquiétude et l'excitation. Arpentant sa chambre, elle ne savait plus si elle souhaitait ou non que Miranda rentre à temps pour le dîner.

Désormais, le dilemme était résolu : il faudrait une demi-heure à Miranda pour s'habiller et elle serait en retard pour accueillir la reine. Maude s'aperçut avec stupeur qu'elle se réjouissait de la remplacer.

– Mais tu vas rester ici, n'est-ce pas ? s'inquiéta-t-elle. Tu ne vas pas t'en aller ?

– Pas ce soir, la rassura Miranda. Va vite, on t'attend.

Maude releva sa jupe et se dépêcha de descendre. Tant qu'elle était sûre que Miranda n'allait pas disparaître à nouveau, Maude pouvait profiter de sa soirée. Elle se réjouissait de revoir son prétendant. Ce n'était qu'un jeu, bien sûr, mais c'était terriblement excitant !

Elle arriva au bon moment. La reine entrait au bras du comte Darcourt. Maude fit une profonde révérence.

La reine lui tendit la main. Maude baisa les doigts blancs et se releva, croisant pour la première fois le regard de sa souveraine. Elle se sentit un peu perdue, mais son fiancé vint lui offrir le bras. Elle posa la main sur sa manche de velours et prit place dans la procession, derrière la reine, pour aller dîner.

Tout le monde attendit que la reine Elizabeth fût assise, ses jupes disposées autour d'elle par ses dames de compagnie. Puis, dans un froissement de soie et de velours, les invités s'installèrent et les serviteurs entrèrent avec des plateaux recouverts de mets délicieux. La camériste chargée de goûter chaque plat avant Sa Majesté lui choisissait les meilleurs morceaux.

Le majordome remplissait les verres en cristal de Murano avec un vin capiteux de Bourgogne. Gareth s'efforçait de sourire et de plaisanter avec ses invités, mais il maîtrisait avec peine sa colère.

Où était passée Miranda ? La substitution des deux sœurs ne lui avait pas échappé, mais personne d'autre, heureusement, ne semblait l'avoir remarquée. Physiquement, on ne décelait aucune différence entre les deux jeunes filles. Mais Gareth connaissait bien certains détails :

Miranda parlait avec les mains, Maude ne les bougeait que lorsque c'était nécessaire. Les yeux de Miranda pétillaient lorsqu'elle s'animait ; Maude était plus réservée, plus tranquille... Pourtant, il constata que sa pupille s'amusait. Elle bavardait avec Henri qui semblait subjugué par sa présence.

Où diantre était Miranda ?

– Vous semblez distrait, Darcourt, lui reprocha la reine qui n'aimait pas que ses courtisans ne l'écoutent que d'une oreille.

– Absolument pas, Madame. Je me demandais si Votre Majesté voudrait entendre un morceau de musique d'un jeune compositeur que j'ai récemment découvert en France. Je crois que Votre Majesté apprécierait son œuvre.

La reine inclina la tête en signe d'assentiment et Gareth appela son majordome pour lui donner ses instructions concernant les musiciens.

Il devinait les regards lourds de reproches de lady Mary qui était assise avec les dames de compagnie. Leur conversation de la matinée ne l'avait pas satisfaite. Elle reviendrait bientôt à la charge. Puis la reine lui tapota la manche avec son éventail et lui annonça qu'elle voulait danser.

Gareth se leva et s'inclina, escortant la reine vers la salle où l'on avait retiré les meubles pour faire de la place aux danseurs. Les portes-fenêtres étaient ouvertes pour laisser entrer l'air frais.

Maude se croyait dans un rêve. Elle permit à son fiancé de l'emmener sur la piste de danse en même temps que la reine et Gareth. Bien qu'elle eût pris des leçons, elle n'était pas experte, mais les pas lui semblèrent faciles. Elle virevoltait avec légèreté et, quoique son partenaire ne fût pas très adroit, elle s'amusait comme jamais.

À la fin de la danse, la reine exigea de changer de cavalier et exprima le désir de danser avec le duc de Roissy.

Gareth s'empressa d'aller chercher Henri qui conversait avec Maude dans un coin de la salle de bal. Maude lui souriait. Quand Henri lui baisa tendrement la main, Gareth n'en revint pas de voir sa pupille rougir de plaisir en se cachant derrière son éventail.

– Gareth, j'espère que tu n'es pas devenu prétentieux depuis que tu reçois la reine et le duc de Roissy, plaisanta Kip Rossiter alors que son hôte passait près de lui.

– Je t'ai bien invité ce soir, rétorqua Gareth. On ne dira jamais de moi que j'oublie mes vieux amis, au risque de ternir ma réputation.

Le regard de Kip se durcit, mais il continua de sourire.

– Tu n'as peur de rien, mon cher Gareth, murmura-t-il. Tu es un vrai magicien.

– Que veux-tu dire ?

– Tu peux prétendre ce que tu veux, mais la lady Maude de ce soir n'est pas celle qui a envoûté la Cour ces derniers jours. Je me trompe ?

Gareth resta parfaitement impassible, mais il s'abstint de nier, sachant que son ami était trop perspicace.

– Cela ne te regarde pas, Kip. Je te serais reconnaissant de ne pas jaser.

– Je savais bien que j'avais raison. Un jour, tu me raconteras toute l'histoire, d'accord ?

– Peut-être, fit Gareth.

Il aurait pu se confier à Kip, mais il se méfiait de Brian qui était incapable de garder un secret. Gareth voyait l'échafaudage fragile de son projet s'écrouler autour de lui comme un château de cartes.

Il s'approcha de Maude et d'Henri.

– Demain matin, nous allons rédiger le contrat de mariage, lui dit Henri. Votre pupille m'assure qu'elle se réjouit de cette union, n'est-ce pas, lady Maude ?

– Absolument, Votre Grâce, dit Maude en baissant les yeux.

Elle était si troublée qu'elle ne savait plus ce qu'elle devait dire.

– J'en suis ravi, Votre Grâce, dit Gareth. Sa Majesté m'envoie vous demander de lui accorder la prochaine danse.

– Elizabeth ne sera pas aussi indulgente que vous, ma chère, s'amusa Henri. Je suis désolé de vous quitter, même pour un court moment, mais le devoir m'appelle.

Maude s'empourpra à nouveau. Henri se dirigea vers la reine d'Angleterre d'un pas décidé comme s'il inspectait ses troupes lors d'une parade militaire.

– Un peu d'air frais vous fera du bien, cousine, grommela Gareth à mi-voix en lui prenant le bras. Où est Miranda ?

– Vous avez deviné ? s'étonna-t-elle.

– Évidemment. Vous ne pouvez me tromper ni l'une ni l'autre !

– Elle avait quelque chose d'urgent à faire aujourd'hui, alors je l'ai remplacée lors de la promenade sur la rivière. Et comme elle est rentrée trop tard pour avoir le temps de se changer pour le dîner, j'ai continué à prendre sa place, expliqua Maude tandis qu'ils sortaient dans le jardin.

– Elle est dans sa chambre ?

Maude acquiesça de la tête et Gareth se sentit soulagé.

– Comment va-t-elle ?

– Je ne sais pas. Elle est très inquiète car sa famille est partie sans rien lui dire.

Il n'avait donc pas réussi à la rassurer, songea Gareth.

Dehors, des valets allumaient les torches tandis que le soleil dardait ses derniers rayons. Maude restait silencieuse. Son tuteur l'avait toujours impressionnée. Or, voilà qu'il lui semblait hésitant, presque vulnérable.

Dans la salle de bal, Imogène s'inquiétait en parlant à son mari.

– Pourquoi Gareth est-il sorti avec la fille ? Que lui dit-il ?

– Il a dû deviner la vérité, fit Miles avec un haussement d'épaules. Il a dû s'en rendre compte dès qu'il a vu Maude.

– Qu'est-ce que vous racontez ? fit-elle, agacée.

Miles s'étonna qu'Imogène n'eût pas remarqué la substitution. Dès le matin, il avait perçu quelque chose de différent chez Miranda. Maude était tellement plus réservée que la jeune bohémienne...

– Vous n'avez rien remarqué, ma chère ?

– Quoi donc ? dit Imogène, rouge de colère.

– Lady Imogène, est-ce que votre frère ne vous semble pas distrait ce soir ? s'enquit lady Mary en s'approchant d'eux, ce qui permit à Miles de déguerpir vers le salon où l'on jouait aux cartes.

– Peut-être, mais il a beaucoup de soucis en ce moment, répondit Imogène d'un air distant, réfléchissant aux étranges remarques de son mari.

– Il est tellement préoccupé par sa pupille qu'il ne songe même pas à son propre mariage. Qu'est-ce qui l'inquiète tant ? ajouta Mary, soucieuse.

– Je ne sais pas, répondit Imogène alors que Gareth ramenait la jeune fille auprès de son fiancé.

Mary attendait que Gareth vienne lui demander de danser, mais il se dirigea vers la sortie.

– Milord ? l'interpella-t-elle.

Quand il se retourna et la fusilla du regard, Mary crut défaillir.

– Madame ?

– Vous m'avez à peine adressé la parole ce soir. J'espérais que vous pourriez me consacrer un peu de temps.

– Pardonnez-moi, mais il y a certaines choses dont je dois m'occuper sans plus tarder.

Il se détourna sans rien ajouter. Les lèvres pincées, l'air déterminé, Mary lui emboîta le pas.

Henri prit le bras de Maude et la guida vers les portes-fenêtres.

– Sortons prendre un peu d'air frais. Ces danses sont épuisantes.

Maude songea que son soupirant n'en faisait qu'à sa tête. Mais c'était plutôt stimulant. Elle avait le sentiment d'être emportée par un courant puissant. Elle comprenait désormais la déférence dont faisaient preuve ses compagnons envers lui.

Dans le jardin parfumé, il la guida vers un coin abrité près d'un bassin à poissons rouges. Une fontaine projetait une cascade d'eau vers le ciel. Les derniers feux du soleil jouaient avec les gouttelettes.

– J'étais venu à Londres courtiser une fiancée, mais voilà que je suis sur le point d'y laisser mon cœur, avoua Henri, à la fois perplexe et amusé.

Il l'attira à lui. Un long frisson parcourut Maude. Elle lut le désir dans le regard de son compagnon et, en dépit de son inexpérience, elle le comprit.

Lorsqu'il saisit son visage entre ses mains, elle se rapprocha de lui. Il sourit en abaissant sa bouche vers la sienne. Ses lèvres l'effleurèrent avec la délicatesse d'un papillon. Maude resta immobile. L'odeur de sa peau, le frottement de sa barbe, la douce pression de sa bouche la bouleversaient.

Quand il releva la tête, Maude toucha ses propres lèvres du bout des doigts. Puis, elle effleura celles de son fiancé. Elle était sérieuse, presque grave.

– Vous êtes si merveilleuse... J'aimerais pouvoir dire au roi Henri et à Paris d'aller au diable afin d'avoir tout le temps de vous courtiser !

– Il faut penser à votre devoir, Votre Grâce.

– Une épouse qui rappelle son mari à ses devoirs est une femme à chérir. Je vous jure que je vais chérir et respecter cette épouse comme aucune autre, conclut-il en déposant un léger baiser sur ses lèvres.

Maude pensa à la vie dans un couvent. Puis, dans un sursaut qui l'emplit d'une joie incomparable, elle songea : *Au diable le couvent !*

Lui jetant les bras autour du cou, elle posa des lèvres impérieuses sur celles de son fiancé.

22

Quand le comte Darcourt entra dans la chambre verte, Miranda se leva lentement. Lorsqu'elle parla, sa voix était basse.

– Je suis heureuse de vous voir, milord, car j'avais une question à vous poser.

– Pourquoi avez-vous disparu toute la journée ? s'emporta-t-il. N'avez-vous pas pensé que le duc pouvait deviner la supercherie ? D'autres personnes l'ont remarquée. C'est un miracle que le duc ne semble rien soupçonner !

Miranda haussa les épaules, ce qui irrita Gareth encore davantage. Il fit un pas vers elle. Elle recula. Une froideur terrible dans son regard cachait mal la peine immense qu'il lui avait infligée. Gareth croyait pourtant avoir tout effacé le matin même...

La sérénité de Miranda l'effrayait. Elle était déterminée et fière, bien qu'encore pieds nus, en robe de chambre et les cheveux ébouriffés.

– Tant mieux si le duc n'a rien remarqué, milord. Vous n'avez plus besoin de moi. Maude est sur le point d'accepter son sort.

– Miranda...

– Maintenant, répondez-moi ! Les avez-vous payés pour qu'ils me quittent ? Les avez-vous menacés, puis corrompus ?

Gareth était décontenancé.

– Les avez-vous payés, milord ? répéta-t-elle, les yeux brillants, le visage blême.

Gareth craignait que ce ne fût encore trop tôt pour

que Miranda acceptât la vérité, mais il n'avait plus le choix.

– Je leur ai donné les cinquante couronnes que je vous avais promises, et pour une excellente raison.

– Et ils ont accepté cet argent... L'argent de la trahison, dit-elle avec amertume.

– Écoutez-moi, Miranda, reprit Gareth en la saisissant par les épaules. Quand je vous aurai tout expliqué, vous pourrez poser les questions que vous voulez. Mais je vous jure que ce n'est pas ce que vous pensez : personne ne vous a trahie.

Miranda comprenait l'urgence des paroles, voyait le regard sincère de Gareth. Un frisson d'appréhension la parcourut. Elle le dévisagea en silence, telle une condamnée à mort.

D'un ton résolu, Gareth commença à lui raconter la nuit de la Saint-Barthélemy...

Lorsqu'il eut terminé, il eut l'impression d'avoir parlé pendant des heures. Dans la chambre aussi silencieuse qu'une tombe, on n'entendait que le mouvement de Chip qui se balançait sur la tringle à rideaux.

– Comment pouvez-vous être certain que je suis la sœur de Maude ? demanda-t-elle.

– Vous avez la même marque de naissance à la racine des cheveux. Votre mère l'avait aussi. C'est la marque des Darcourt.

Miranda leva une main vers sa nuque, elle savait qu'il était impossible de nier la vérité. Maude était sa jumelle. C'était une évidence. Elle le ressentait dans le tréfonds de son âme et Maude en serait aussi persuadée qu'elle quand elle le saurait.

– Très peu de gens étaient au courant de la jumelle disparue, expliqua Gareth. Le massacre a été si atroce que l'absence d'un bébé de dix mois était passée inaperçue dans l'horreur.

Le silence retomba. Gareth fut effrayé par la pâleur de Miranda et par son regard fixe. Lorsqu'il voulut lui saisir le menton pour la forcer à le regarder, elle se détourna comme s'il l'avait frappée.

– Est-ce que vous comprenez ce que cela signifie ?

– Oui. Je comprends que vous m'avez utilisée et que vous avez abusé de ma confiance. Mais cela, je ne l'ai su qu'en apprenant que vous aviez renvoyé ma famille.

– Ce n'est pas votre famille. Ils sont partis car c'était nécessaire. Ils m'ont fait promettre de vous dire qu'ils ne vous avaient pas abandonnée. En apprenant la vérité, ils ont compris qu'ils ne faisaient plus partie de votre vie.

Pourquoi Miranda n'admet-elle pas l'évidence ? se demanda-t-il.

La colère enflamma Miranda d'un seul coup, tout comme un éclair déchire le ciel. Elle serra les poings.

– Qui a décidé qu'ils ne faisaient plus partie de ma vie ? C'est vous ! Mais *ils* sont ma famille ! *Ils* se sont occupés de moi depuis toujours. *Ils* m'appartiennent comme je leur appartiens. Je ne suis pas une Darcourt ni une d'Albard... Pas comme vous l'entendez. Je n'ai pas changé... Vous n'avez aucun droit de vous mêler de mon existence, de me piétiner, d'acheter ma famille comme on achète un lot de marchandises. Vous avez trahi ma confiance...

– Chut, ma chérie, je vous en prie, murmura Gareth en l'attirant à lui pour la calmer. Vous n'êtes pas raisonnable. Quand j'ai réalisé qui vous étiez, je ne pouvais pas vous laisser dans la rue. Il faut me comprendre. J'avais un devoir familial envers vous. Je me devais de vous rendre les droits de votre héritage.

– Non, milord... Vous avez trouvé un moyen de plus de satisfaire votre ambition. Et cela ne vous gêne pas d'utiliser les gens.

– J'avoue que mon ambition est ma raison de vivre. Mais elle vous est aussi destinée, Miranda. Réfléchissez à ce que je vous propose : vous pouvez devenir reine de France et de Navarre.

– Et si je ne le veux pas ? s'écria-t-elle. Si cette idée me fait horreur ?

– Je vous ai ouvert une porte vers une autre vie. C'est peut-être vertigineux, mais c'est votre avenir.

– Non, reprit-elle amèrement. Il n'y a aucune place pour moi ici. Maude se mariera pour satisfaire l'ambition des Darcourt. Pas moi.

Elle se détourna, le cœur au bord des lèvres tant elle souffrait. Depuis leur rencontre, Gareth ne l'avait jamais considérée autrement que comme un instrument pour servir son ambition. Pas même quand ils avaient fait l'amour... Ses révélations n'avaient aucun pouvoir sur elle. Elle était toujours la jeune saltimbanque éprise de liberté et les paroles de Gareth n'y changeraient rien.

– Miranda, mon amour...

– Taisez-vous ! Il y a eu assez de mensonges entre nous. Qu'espériez-vous de notre liaison, milord ? Pensiez-vous m'attendrir, m'ensorceler ?

Gareth ne supportait plus de la voir déchirée. Il la saisit par les épaules, lui caressa le dos, les cheveux, comme pour chasser ces terribles accusations.

– Nos sentiments n'ont rien à voir avec tout cela, Miranda. C'était différent...

Elle le repoussa violemment.

– Quand vous m'avez fait l'amour ce matin, vous ne vouliez pas endormir mes soupçons ? Dites la vérité pour une fois !

Ses épaules s'affaissèrent. Brusquement, sa colère l'avait abandonnée.

– Je vous aimais... murmura-t-elle.

– Miranda, ma chère enfant...

– Allez-vous-en ! ordonna-t-elle en se couvrant les oreilles avec ses mains.

Son désarroi était si évident que Gareth n'osa pas lui imposer sa présence. Il s'était attendu à des difficultés, mais pas à une réaction aussi terrible. Il recula, craignant que la situation n'empire. Il promit de revenir en discuter plus tard.

Il referma la porte doucement derrière lui. Troublé, il ne s'aperçut pas que la porte était restée entrouverte pendant leur dispute.

Alors qu'il retournait au salon où il devait divertir la

reine d'Angleterre, lady Mary d'Abernathy sortit de sa cachette dans l'armoire située en face de la chambre verte. Elle songeait avec amertume que les gens qui écoutaient aux portes n'apprenaient jamais rien à leur avantage.

Quand vous m'avez fait l'amour ce matin... Cette fille n'était pas Maude. Elle était la maîtresse de Gareth. Il hébergeait sa maîtresse sous son toit. *Je vous aimais...*

Mary avait la gorge nouée. Darcourt avait imposé une mystification énorme, à la reine, à sa sœur et à sa fiancée. C'était d'une perfidie si terrible que la tête lui tournait. Les hommes entretenaient des maîtresses, fréquentaient des prostituées, mais ils les tenaient toujours à l'écart de leurs familles, ce n'était qu'un arrangement sans engagement sentimental. Or, elle n'avait jamais vu Gareth aussi bouleversé. Aucun gentilhomme digne de ce nom pouvait se permettre de perdre ainsi la tête et le cœur.

Elle descendit l'escalier aussi silencieusement qu'elle était montée.

Une heure plus tard, Maude risqua un coup d'œil dans la chambre sombre de Miranda. La reine était enfin repartie pour Whitehall avec ses courtisans, ainsi que le comte Darcourt et leur hôte. Elle demanda à Miranda si elle était déjà couchée.

Miranda souffrait tellement, elle se sentait si perdue, effrayée comme si son identité se désintégrait peu à peu, qu'elle ne sut pas quoi répondre à Maude. Devait-elle gâcher sa soirée et lui raconter ce qu'elle venait d'apprendre ?

– Non, pas encore.

– Pourquoi es-tu assise dans le noir ? demanda Maude en refermant la porte derrière elle.

Miranda s'était recroquevillée sur la banquette sous la fenêtre. Chip était couché sur ses genoux.

– Je regardais l'étoile du Berger.

Maude fronça les sourcils. La voix de Miranda n'était

pas la même que d'habitude. Elle s'approcha d'elle pour chatouiller le ventre de Chip.

Lorsque sa sœur inclina la tête, Miranda aperçut la marque de naissance à la base de son chignon. Sans réfléchir, elle effleura la sienne.

– Raconte-moi donc ta soirée, dit Miranda.

Maude se fit une petite place à ses côtés, réfléchit un court moment, puis lui expliqua son appréhension et son trouble.

– Il m'a embrassée... C'était étrange et merveilleux à la fois. Est-ce cela qu'on ressent quand on vous embrasse ?

– Je crois que oui, murmura Miranda.

– Qu'est-ce qui ne va pas ? s'inquiéta Maude en lui prenant les mains. Tu es si triste...

– Es-tu prête à accepter sa demande en mariage ?

– Je ne sais pas. Toutes mes certitudes se sont envolées. Je ne sais plus où j'en suis.

La coïncidence faillit faire sourire Miranda. Elles étaient bien sœurs ! Et parce que le comte Darcourt avait décidé de jouer avec leurs destinées, elles étaient toutes les deux perdues...

– Qu'est-ce qu'il y a ? insista Maude. Je déteste te voir si malheureuse.

Miranda se leva de la banquette, Chip dans les bras.

– Je vais partir, dit-elle.

– Déjà ! s'exclama Maude, désolée. Est-ce parce que j'ai pris ta place auprès du duc ? Ou parce que tu crois qu'on n'a plus besoin de toi ?

– Je dois retrouver ma famille avant que la troupe n'embarque pour la France. Il y a eu un malentendu et ils pensent que je ne reviendrai pas. Je dois partir à l'aube.

– Je ne veux pas que tu partes, dit Maude d'un air bougon.

– Alors, viens avec moi, proposa soudain Miranda. Ce sera la dernière aventure que nous partagerons ! Accompagne-moi jusqu'à Folkestone. Tu auras le temps de réfléchir, de décider toi-même de ton avenir. Jamais tu n'auras cette possibilité une nouvelle fois.

Maude voyait sa propre image reflétée dans les yeux de Miranda. Elle repensa à son existence, tiraillée entre des forces qu'elle ne pouvait pas maîtriser. Même lorsqu'elle avait défié ses tuteurs, elle n'avait fait que réagir aux diverses situations sans jamais prendre d'initiative. Voilà qu'on lui offrait une chance d'y voir clair et de découvrir ce qu'elle voulait vraiment de la vie ! Même si elle n'obtenait pas ce qu'elle désirait, elle aurait eu au moins une occasion de se connaître.

– Que dirons-nous au duc ? s'inquiéta Maude. Ils doivent signer le contrat de mariage demain.

– Que tu es souffrante.

– Cela n'étonnera personne, en effet, mais ils seront très en colère.

– Nous laisserons un mot leur disant que tu es en parfaite santé et que tu seras de retour dans une semaine. Le comte Darcourt saura pourquoi.

– Comment mon tuteur comprendrait-il une chose aussi incroyable ?

– Fais-moi confiance, dit Miranda en saisissant la main de sa sœur. Nous partirons à l'aube. Je n'ai pas d'argent, mais j'en gagnerai avec Chip.

– Moi, j'ai de l'argent. Mais pourquoi est-ce que je fais ça ? s'interrogea-t-elle, encore un peu effarée.

– Parce que j'ai besoin de toi, et parce que tu as besoin de te prouver que tu peux faire quelque chose par toi-même...

Pour une raison étrange, l'explication de Miranda sembla logique à Maude. Elle correspondait à la nouvelle idée qu'elle se faisait de la vie depuis peu.

Fatigué, Gareth déplaça un pion en se demandant combien de temps encore il faudrait à la reine pour qu'elle se lasse. Il songea un court instant à la laisser gagner la partie d'échecs afin d'écourter un peu la soirée, mais il y renonça aussitôt. La reine était une joueuse trop expérimentée et une femme trop intelligente pour ne pas s'en apercevoir, ce qui provoquerait sa colère.

Elizabeth déplaça son cavalier de ses longs doigts couverts de bagues, hésitant avant de le poser sur la case choisie. Puis, elle sourit.

– Échec, comte.

Gareth étudia l'échiquier. Il pourrait continuer à jouer et faire partie nulle, ou s'avouer vaincu. Il leva les yeux sur sa souveraine et vit qu'elle lisait dans ses pensées.

– Nous acceptons votre reddition, comte Darcourt. Vous êtes trop préoccupé ce soir pour être un adversaire de valeur.

Gareth inclina son roi sur le côté.

– Votre Majesté est trop perspicace.

Ravie du compliment, Elizabeth rit de bon cœur et se leva. Dès leur retour à Whitehall, Elizabeth avait permis à ses dames de compagnie épuisées de se retirer. Le soi-disant duc de Roissy, en tant qu'hôte de marque étranger, avait pu s'éclipser lui aussi ; mais un sujet de Sa Majesté se devait d'obéir aux désirs de sa reine. Elizabeth qui avait besoin de peu de sommeil avait eu envie d'une partie d'échecs et qu'on lui fasse la conversation.

– Le duc de Roissy est un homme intéressant, dit-elle en déployant son éventail. Ce n'est pas non plus un imbécile. Il semble persuadé qu'Henri gagnera le siège de Paris. Qu'en pensez-vous, comte ?

– Le roi Henri a le droit de son côté, Madame.

– Votre famille a souffert lors du massacre. Si Henri obtient la couronne de France, le mariage de votre pupille apportera une grande puissance aux Darcourt, n'est-ce pas ?

Sachant que c'était une formule évidente, Gareth se contenta de s'incliner.

– Nous ne sommes pas encore certaine si l'Angleterre a intérêt à ce qu'Henri de Navarre gouverne toute la France, continua Elizabeth. Les avis des gentilshommes introduits auprès de la cour de France nous seront d'un grand secours.

– Je serai toujours fidèle à ma reine.

– Nous aimons nous entourer d'hommes ambitieux, comte Darcourt. L'ambition et le goût du pouvoir sont des inclinations profondes que nous comprenons bien. Je vous souhaite une bonne nuit, comte, conclut-elle brusquement en se dirigeant vers sa chambre.

Gareth s'inclina profondément en attendant que la reine eût disparu. Avec un soupir de soulagement, il se détourna enfin et emprunta un long corridor. À mi-chemin, une porte s'ouvrit.

Lady Mary d'Abernathy se dressa devant lui. En la voyant éclairée par le flambeau accroché au mur, Gareth pensa qu'elle était souffrante ou qu'elle avait reçu une terrible nouvelle. Son visage ressemblait à un masque blême. Ses yeux étaient perçants. Elle le dévisageait comme s'il était un monstre surgi des profondeurs.

– Quelque chose ne va pas, lady Mary ?

– Je voudrais avoir une conversation en privé avec vous, milord, dit-elle d'un ton monocorde.

Inquiet, Gareth la suivit dans le petit salon en boiseries où elle l'avait attendu. Il alluma la lampe à huile posée sur la table.

– On dirait que vous êtes souffrante.

– Je suis bouleversée, indignée... Vous avez pris cette fille comme maîtresse ! s'enflamma-t-elle. Elle n'est pas votre pupille. Vous avez eu une liaison sous votre toit... avec... avec... Qui est-elle ?

Gareth reposa doucement la lampe sur la table. Il ne savait pas comment Mary avait découvert la vérité, mais il se sentait profondément soulagé.

Deux taches de couleur étaient apparues sur les pommettes de Mary.

– Qui est-ce ? répéta-t-elle. L'avez-vous amenée chez vous afin d'en faire votre maîtresse ?

– Ce n'était pas prévu, non. Miranda appartenait à une troupe de saltimbanques ambulants quand je l'ai rencontrée.

– Une vagabonde ! Certainement une voleuse. Vous avez entretenu une liaison sous votre toit avec une catin !

Mary étouffait d'indignation.

– Miranda n'est pas une catin.

Gareth n'en revenait pas de voir Mary aussi passionnée. C'était la première fois qu'elle perdait son sang-froid. Cette lady qui n'agissait jamais spontanément l'agressait avec toute la fureur d'un animal pris au piège.

– Vous osez prendre la défense de cette créature ? C'est une insulte à votre sœur, à votre honneur, à moi-même ! Elle a parlé d'amour... Qu'en pensez-vous, milord ? Une catin vagabonde vous a parlé d'amour. J'ai entendu chaque mot !

Gareth comprit alors comment sa fiancée avait obtenu ses informations.

– Cette affaire est plus complexe qu'il n'y paraît...

– Vous n'allez tout de même pas me dire que vous l'aimez, vous aussi ? s'écria Mary, révulsée. Quelle vulgarité ! Des gens comme nous ne s'abaissent pas à ressentir des émotions aussi triviales.

Gareth la contempla en silence. Embarrassé, il passa la main sur sa nuque. Il ne s'était pas attendu à être accusé de vulgarité. Mais cela ne l'étonnait pas venant de Mary. Il ne savait pas ce qui la dérangeait le plus. L'acte sexuel ? L'idée que cela se fût déroulé sous son toit ? Le fait que Miranda fût une mystificatrice ou la vulgarité d'une émotion aussi profonde appliquée à leur liaison ?

Comment allait-il sauver quelque chose de cette débâcle ? Mary savait désormais qu'il y avait deux Maude, mais elle n'y avait pas encore réfléchi. Kip l'avait deviné lui aussi. Combien de temps faudrait-il avant qu'Henri ne l'apprenne à son tour ?

Mary observait l'homme qu'elle avait eu l'intention d'épouser. Un homme qui s'était abaissé à avoir une relation sous son toit avec une voleuse, une fille des rues, une vagabonde. Elle appartenait à la famille des ducs d'Abernathy. Sa lignée valait celle des Darcourt. Elle ne pouvait pas tolérer une insulte aussi grave. Même dans le but de se marier.

– Nos fiançailles sont rompues, milord, dit-elle froidement.

– Vos souhaits sont des ordres, lady Mary, répondit Gareth.

Mary le regardait avec tant de dégoût et de colère qu'il faillit grimacer. Puis, elle retira sa bague de fiançailles et la lui jeta à la figure. La bague le heurta à la tempe droite.

Surpris, Gareth porta la main à sa tête et sentit perler des gouttes de sang où le diamant l'avait égratigné. Mary semblait aussi stupéfaite que lui de ce geste brutal. Elle quitta la pièce la tête haute.

Gareth se pencha pour ramasser la bague. Il commençait à se demander s'il avait jamais connu son ancienne fiancée.

Le soleil se levait lorsque Gareth accosta chez lui. Il marcha d'un pas plus lourd que d'habitude en remontant le sentier qui menait au palais. À l'intérieur, les domestiques s'activaient à préparer le petit déjeuner. Gareth prit un escalier dérobé car il ne voulait pas croiser Henri, connu pour se lever toujours à l'aube.

La porte de la chambre verte était entrebâillée. Le cœur battant, il y pénétra. Les draps du lit étaient froissés, les portes de l'armoire grandes ouvertes.

Gareth se maudit à mi-voix. Quel imbécile ! Comme il sous-estimait les femmes... Miranda était partie ! Il avait cru qu'elle passerait la nuit à réfléchir, mais elle s'était enfuie, bien sûr.

Alors qu'il essayait de reprendre ses esprits, un cri retentit derrière lui. Berthe sortit de la chambre de Maude en brandissant une lettre.

– Monsieur le comte... Lady Maude... fit-elle en fermant et en ouvrant la bouche comme un poisson.

Gareth la prit par le bras et l'entraîna de force dans la chambre de Maude dont il referma la porte. La pièce était dans le même état que celle de Miranda : elles étaient parties toutes les deux...

Il lut la lettre alors que Berthe sanglotait sur le sofa. Sa pupille l'informait qu'elle avait suivi Miranda à la recherche de sa famille, qu'il ne fallait pas s'alarmer.

Elle avait de l'argent pour leur voyage et elle reviendrait dans quelques jours. Entre-temps, elle suggérait qu'on dise au duc de Roissy qu'elle était souffrante.

L'écriture était celle de Maude, mais la lettre était de toute évidence dictée par Miranda. Maude savait-elle déjà la vérité ? Mais alors, pourquoi être partie aussi ?

– Cesse de geindre, Berthe ! J'essaie de réfléchir, lança Gareth, exaspéré.

Elles étaient jumelles. C'était sûrement là l'explication. Maude devait ressentir ce lien profond même sans le comprendre.

– Gareth, l'autre fille a disparu ! s'écria Imogène en entrant dans la chambre en coup de vent.

– Oui, Imogène, répondit Gareth, sans s'étonner que sa sœur fût déjà au courant de l'absence de Miranda.

– Mais pourquoi est-elle partie ?

– Elle avait ses raisons, répondit amèrement Gareth.

– Où est Maude ?

– Partie ! pleura Berthe.

– Partie ? Mais où cela ? s'affola Imogène.

– En direction de Douvres, de Folkestone ou de Ramsgate, expliqua Gareth.

– Mais pourquoi ?

– Allons discuter ailleurs, dit fermement Gareth qui ne pouvait pas tenir tête à deux femmes hystériques. Berthe, tu vas rester ici et tu diras à tout le monde que lady Maude est alitée. Je te donnerai des instructions plus tard.

Il prit sa sœur par le bras et l'entraîna vers la chambre de Miranda.

– Asseyez-vous, Imogène.

– Comment faites-vous pour rester aussi calme ? dit-elle en s'éventant. Maude a disparu. L'autre fille aussi. Henri veut signer le contrat de mariage ce matin, alors que sa fiancée s'est volatilisée !

– C'est ennuyeux, je vous l'accorde.

– Je savais que votre idée était dangereuse. Vous ne connaissez rien aux femmes, Gareth. Vous n'y avez jamais rien compris. Pourquoi ne m'avez-vous pas laissée me débrouiller à ma façon ? s'écria-t-elle en arpentant la pièce.

– Tout n'est pas perdu. Maude va revenir. Elle trouve Henri très sympathique...

– Elle l'a rencontré ? s'étonna Imogène, de plus en plus perplexe.

– Hier matin, sur la rivière... Et hier soir, au dîner...

– Je vois... Maintenant je comprends ce que Miles a voulu dire hier soir. Dans ce cas, tout va pour le mieux, sourit Imogène. Nous sommes débarrassés de la doublure et Maude va épouser Henri.

– Oui, tout va pour le mieux, murmura Gareth en se dirigeant vers la porte.

23

Le roi de France et de Navarre apposa son sceau sous sa signature au bas du parchemin. Il fit un pas de côté en souriant au comte Darcourt qui signa à son tour et scella le document avec sa chevalière gravée aux armes des Darcourt.

– Levons notre verre, comte, dit Henri en se frottant les mains d'un air ravi.

Autour de lui, ses compagnons avaient été témoins de l'engagement de mariage entre lady Maude d'Albard et le roi de France et de Navarre. Ils avaient entendu le roi conférer au comte Darcourt le titre de duc de Vesle et la position d'ambassadeur de France à la cour d'Elizabeth Ire, un rôle qu'il occuperait dès que le mariage aurait eu lieu.

Gareth versa du vin dans une coupe à deux poignées. Le roi but d'un côté et la rendit à Gareth pour qu'il prenne la gorgée symbolique. Tout le monde se félicitait en se passant la coupe. Seul Henri remarqua que son hôte semblait soucieux.

– Qu'est-ce qui ne va pas, Darcourt ?

– Tout va pour le mieux, Sire. Ma famille est très honorée et je suis ravi de cette alliance.

Henri resta perplexe. Le comte ne semblait pas convaincu. Il avait un vilain bleu sur la tempe depuis le matin, mais la politesse empêchait Henri de lui en parler.

– Je suis désolé que lady Maude soit alitée en ce jour si important, dit Henri. J'aurais aimé un baiser de ma fiancée pour sceller notre affaire. Ce n'est rien de grave, j'espère ?

– Absolument pas, Sire. Maude souffre depuis l'enfance de fièvres passagères. Votre Majesté peut en parler à ma sœur qui lui donnera toutes les explications.

– Les femmes sont compliquées, et c'est agaçant, alors que j'ai si peu de temps à passer à Londres, fit Henri en vidant un verre de vin. Suffolk m'a convié à une chasse au faucon à Windsor. J'avais refusé en pensant passer la journée avec ma fiancée, mais puisqu'elle est souffrante, je vais tout de même accepter l'invitation. Vous venez avec nous, Darcourt ?

– Veuillez m'excuser, Sire, mais des affaires me retiennent à Londres. Vous passerez la nuit à Windsor, je présume ?

– Suffolk m'a promis un banquet. Je doute qu'il comprenne que je me contente de pain et de fromage... mais je ferai de mon mieux pour me divertir, dit Henri en enfilant son pourpoint. À demain, comte, ajouta-t-il en lui serrant la main. Et j'espère voir lady Maude rétablie à mon retour.

Gareth esquiva la réponse. Des hommes à lui parcouraient la ville pour obtenir des informations concernant les deux jeunes filles mais il ne pensait pas pouvoir ramener Maude en aussi peu de temps. Il attendait aussi d'avoir des nouvelles de la troupe de baladins. Dès qu'il connaîtrait leur destination, il retrouverait les jeunes filles !

Il escorta ses invités dans la cour et attendit qu'ils eussent franchi la grille. Puis, il retourna dans son salon privé, se versa un verre de vin et relut le contrat de mariage. Enfin, sa plus grande ambition se réalisait...

Selon Imogène, tout allait pour le mieux, songea-t-il avec amertume. Maintenant que Miranda avait choisi de disparaître, il n'avait plus besoin de craindre les révélations de Kip ou de Mary. Et lorsque Maude serait revenue, tout rentrerait enfin dans l'ordre. Il tapotait machinalement le bord de sa table avec le parchemin roulé. Mais puisque tout allait pour le mieux, pourquoi se sentait-il aussi désespéré ? C'était probablement la fatigue. Cela faisait deux nuits qu'il dormait à peine...

On frappa à la porte. Imogène entra. Elle fixa le parchemin de ses yeux brillants de joie.

– C'est fait ?

Gareth lui tendit le document.

– Duc de Vesle... Ambassadeur à la cour d'Elizabeth Ire. Oh, Gareth, c'est au-delà de tout ce que j'avais espéré ! Mais qu'est-ce que vous avez à la tempe ?

– Je me suis cogné en montant dans la barque hier soir, mentit Gareth, sachant que Mary ne manquerait pas de tout raconter à Imogène à la première occasion.

Le mari d'Imogène apparut à son tour.

– Lisez, Miles ! s'exclama Imogène. Le duché de Vesle, n'est-ce pas merveilleux ?

Miles parcourut le document, puis il leva sur son beau-frère un regard interrogateur.

– J'attends des nouvelles de Maude, dit Gareth d'un air las. Dès que j'aurai une idée de l'endroit où elle se trouve, j'irai la chercher.

– Et Miranda ? demanda Miles.

– Elle a choisi son destin. Elle a toujours été libre de partir quand elle le désirait.

– Absolument, acquiesça Imogène. Elle ne pourrait que nous gêner désormais. Elle a joué son rôle et elle a été payée.

– Pardonnez-moi, je dois aller en ville, grommela Gareth, la gorge nouée. Ne m'attendez pas pour déjeuner.

À cheval, il traversa le pont de Londres, pénétra dans les quartiers misérables de Southwark et rentra dans une taverne. Il n'avait qu'un but en tête : se soûler et s'abandonner dans les bras de plusieurs femmes.

Pourtant, au fur et à mesure qu'il buvait, plus les putains lui semblaient repoussantes. La boisson avait toujours eu tendance à le rendre moins performant, mais c'était la première fois qu'elle émoussait son désir.

Avant l'aube, il retraversa le pont. Moyennant quelques pièces, il persuada les sentinelles de lui ouvrir les portes de la ville pour le laisser sortir bien que le soleil ne fût pas encore levé. Il tenait à peine en selle. Il était vaguement conscient qu'il était une cible idéale pour des bandits. Ivre et fatigué, il n'arrivait même pas à garder la main sur le pommeau de son épée.

Autrefois, il était souvent revenu vers sa demeure dans ce même état, alors que les coqs saluaient l'aube. Le corps brisé de fatigue, une lassitude profonde dans l'âme. Il revenait ainsi vers son lit vide, se demandant entre quels draps se trouvait sa femme. Se roulait-elle dans la paille d'un chenil ou était-elle couchée dans un caniveau avec un mendiant ?

Charlotte... Comme il l'avait aimée... Décidément, il semblait attiré par la vulgarité. En éclatant de rire, Gareth faillit tomber de sa selle. Mary serait outrée si elle l'avait vu... Il glissa à terre dans les écuries et marcha d'un pas incertain vers la porte d'entrée, sans prêter attention au jeune palefrenier qui le suivait du regard.

Il gravit avec peine les escaliers, referma la porte de sa chambre d'un claquement sec. Il retira ses bottes et s'affala tout habillé sur le lit. Il s'enfonça dans le matelas en plume comme dans la mer et les vagues du sommeil l'emportèrent. Charlotte l'appelait des profondeurs de l'abîme...

En entendant claquer la porte de Gareth, Imogène se redressa dans son lit. Elle avait entendu le pas de son frère dans le couloir et les mauvais souvenirs avaient refait surface. Combien de nuits avait-elle passées à l'attendre ? Combien de fois avait-elle écouté son pas imprécis, le cœur serré de tristesse pour son frère et de haine pour la femme qui le détruisait ?

Mais pourquoi revivait-il cette période terrible alors que tout semblait se dérouler pour le mieux ? Depuis son retour de France, Gareth était redevenu lui-même. Il avait retrouvé sa détermination, sa vigueur et elle pensait que cette fois ses démons étaient bien enterrés.

Mais en entendant le pas lourd et le claquement de la porte, Imogène avait retrouvé ses angoisses d'autrefois. Elle se leva de son lit, enfila sa robe de chambre et ajusta le bonnet de nuit qui empêchait ses cheveux de s'emmêler. Elle ouvrit doucement la porte. Un courant d'air éteignit le flambeau dans le corridor.

Les yeux d'Imogène étaient habitués à l'obscurité. Elle avança sur la pointe des pieds vers la chambre de Gareth. Appuyant l'oreille contre sa porte, elle entendit son souffle rauque et des murmures incohérents.

Comme autrefois, elle ouvrit la porte et la referma soigneusement. Elle seule connaissait les cauchemars de Gareth. C'était l'un de leurs nombreux secrets.

– Charlotte !

C'était presque un cri. Gareth se redressa dans le lit, les yeux grands ouverts. Imogène savait qu'il dormait encore. Il était trempé de sueur comme s'il avait une terrible fièvre. Sa chemise lui collait au corps.

– Gareth... Réveillez-vous... Ce n'est qu'un mauvais rêve... dit-elle en lui prenant la main.

Gareth prit du temps à s'arracher à son cauchemar.

– Bonté divine ! murmura-t-il en voyant sa sœur qui lui caressait la main, avec dans le regard ce dévouement fanatique qui le poursuivait depuis son enfance.

Il lui retira doucement sa main. Il se demandait s'il était encore ivre, mais ses pensées étaient claires comme de l'eau de roche.

Il était attiré par la vulgarité... Il se mit à rire. Brusquement, il se sentit libéré.

– Ça suffit, Gareth ! gronda Imogène. Pourquoi riez-vous ?

– Cessez de vous inquiéter, Imogène. Je suis parfaitement lucide. C'est probablement la première fois depuis des années, ajouta-t-il en souriant.

– Je ne comprends pas. Vous faisiez encore ce cauchemar au sujet de Charlotte.

– C'était sûrement la dernière fois, dit-il en se levant.

Imogène craignait qu'il n'eût perdu la raison.

– Je me suis toujours occupé de vous, Gareth, et de votre bien-être. Je savais qu'il fallait faire quelque chose concernant Charlotte...

– Ça suffit, Imogène ! ordonna Gareth.

Mais sa sœur ne l'écouta pas.

– Il fallait le faire. Je l'ai fait pour vous, mon frère.

Elle ne pouvait plus s'empêcher de parler. Gareth la laissa continuer. Il avait évité cette vérité depuis trop longtemps. Désormais, l'heure était venue de l'entendre, de l'accepter et d'accepter sa propre culpabilité. Il le fallait, afin de pouvoir rebâtir sa vie.

– Charlotte n'était pas pour vous. C'était une ivrogne, elle se donnait à n'importe quel homme de passage. Elle se riait de vous et de ce malheureux de Vere. Elle l'avait détruit comme elle vous détruisait. Debout à la fenêtre, ivre morte, tenant à peine sur ses jambes. Une légère poussée... c'était tout... un petit geste de la main. (Elle le contempla, les yeux égarés.) Elle n'était pas digne de toi. Je l'ai fait pour toi, Gareth.

– Je sais, je l'ai toujours su, murmura-t-il.

– J'ai toujours tout fait pour toi, dit-elle dans un sanglot.

Il la prit dans ses bras et la serra contre lui.

– Je sais, Imogène. Et je t'aime pour cela. Mais maintenant, il faut que cela cesse.

Gareth la tint serrée contre lui jusqu'à ce qu'elle ne pleure plus. Puis, il la ramena dans sa chambre et l'aida à se recoucher. Le lendemain, la malheureuse paierait ce trop-plein d'émotions par une lancinante migraine.

Gareth n'avait plus envie de dormir ni de boire. Il se sentait comme délivré. Pour la première fois depuis longtemps, il avait compris où se trouvait son bonheur. Et il était prêt à tout sacrifier pour l'obtenir.

Je vous aimais.

Pouvait-il convaincre Miranda de dire cette phrase au présent ou avait-il blessé à jamais cette âme pure et aimante ? Pouvait-il persuader Miranda qu'il l'aimait, lui aussi ?

24

– Cette nuit de la Saint-Barthélemy, tu te la rappelles ? demanda Maude, appuyée contre le tronc d'un arbre au bord de la rivière.

Elle mordit dans la pomme verte qui lui tenait lieu de petit déjeuner.

Miranda jeta le trognon de sa propre pomme dans la rivière en secouant la tête.

– Non. Et toi ?

– Non. Je ne me souviens absolument pas de la France. Mes premiers souvenirs sont les visages de Berthe et d'Imogène. Rien de très bon augure, ajouta-t-elle en fronçant le nez d'un air amusé.

Miranda rit. Depuis quelque temps, c'était chose rare, et d'autant plus précieuse, songea Maude en enserrant ses genoux avec ses bras. Elle devinait que sa jumelle ne lui avait pas encore tout dit. Quelque chose provoquait chez elle une insondable tristesse.

– Es-tu certaine de vouloir retourner vivre avec la troupe ?

– Bien sûr. C'est eux ma famille.

Miranda cueillit une pâquerette et la jeta dans la rivière.

– Mais...

– Mais rien, Maude, fit-elle en se relevant d'un bond. Le soleil est haut et, si nous voulons arriver à Ashford avant la nuit, il faut continuer.

Elle siffla Chip dont la frimousse espiègle apparut entre les feuilles de l'arbre.

Maude tendit la main vers le singe qui s'en empara avant de sauter à terre. Elle courut après sa sœur.

Depuis deux jours, elle ne s'était pas encore habituée à la liberté de mouvement que lui procurait l'absence de vertugadin sous sa robe.

– Comment allons-nous arriver jusqu'à Ashford ? On ne va tout de même pas marcher tout ce chemin ? ajouta-t-elle en rejoignant Miranda qui s'était arrêtée en haut d'un champ.

– Il fait beau. C'est une belle journée pour se promener.

– Mais Ashford est à des kilomètres ! s'exclama Maude. Tu ne devrais pas me taquiner comme ça, fit-elle en voyant le regard espiègle de sa sœur.

– C'est une question d'habitude, c'est tout, expliqua Miranda. Toi, tu peux me faire enrager autant qu'il te plaira !

– Mais comment ? Je ne sais rien de ta vie de vagabonde, moi.

– Nous allons attendre ici sur la route et demander au prochain charretier qui passera de nous emmener.

– Pourquoi ne pas louer un attelage dans une auberge ? Ce serait plus rapide et moins risqué que de demander de l'aide à des inconnus. On a de l'argent, après tout.

Miranda se demanda comment expliquer à Maude qu'elle n'était pas pressée d'arriver à Folkestone. Elle avait déjà assez de peine à se l'expliquer à elle-même.

– J'aime prendre mon temps. Cela fait partie de l'amusement de ne pas savoir ce qui va se passer.

– Après avoir parlé à ta famille, tu pourrais revenir à Londres avec moi, fit Maude.

– Je ne suis pas faite pour ton genre de vie, répondit Miranda en agitant la main alors qu'une charrette remplie de foin apparaissait au détour du chemin. C'était amusant pour quelques jours, comme un jeu... Mais maintenant que tu vas épouser Henri de France...

Puis, s'adressant au paysan, elle demanda :

– Bonjour, pouvez-vous nous emmener aussi loin que possible sur la route d'Ashford ?

– Montez derrière, dit-il. Je vous dépose dans cinq kilomètres.

– Merci !

Miranda sauta dans la charrette d'où elle se pencha pour donner la main à Maude. Chip grimpa par ses propres moyens. Le paysan regarda le singe d'un air étonné, puis il haussa les épaules et fit claquer ses longues rênes sur la croupe du cheval.

– Je n'ai pas dit que j'allais épouser le roi, reprit Maude alors qu'elles étaient confortablement assises dans le foin. Il y a toujours cette question de la religion.

– Mais c'est le même Dieu ! Si tu veux mon avis, Maude, tout ça me semble bien stupide.

C'était un point de vue tellement hérétique, même venant de Miranda, que Maude resta bouche bée. Elle se laissa ballotter par les cahots de la charrette, ayant déjà appris à ses dépens qu'il ne fallait pas rester raide au risque d'avoir mal partout en descendant.

– Des gens sont morts pour cette stupidité, à commencer par notre propre mère, lui rappela Maude d'un air sombre en prenant le bracelet dans sa poche. (Elle l'avait retiré pour ne pas attirer l'attention pendant leur voyage.) Il est superbe, mais malfaisant. C'est peut-être à cause de tout le sang et de tout le mal dont il a été témoin. Tu crois que je me fais des idées ?

Miranda lui prit le bracelet. Elle était persuadée que sa sœur se faisait des idées, mais le bijou lui donnait des frissons. Elle effleura le cygne d'émeraude d'un doigt en pensant à la mort violente de sa mère et à tout ce qui avait suivi son assassinat.

Des larmes perlèrent à ses yeux. Si cette nuit terrible n'avait pas eu lieu, elle ne se serait pas sentie aussi perdue. Désormais, elle n'avait plus sa place nulle part. Elle n'était plus sûre d'aimer la vie qu'elle avait connue, et elle ne pouvait pas entrer dans celle qui lui revenait de naissance parce que...

Parce qu'elle avait été trahie par celui qu'elle aimait. Elle avait offert son cœur et son âme, et ce cadeau avait été balayé d'un revers de main par un homme qui ignorait le sens de l'amour.

Elle ne pouvait pas retourner à Londres parce qu'elle ne pouvait pas supporter l'idée de fréquenter le même monde que le comte Darcourt. Ses doigts se refermèrent sur le bracelet alors qu'elle refoulait ses larmes. Une grande vague de détresse menaçait de l'étouffer.

Le cœur serré, Maude posa sa main sur celle de Miranda. C'était tout ce qu'elle pouvait faire en attendant que sa sœur choisisse de partager sa douleur.

– Doux Jésus ! s'écria Mama Gertrude en levant les bras au ciel.

Quelques plumes de mouette s'étaient déposées dans ses cheveux, assorties à sa coiffe en dentelle d'un blanc un peu douteux. Sans les plumes dorées, elle semblait plus discrète.

Chip lui sauta au cou et lui tapota la joue. Elle le caressa d'un air absent.

– D'où diable venez-vous, toutes les deux ? Le comte a dit que tu allais rester avec lui, Miranda.

– Faut espérer qu'il va pas réclamer ses cinquante couronnes...

– Tais-toi, Jebediah ! gronda Mama Gertrude. Ne t'en fais pas pour lui, ma chérie. Le comte a dit que ce serait mieux pour toi... vu que...

– Vu que quoi ? lança Maude d'un air insolent.

Elle se hissa pour s'asseoir sur le mur en pierre qui longeait le port de Folkestone comme si elle l'avait fait toute sa vie et retira quelques épines de sa jupe. Le dernier charretier qui les avait emmenées avait transporté de la laine de mouton et son chariot était plein de bardanes.

– Vu que Miranda et toi, vous êtes sœurs, déclara Luke.

– Ah, ça ! fit Maude en offrant son visage au soleil, les yeux fermés, tandis que Robbie se jetait dans les bras de Miranda en criant de bonheur.

Miranda rit et Maude ouvrit les yeux. Sa sœur avait été très silencieuse depuis la veille. Elle n'avait plus pleuré, mais elle n'avait pas souri, non plus, perdue dans ses pensées. Désormais, elle souriait de bon cœur en embrassant les joues sales du petit garçon qu'elle serrait dans ses bras.

– Tu vas pas repartir, hein, Miranda ? demanda Robbie en lui tirant les cheveux.

– Non, Robbie, dit-elle à voix basse.

Elle avait retrouvé les siens, sa famille. Pour le meilleur et pour le pire, c'était parmi eux qu'elle avait sa place.

– Et qu'en est-il de l'argent ? grommela Jebediah.

– Par les os du Seigneur, tu ne peux pas changer de refrain ? s'énerva Raoul. Écoutons ce qu'elles ont à nous dire, ces deux filles.

– C'est très simple, commença Miranda.

– Moins que vous ne le pensez, dit une voix derrière elle.

Tous les regards se tournèrent vers le comte Darcourt qui se dressait à quelques mètres, tenant son cheval par la bride.

– J'avais bien dit qu'y voudrait son argent, déclara Jebediah.

– L'argent est le cadet de mes soucis, le corrigea Gareth. Je suis venu chercher mes pupilles avant qu'elles ne soient convaincues par les joies du vagabondage.

– Milord ?

– Oui, Maude, sourit-il à la jeune fille assise sur le mur avec la nonchalance d'une vraie bohémienne.

Il remarqua les taches de rousseur sur son nez, les joues rosies par le soleil. Son jupon était boueux et sa jupe déchirée.

– Avez-vous apprécié votre voyage ? demanda-t-il.

– Oui, et je crois que...

– Par pitié, ne me dites pas que je suis arrivé trop tard et que vous avez décidé de poursuivre une vie d'errance, plaisanta-t-il.

– On dirait que j'ai davantage de choses en commun avec ma sœur que vous ne pouvez le penser, continua Maude en prenant la main de Miranda et en l'attirant à elle.

– Au contraire, Maude, je m'en suis rendu compte

très vite, mais je dois discuter avec Miranda. Lord Dufort va arriver à l'auberge du *Coq Rouge* dans l'heure qui suit. Si Luke pouvait vous y conduire, je lui en serais très reconnaissant.

Maude regarda Miranda qui lui serrait fortement la main. Elle était pâle et immobile. Robbie relâcha la pression de ses jambes qui enserraient la taille de son amie et glissa à terre, mais Miranda restait interdite.

– Nous n'avons plus rien à nous dire, milord, dit Miranda en retirant sa main de celle de sa sœur. J'ai rempli mon rôle de mon mieux et l'argent que vous avez versé à ma famille correspond à la somme que vous me deviez.

– Je leur dois beaucoup plus pour s'être si bien occupés d'une d'Albard, dit Gareth.

Il attacha son cheval à une barrière et s'approcha d'elle, un sourire aux lèvres.

– Désormais, je veux aussi dire ce qu'on vous doit, à vous, ma chérie. (Il lui posa les mains sur les épaules.) J'aurais préféré un peu d'intimité, mais je parlerai devant tout le monde. L'autre jour, vous avez dit que vous m'avez aimé, Miranda. Pouvez-vous dire aujourd'hui que vous m'aimez encore, petit feu follet ?

La terre s'ouvrit sous les pieds de Miranda. Elle était consciente du silence qui les entourait, des bruits lointains du port. Elle était consciente du regard attentif de Maude, de l'incompréhension de Robbie, de l'hostilité de Luke.

Ce fut Maude qui rompit le silence.

– Luke, auriez-vous la bonté de me conduire à cette auberge, je vous prie ? dit-elle en sautant à bas du mur. Cousin, j'attendrai avec lord Dufort jusqu'à ce que vous reveniez avec ma sœur.

– Bravo, Maude, dit Gareth en lui prenant la main pour la baiser.

– Dois-je emmener Chip ? demanda Maude avec un sourire radieux.

Désormais, elle comprenait l'attitude de sa sœur : c'était incroyable que Gareth et Miranda puissent être amoureux, mais il s'était déjà passé tant de choses incroyables... L'essentiel, c'était que sa sœur jumelle ne disparaisse plus de sa vie !

Mama Gertrude tendit le singe à Maude.

Gareth recula d'un pas comme pour laisser de l'espace à Miranda avant qu'elle ne réponde à la question la plus importante qu'il eût jamais posée de sa vie.

– Tout le monde saura que nous sommes deux, dit-elle. Tout sera gâché pour vous. Le roi de France ne doit pas apprendre que vous l'avez berné.

– C'est normal que vous pensiez que je me soucie encore de ce problème, dit Gareth. Or, une seule chose compte désormais pour moi, Miranda : vous et votre bonheur. Pouvez-vous le croire ?

Comme elle souhaitait le croire ! Mais son cœur saignait encore.

– Je ne sais pas, dit-elle, désolée.

Gareth regarda le cercle de visages attentifs. Chacun pesait ses paroles en songeant au bonheur de leur Miranda tant aimée.

– Qu'est-ce que vous voulez d'elle, monsieur le comte ? demanda soudain Gertrude.

– Bon sang ! s'emporta Gareth. Je demande lady Miranda d'Albard en mariage !

Alors qu'elle s'était éloignée avec Luke de quelques pas, Maude s'arrêta.

– C'est impossible, cousin. Vous êtes déjà fiancé à lady Mary d'Abernathy.

– Je ne le suis plus.

– Tiens, tiens... C'est drôle, j'avais toujours pensé que vous étiez mal assortis...

Gareth se tourna lentement. Sa jeune cousine le regardait d'un air taquin. Puis, avec un clin d'œil et un geste de la main, elle partit en sautillant.

Quand Gareth fit face à Miranda, il vit qu'elle lui souriait.

– Moi non plus, je ne pensais pas que vous étiez faits l'un pour l'autre.

Transporté de joie, Gareth comprit qu'il avait remporté la plus rude bataille de son existence.

– Vous aviez raison, mon amour. Heureusement,

lady Mary est parvenue elle aussi à la même conclusion. Mesdames et messieurs, si vous voulez bien nous excuser...

Saisissant Miranda par la taille, il la souleva sur son cheval, reprit les rênes et grimpa derrière elle. Le visage radieux, il invita toute la troupe à venir fêter la bonne nouvelle autour d'un repas de fiançailles à l'auberge du *Coq Rouge*.

Maude était assise avec Luke dans la salle de l'auberge quand son tuteur arriva. Tous deux regardèrent le comte Darcourt mettre pied à terre, prendre Miranda dans ses bras et l'emporter au premier étage.

– Où vont-ils ? demanda Luke d'un air soupçonneux. Le comte a-t-il manqué d'honneur envers Miranda ?

– Je ne sais pas, dit Maude, toute joyeuse. Mais cela n'a aucune importance. Miranda sait ce qu'elle fait. Chip, crois-tu vraiment qu'il faille... Oh, et puis tant pis !

Elle lâcha le singe qui courut rejoindre sa maîtresse.

– Je reprendrais bien un peu d'hydromel, Luke. Je crois qu'il me reste un peu de monnaie.

Gareth tenait les mains de Miranda dans les siennes. Il fouilla son regard.

– Mon amour, peux-tu me pardonner ? Peux-tu me faire à nouveau confiance ? Je me suis comporté comme un imbécile.

– Je t'aime, dit Miranda. Je t'ai toujours aimé.

Chip se balançait sur le lit à baldaquin.

– Moi, je t'ai aimée dès notre première rencontre, mais je ne m'en étais pas rendu compte, soupira Gareth en lui caressant le visage. Acceptes-tu de devenir mon épouse ?

– Je ne peux pas me séparer de Robbie.

– Si tu le désires, nous hébergerons toute ta famille et nous leur trouverons du travail, dit Gareth en délaçant le corselet de sa robe, effleurant déjà les mamelons qui se tendaient sous ses doigts.

– Ils sont indépendants et ils aiment trop la liberté. Ils n'accepteront pas la charité.

– Bien sûr que non, dit-il en lui baisant les lèvres et en l'attirant sur le lit. Mais acceptes-tu de devenir ma femme ?

Miranda se tortillait tandis qu'il glissait une main sous ses fesses.

– Êtes-vous certain que vous ne voulez pas que j'épouse Henri de France, milord ?

Sans répondre, Gareth écarta les pétales de sa féminité. Miranda leva les hanches, s'abandonna au plaisir. Au moment où la fleur de la jouissance allait éclore, il retira sa main.

– Oui, Gareth, oui...

– Ne pose plus de questions stupides, mon feu follet, susurra-t-il en l'embrassant.

Quand Miranda éclata de rire, les dernières traces de sa tristesse s'évanouirent dans le renouveau du bonheur.

Chip se posta à la fenêtre. Il se cacha la tête sous le bras et se raconta une histoire tout bas, tandis que des murmures de joie remplissaient la pièce.

Lorsque Miles entra dans l'auberge, il aperçut aussitôt Maude. Elle était en compagnie d'un adolescent dépenaillé, mais elle était si échevelée qu'ils n'étaient pas dépareillés. Elle tenait une chope d'hydromel avec un naturel remarquable.

Quelques heures après son départ, Gareth avait fait parvenir un message à son beau-frère. Lord Dufort devait se rendre au *Coq Rouge* à Folkestone et y attendre la suite des événements. Miles songea qu'il allait s'amuser.

– Lord Dufort ! Gareth m'avait dit que vous n'alliez pas tarder, dit Maude en le voyant. Puis-je vous présenter Luke, un ami de Miranda. Prendrez-vous de la bière ? Nous n'avons plus beaucoup d'argent, mais je suis sûre que vous avez ce qu'il faut.

Miles fit signe au garçon de venir le servir et s'installa près de Maude.

– Où est passé Gareth ? demanda-t-il.

– Il est en haut avec Miranda.

– Ah ! fit Miles en savourant une gorgée de bière fraîche.

– Je crois qu'ils vont se marier, ajouta-t-elle en faisant signe au garçon de remplir sa chope.

– Ah ! répéta lord Duford. Évidemment.

– Vous ne semblez pas surpris.

– Pas vraiment. Mais je donnerais mon âme pour savoir comment il va expliquer au monde la brusque apparition de votre double.

– De ma jumelle, le corrigea Maude.

Miles lui jeta un coup d'œil scrutateur.

– Ah ! C'est cela, bien sûr.

ÉPILOGUE

– Tu as compris ce que tu dois faire ?

– « Crâner », dit Miranda.

– Mentir, dit Maude.

Gareth sourit aux deux sœurs.

– Mais est-ce que cela suffira ? s'inquiéta Imogène qui agitait son éventail.

– Si nous « crânons » tous, comme le dit Miranda, je ne vois pas pourquoi nous n'aurions pas de succès, dit Miles en pénétrant dans la pièce afin d'examiner les jumelles.

Il se frotta les mains de joie en tournant autour d'elles.

– Quelle idée brillante j'ai eue de vous habiller de manière si semblable et pourtant si différente !

– T'as l'air d'une vraie princesse, dit Robbie, assis avec Chip dans l'embrasure de la fenêtre.

Robbie avait bien changé : il était plus rond, plus enjoué, plus sûr de lui.

– J'peux venir avec toi ?

– Non, tu dois rester ici pour t'occuper de Chip, dit Miranda. Mais je te raconterai tous les détails à mon retour.

Satisfait, Robbie grignota les raisins secs qu'il partageait avec Chip.

– Regardons-nous, Maude, dit Miranda en prenant sa sœur par la main et en l'attirant devant le miroir en pied.

L'effet était dévastateur. Les robes avaient été dessinées d'après le même patron, mais celle de Miranda était vert émeraude brodée de fils d'or, incrustée de diamants, tandis que Maude arborait un velours turquoise parsemé de fils d'argent et de saphirs. Les décolletés étaient profonds. Elles portaient de légères fraises parsemées de bijoux. La seule vraie différence était dans la longueur de leurs cheveux. Chacune les portait dénoués, serrés par un cerceau, l'un d'or, l'autre d'argent, mais rien ne dissimulait les beaux cheveux courts de Miranda. Les mèches soyeuses de Maude se déployaient sur ses épaules.

– Ils n'y verront que du feu, annonça Miranda.

– Que pourraient-ils soupçonner ? sourit Gareth en lui baisant la main. La jumelle d'Albard qui avait disparu a été rendue miraculeusement à sa famille.

La jeune fille sentit son cœur battre la chamade.

– Mais si jamais ils devinent... Si la reine... Ou Henri... Vous serez ruiné.

– Je vous l'ai déjà répété mille fois, ma chérie. Cela m'importe peu.

Imogène eut un soupir agacé, mais personne ne lui prêta attention.

– La barque nous attend, dit Miles. Henri doit s'impatienter.

– Il arpente probablement les salons du palais de Greenwich depuis une heure, s'amusa Gareth. Allons nous jeter dans la gueule du lion, mes pupilles.

Maude eut un regard anxieux pour Miranda qui lui serra la main.

Chip remua dans les bras de Robbie alors qu'elles quittaient la chambre. Puis, échappant à l'étreinte du petit garçon, il sauta par la fenêtre.

– Chip, reviens ! cria Robbie en se penchant sur la rambarde, mais le singe avait déjà fini de descendre le long du lierre.

Arrivé en bas, Chip agita le bras en signe d'adieu. Robbie savait qu'il ne pourrait pas le rattraper. Il décida d'explorer encore un peu cet admirable endroit. La cuisine était un bon point de départ qu'il connaissait déjà. La cuisinière l'avait pris sous son aile et elle avait parlé de tartes aux pommes...

– N'oubliez pas que vous êtes censées ignorer que le duc de Roissy est en réalité Henri de France, murmura Imogène alors qu'elles montaient dans le bateau.

Maude et Miranda échangèrent un regard complice et Imogène se tut. Pendant l'absence des jeunes filles, quelque chose avait changé chez lady Imogène. Personne n'avait fourni d'explications et Miranda avait cessé d'interroger Gareth qui refusait d'en discuter.

Alors que le bateau s'éloignait de la rive, une petite créature vêtue d'un gilet rouge atterrit d'un bond sur le pont.

– Oh, Chip, tu n'étais pas censé venir avec nous ! s'exclama Miranda. Je t'avais dit de rester avec Robbie. Non, ne me saute pas dessus, tu vas me salir !

Chip l'ignora et noua les bras autour de son cou en déplaçant la fraise. Son regard pétillant allait des uns aux autres. Gareth leva une main lasse pour faire taire les protestations d'Imogène.

– Pourrez-vous le convaincre de rester sur le bateau à Greenwich, Miranda ? demanda-t-il.

– Je vais essayer, dit-elle, mais sans conviction.

Elle dénoua les petits bras qui lui enserraient le cou et le regarda avec sévérité. Chip inclina la tête sur le côté d'un air si comique qu'elle éclata de rire. Ravi, Chip sauta par terre et fit le tour du groupe en proposant à chacun de lui serrer la main. Il évita Imogène qui se tenait près du bastingage, l'air renfermé et résigné.

Henri de Navarre n'attendait pas dans les salons du palais, mais marchait de long en large sur le ponton. Depuis la maladie de sa fiancée et le départ précipité de son hôte, il avait été l'invité de la reine. Désormais, il était impatient de revoir lady Maude qu'on disait parfaitement remise.

On lui avait aussi dit de s'attendre à une surprise.

Lorsque les deux jeunes filles descendirent du bateau, Henri fut éberlué. Dans toute sa vie mouvementée, il n'avait jamais été aussi surpris. Laquelle était sa fiancée ? Puis, il vit le bracelet au poignet de la fille en turquoise. Le comte Darcourt prit Maude par la main et la fit avancer.

– Vous voyez que lady Maude est à nouveau en pleine santé, Votre Grâce. Permettez-moi aussi de vous présenter la raison de mon absence, la sœur jumelle de Maude, lady Miranda d'Albard.

Miranda fit une révérence et Henri lui baisa la main.
– Nous sommes tous aussi étonnés que vous, Votre Grâce, dit Imogène. Mon frère a appris que la fille jumelle d'Elena vivait dans un couvent depuis cette terrible nuit. Des religieuses avaient retrouvé le malheureux bébé abandonné...
– En effet, Votre Grâce, c'est une histoire extraordinaire, intervint Gareth avant qu'Imogène ne s'empêtre dans les détails. J'avais reçu des nouvelles de Miranda il y a quelques semaines, mais n'étant sûr de rien, j'avais préféré garder le secret.
Henri n'en revenait toujours pas. Ces deux jeunes filles identiques avaient le même regard espiègle dans leurs yeux du même bleu.
– Sa Majesté ignore cette surprise ? demanda-t-il.
– Pour le moment, s'amusa Gareth. Si vous voulez bien vous occuper de Maude, Votre Grâce, je vais me charger de sa sœur. La reine nous attend.
Maude glissa la main sous le bras d'Henri et lui sourit.
– Vous m'avez manqué, Votre Grâce.
– Pas autant que vous m'avez manqué à moi, chérie, dit Henri en souriant. Vous êtes bien guérie ?
– Absolument, Votre Grâce. Je ne me suis jamais sentie aussi bien de ma vie.
– Moi non plus, je ne vous avais jamais vue aussi resplendissante, s'étonna Henri. On dirait que le soleil vous a donné des taches de rousseur, dit-il en lui effleurant le nez. Comment est-ce possible alors que vous étiez alitée ?
– Je me suis assise quelques instants au soleil près de la fenêtre. J'espère que ces taches de rousseur ne vous déplaisent pas.
– Au contraire, elles sont charmantes... Mais un peu incongrues au vu des circonstances.
Maude se contenta d'un sourire énigmatique.
Ils avançaient en procession en direction du palais. Miranda n'avait pas aussi peur que la première fois. Henri semblait avoir accepté le subterfuge, mais qu'en penseraient les autres ?

Les frères Rossiter les virent en premier. Brian, bouche bée, dévisageait chaque sœur tour à tour. Kip avait le sourire satisfait de quelqu'un qui apprend qu'il avait raison. Il échangea un regard complice avec Gareth.

Le chambellan vint les chercher.

– Sa Majesté va recevoir le comte Darcourt...

– Mes pupilles, dit Gareth en offrant un bras à chacune.

Henri lâcha Maude à regret. Ils traversèrent les salons, ignorant les murmures et les regards curieux qui les suivaient. Mais Gareth et les deux sœurs étaient tendus. Si la reine acceptait leur version des faits, personne ne la remettrait en question. Bien que Gareth le niât, cela lui tenait à cœur. Il était toujours aussi ambitieux. Mais son ambition avait changé de nature : elle concernait le bonheur de Miranda.

C'était difficile de prendre Elizabeth au dépourvu, mais quand Gareth lui présenta lady Miranda d'Albard, elle resta interloquée pendant un bon moment. Puis, elle se leva.

– Expliquez-vous, Darcourt ! ordonna-t-elle.

– Depuis des années, je cherchais à obtenir des renseignements concernant la jumelle de Maude, Madame. Jusqu'à il y a quelques semaines, tous mes efforts étaient restés vains. Puis, on m'a appris qu'une jeune femme habitait un couvent cistercien du Languedoc. J'ai profité de mon récent séjour en France pour poursuivre mon enquête. Vous pouvez imaginer ma joie quand j'ai trouvé Miranda. Comme vous le voyez, il n'y a aucun doute qu'elle est bien la jumelle d'Albard qui avait disparu.

La reine tourna autour de Miranda qui avait fait une profonde révérence, espérant pouvoir se relever sans peine cette fois-ci.

– Nous vous félicitons, comte, dit enfin la reine. La ressemblance est extraordinaire. Mais pourquoi avons-nous toujours ignoré l'existence de cette jumelle ?

Elizabeth n'était pas contente. Elle n'aimait pas les surprises.

– J'avais omis d'en parler à Votre Majesté, s'excusa

Gareth. Je ne pensais pas que mes recherches seraient couronnées de succès. Je pensais, comme le père de Miranda, qu'elle avait été assassinée avec sa mère et que son corps avait disparu.

Tandis que Maude restait silencieuse, la reine continuait à scruter Miranda. La jeune femme souffrait dans sa position inconfortable. Même une acrobate ne pouvait pas tenir une révérence de cour au-delà d'un délai raisonnable ! Puis, la reine se détourna et elle put se relever. Elizabeth n'avait pas encore salué la présence de Maude. Elle aurait pu être invisible.

– Ainsi, vous allez pouvoir conclure une autre alliance avantageuse pour les d'Albard, dit la reine.

– Miranda sort à peine du couvent, Madame. Je pensais lui donner un peu de temps pour s'accoutumer à sa nouvelle vie avant de lui choisir un époux.

– On m'a dit que vos fiançailles avec lady Mary d'Abernathy avaient été rompues, poursuivit la reine d'un air mécontent.

– À mon grand regret, Madame. Lady Mary a pensé que nous n'étions pas bien assortis.

– Cela nous étonne. Elle ne retrouvera pas de sitôt l'occasion d'une union aussi avantageuse.

Gareth resta silencieux. Miranda et Maude retenaient leur souffle.

– Nous lui trouverons quelqu'un d'autre, soupira la reine. Elle traîne depuis trop longtemps à la Cour.

Elizabeth eut un geste de la main, et Gareth recula vers la porte avec les jumelles.

– Dieu du ciel ! Pourvu que je n'aie jamais plus à affronter une situation pareille ! soupira-t-il, soulagé.

– Elle nous a crus, n'est-ce pas ? demanda Miranda.

– Oui, ma chérie, mais je n'ose imaginer sa réaction quand elle apprendra nos fiançailles.

– Ce sera pis encore lorsqu'elle saura que le duc de Roissy est en réalité Henri de France, s'amusa Maude.

– Elle s'en remettra, ajouta Gareth. Sa Majesté est une souveraine pragmatique. Les avantages d'une pareille alliance l'emporteront sur l'agacement d'avoir été dupée. Elle comprendra pourquoi Henri avait jugé nécessaire de prendre une autre identité en Angleterre... Retournons au jardin, j'ai l'impression d'étouffer dans ces salons.

Dehors, Henri les attendait.

– Vous semblez soucieux, Votre Grâce, dit Miranda.

– J'étais en train de me demander si je ne vous connaissais pas, lady Miranda, fit Henri en fronçant les sourcils.

Ce roi de France était beaucoup trop perspicace, songea Miranda avec un sourire.

– Si cela devait être, Votre Grâce, ce serait à mon insu.

Sans paraître convaincu, Henri emmena Maude se promener. Elle dut presser le pas pour rester à sa hauteur.

Henri s'arrêta dans un coin abrité du jardin, sous un grand chêne.

– Et maintenant, dites-moi la vérité, ordonna-t-il en plongeant son regard dans celui de Maude. Est-ce que cela a toujours été vous ?

– Toujours, Votre Grâce. Comment pouvez-vous en douter ? affirma-t-elle sans ciller.

– Il faut m'en convaincre, s'adoucit Henri.

– Comme ceci, Votre Grâce ? s'enquit Maude en se dressant sur la pointe des pieds pour l'embrasser.

Elle avait à peine effleuré ses lèvres d'un baiser, mais Henri la souleva et la serra contre lui. Maude ouvrit les lèvres sous la bouche insistante de son fiancé. Henri exigeait autre chose d'elle, une promesse, un engagement, une preuve de sa passion. Un bref instant, Maude pensa au couvent des Bénédictines. Ce fut la dernière fois qu'elle songea à la vie religieuse.

Henri s'assit sur le banc en pierre et attira Maude sur ses genoux. Il était à la fois tendre et déterminé. Maude respirait le parfum de sa peau et de sa barbe. Sa sœur semblait aimer l'amour et tout ce que cela entraînait. Avec un petit soupir, elle s'abandonna à Henri, à la virilité engorgée qu'elle sentait à travers ses vêtements. Ses seins frémirent de plaisir quand il les caressa. La dernière pensée cohérente de Maude fut que sa sœur lui avait trop longtemps caché les joies de la chair.

Henri essaya de se refréner, mais la réponse passionnée de Maude lui fit perdre la tête. Elle repoussa sa jupe pour mieux le prendre en elle. Son cri fut plus de surprise que de douleur. Alors qu'ils découvraient le plaisir et le rythme merveilleux de l'amour, aucun des deux ne remarqua que le bracelet s'était cassé.

Tandis que Miranda regardait sa sœur s'éloigner au bras du roi de France, elle leva son visage vers Gareth.

– Tu crois qu'Henri a deviné ? demanda-t-elle.

– Peut-être, mais je m'en fiche. Viens, nous rentrons.

– On va partir, comme ça ? s'exclama Miranda en feignant d'être horrifiée.

– Comme ça, répéta fermement Gareth. On va laisser la barque pour les autres et prendre un bac.

– Mais Chip nous attend.

– Penses-tu vraiment qu'il n'arrivera pas à nous retrouver ? plaisanta Gareth. Je me suis résigné à toujours l'avoir avec nous.

Il l'entraîna vers le fleuve.

– Heureusement, Chip s'est aussi résigné à vous avoir dans sa vie, milord, dit Miranda en le taquinant.

– Que Dieu soit loué ! Et maintenant, dépêchons-nous, je suis pressé.

Miranda éclata de rire en lui donnant la main.

Un rayon de lune perça le feuillage du chêne centenaire qui se dressait dans un recoin abrité du jardin royal. Parmi les racines recouvertes de mousse, il éclaira un bracelet aux lourds maillons d'or. Le chatoiement des perles, l'éclat d'un cygne d'émeraude étincelèrent un court instant.

Rendez-vous le mois prochain
avec un nouveau roman de la collection

Aventures et Passions

Le 3 décembre

L'amant interdit
de Colleen Faulkner (n° 5377)

Après la mort de son mari dans l'explosion de leur entrepôt, Elizabeth reprend les rênes de l'entreprise. Elle fait spécialement venir un contremaître d'Irlande. Elle espère que Patrick O'Brian pourra l'aider à remettre son activité à flot. En tout cas, il est fort séduisant et cela met Elizabeth mal à l'aise car elle le pense marié...

Quand l'amour s'aventure très loin, il devient passion.

PCA – 44400 Rezé
Achevé d'imprimer en Europe (France)
par Maury-Eurolivres – 45300 Manchecourt
le 28 octobre 1999.
Dépôt légal octobre 1999. ISBN 2-290-05358-9
Éditions J'ai lu
84, rue de Grenelle, 75007 Paris
Diffusion France et étranger : Flammarion